KB092993

자동차 튜닝 학습서 I

Automobile tuning workbook

기관 튜닝

(사)한국자동차튜닝산업협회 편찬위원회
KOREA AUTO TUNING INDUSTRY ASSOCIATION

GoldenBell

머리말

p·r·e·f·a·c·e

자동차는 이제 단순한 이동 수단이 아닌 '움직이는 생활공간'으로 바뀌고 있다. 하지만 자동차의 제작 공정상 개인의 취향이나 개성에 따른 나만의 차를 제작하기는 쉽지 않다. 이에 일반 양산차를 자동차의 성능, 디자인, 편의성 등의 개조를 통한 나만의 개성이 강한 차로 개조하는가 하면, 일반 양산차에 숨어있는 기능을 업그레이드시켜 안전하고 친환경 요소를 강조하는 등의 특화된 작업을 자동차튜닝이라 할 수 있다.

이렇듯 자동차튜닝은 개성을 강화시키고 자동차 문화를 풍부하게 하면서 실과 바늘의 관계인 모터스포츠 분야로의 활성화까지 촉진시키는 숨어있는 먹거리의 기능으로 자동차의 질적인 측면을 강조하는 분야인 것이다.

정부에서는 이러한 자동차 튜닝산업의 가능성을 보고 2013년 국가적인 차원에서 수면 위로 올리고 나름 여러모로 노력하였으나 정부부처의 알력이나 잘못된 움직임으로 피부로 느낄 만큼의 가시적인 효과를 내지 못한 것은 매우 아쉽다고 할 수 있다. 하지만 한국자동차튜닝산업협회를 기반으로 자동차튜닝 발전에 가시적인 결과도 도출하였다.

첫째 자동차 튜닝분야의 산업 분류 체계를 서비스 분야가 아닌 제조업 분야로 일구어 황무지를 개간하는 역할을 충실히 하였다는 것이다. 제조업 분야의 분류는 서비스업과 달리 수십 가지가 다를 정도로 잇점이 크다. 당장 사용하는 전기에너지를 산업용으로 활용 가능하고 필요하면 해외의 인력을 활용할 수 있는 등 다양성 측면에서 서비스업종 분류와 비교가 되지 않는 장점을 지니고 있기 때문이다.

둘째 자동차튜닝원이라는 직업 분류 체계를 신설하고 자동차튜닝 자격증 제도를 시행하였다는 것이다. 튜닝 자격증은 불법적인 자동차 튜닝의 이미지를 수면 위로 올려 자동차튜닝 종사자를 체계적으로 관리하고 정당한 기술인으로 인정받게 하는 역할을 하기 때문이다.

셋째 자동차튜닝 관련 튜닝산업법안 추진에 따른 튜닝활성화 노력을 들 수 있다. 각종 불합리한 규제와 규정에 묶여 튜닝 선진국에 비해 보잘 것 없는 규모를 보이는 우리 튜닝산업을 안전과 환경 문제를 제외한 규제와 규정을 해소함으로써 보다 활성화된 산업으로 발전시킬 기본 조건을 마련하고 있다는 것이다.

그 외 각종 튜닝 관련 세미나는 물론 전국 지자체의 튜닝단지 활성화와 산학협약을 통한 튜닝전문 인력 양성 등 튜닝산업 활성화에 노력하여 이제 그 결과를 가시적으로 이루어나가고 있다.

자동차튜닝의 미래는 밝다. 물론 수년 간 불모지였고 부정적인 시각과 제도가 자리매김하였던 만큼 단기간에 활성화는 쉽지 않으리라 짐작한다. 하지만 이제 그 간의 노력으로 이루어지고 있는 결과들이 가시적으로 보이기 시작하고, 부정적으로만 바라보던 튜닝에 대한 일반인의 인식도 주변에서 흔하게 보이기 시작한 캠핑카, 푸드트럭, 장애인차 그리고 친환경 저공해차량 개조에 이르는 눈으로 확인할 수 있는 튜닝차량으로 인해 튜닝이 일상과 밀접한 관계임을 인식하기 시작하고 있으며 이모든 것이 본격적인 튜닝의 미래로 자리 잡아 먹거리가 될 것이다.

국내 자동차 튜닝산업 활성화는 아직도 진행형인 만큼 인내를 가지고 기다리면 우리가 동경하는 튜닝 선진국의 모습이 우리의 모습이 될 것이다.

2019년 6월

c·o·n·t·e·n·t·s

차례

CHAPTER 6

자동차 냉각계 튜닝

CHAPTER 7

자동차 과급기(터보차저) 튜닝

CHAPTER 8

자동차기관 전자제어장치 튜닝

부 록

CHAPTER 1

자동차 기관 튜닝

1 CHAPTER

자동차 기관 튜닝

01 엔진 튜닝 개요

1 자동차 튜닝의 종류

자동차 튜닝이란 소유자가 개성과 취향에 따라 자동차의 성능을 향상시키거나 외관을 꾸미기 위해 자동차의 구조·장치 일부를 변경 또는 부착물 등을 추가하는 것을 말한다. 이때 튜닝 대상 자동차는 자동차등록이 완료된 운행자동차를 말한다.

자동차 엔진 튜닝은 **튠업 튜닝**Tune Up Tuning에 해당한다. 튠업 튜닝은 아래 표에서 보는 바와 같이 엔진 및 동력전달장치 등의 성능향상을 목적으로 하는 튜닝으로, 튜닝 승인 없이(일부 튜닝 제외) 튜닝을 완료하고 교통안전공단 검사소에서 자동차안전기준, 배출가스 및 소음기준에 적합한지 여부를 확인하는 검사를 받아야 한다.

표 1-1 자동차 튜닝의 종류

항목	내용
빌드업 튜닝 Build Up Tuning	일반 승합·화물자동차 등을 이용하여 사용목적에 적합하게 특수한 적재함이나 차실 등의 구조를 변경하거나 원래 형태를 변경하는 튜닝 • 내장·냉동탑차, 소방차, 견인차, 탱크로리, 청소차, 크레인카고 등 • 자동차 등록원부 및 자동차 등록증에 자동차 용도, 최대 적재량 및 자동차 총중량 등을 튜닝 후의 제원으로 기재사항을 변경 필요
튠업 튜닝 Tune Up Tuning	엔진 및 동력전달장치, 주행·조향·제동·연료·차체 및 차대·연결 및 견인·승차·소음방지·배출가스 발생 방지·등화·완충장치 등의 성능향상을 목적으로 하는 튜닝

튠업 튜닝 Tune Up Tuning	• 터보장착, LPG 및 CNG, 소음기, 쇽업쇼버, 브레이크 변경 등 • 자동차등록원부 및 자동차등록증에 연료의 종류, 변경된 장치의 안전기준 적합여부를 확인하기 위한 튜닝 승인 및 검사가 필요
드레스업 튜닝 Dress Up Tuning	주로 개인의 취향에 맞게 자동차를 꾸미기 위하여 외관을 변경·도색하거나 부착물 등을 추가하는 튜닝 • 에어뎀 장착, 바디페인팅, 칼라필름 부착, 에어스포일러 장착, LED 등화설치, 휠 또는 타이어 교환, 음향기기 장착, 차실내장재 교환 등

2 엔진 튜닝의 종류

엔진 출력을 향상시키기 위해서는 여러 가지 방법이 있으나 가장 쉬운 방법은 배기량을 높이는 것이다. 하지만 배기량을 높이게 되면 연료를 많이 사용하게 되고 그에 따라 과도한 유지비가 발생된다. 또한 오일 쇼크 사태를 겪으며 자원 고갈과 지구 환경 문제에 대한 우려는 자동차의 경량화와 함께 낮은 배기량으로 출력을 향상시키는 기술을 개발하도록 촉진 하였다. 배기량을 변경하지 않고 출력을 높일 수 있는 방법은 여러 가지가 있지만 아래 **표 1-2**와 같이 크게 세 가지 방법으로 분류할 수 있다.

표 1-2 엔진 배기량을 변경하지 않고 출력을 높일 수 있는 방법

항목	내용
흡입공기량 증대를 통한 체적효율 향상	• 흡기 매니폴드(다기관)과 에어필터 등을 흡입 효율이 우수한 제품으로 교체 또는 개조 • 흡·배기 타이밍과 열림 궤적을 변경한 캠 샤프트로 교체 • 흡배기 효율 증가를 위해 흡·배기 포트의 형태를 변형 가공 • 흡입공기량을 증가시키기 위해 과급기 장착
연소효율 향상	• 연소실 형상 변경을 통한 연소효율 개선을 위한 연소실 가공 • 피스톤, 헤드 개스킷 교환 및 헤드 가공으로 압축비 상승 • 고 옥탄가 연료 사용 • 점화시기와 분사량 제어 변경을 위한 ECU 튜닝
마찰 저항 감소를 통한 출력 손실 최소화	• 기계적 작동 부분의 마찰저항을 줄이기 위한 부품 변경 및 특수처리 • 마찰 저항과 냉각성능을 높이기 위한 오일류 교환 • 운동 에너지 손실을 줄이기 위해 피스톤, 캠, 밸브 등을 경량화 • 흡·배기 저항 감소를 위한 흡·배기 다기관 교체

3 엔진 튜닝 시 주의사항

① 현재 자동차 동력기관을 대표하는 가솔린·디젤 엔진은 에너지 밀도가 높은 석유 연료를 이용, 저렴하게 큰 힘을 내는 장점 덕분에 지난 100여년 동안의 기술 개발을 통해 가솔린 엔진은 38%, 디젤 엔진은 43%의 제동열효율을 각각 달성할 정도로 기술 성숙도가 매우 높다. 이러한 최근 양산엔진 각 부품의 정밀도는 높을 뿐만 아니라 최첨단 기술이 적용되어 있으므로 엔진 튜닝 시 이 점을 충분히 고려해야 한다.

② 자동차 엔진 튜닝은 모든 기능이 정상적으로 작동하는 상태에서 실시해야 한다. 자동차의 모든 부분이 정상인 것을 확인해야 하며, 만약 결함이 있다면 먼저 정상 상태가 되도록 정비를 해야 한다. 또한 사용자와 충분한 상담을 통해 자동차의 상태와 이상음의 유무, 불만 등 사전 정보를 충분히 수집 후 튜닝 법규 내에서 튜닝을 진행해야 한다. 예를 들어 출력을 향상시키면 내구성이 감소하며 유지와 관리가 까다로워진다는 것을 사용자에게 충분히 설명해야 한다. 또한 충분한 상담을 통해 사용자의 요구가 무엇인지 분명히 판단하는 것이 중요하다. 종종 사용자의 요구가 아닌 튜닝사들 입장에서 튜닝을 진행하는 경우가 있는데, 이러한 경우 수요자의 만족도가 떨어져 분쟁이 일어날 수 있다. 따라서 튜닝사는 수요자 입장에서 자신의 기술로 사용자를 도와준다는 생각을 무엇보다 우선시해야 한다.

표 1-3 고장진단 사례(그랜저 HG 3.0 GDI, 2016년식)

현상	가능한 원인	정비
비정상적인 엔진 내부 소음(저음)과 엔진의 실화	오일부족 또는 오일 과다로 베어링 마모	필요한 경우 크랭크샤프트와 베어링 교환
	드라이브 플레이트의 부적절한 장착	드라이 플레이트 정비 또는 필요한 경우 교환
	피스톤 링의 마모(오일 소모가 엔진실화의 원인이 될 수 있음)	압축압력 점검 정비 또는 필요한 경우 손상된 부품 교환
	크랭크샤프트 스러스트 베어링의 마모	정비 또는 필요한 경우 손상된 부품 교환
	밸브간극 불량	밸브간극 점검 및 필요한 경우 조정
비정상적인 밸브 계통 소음과 엔진의 실화	밸브고착(밸브 스템에 카본이 누적되어 밸브가 정확히 닫히지 않을 수 있음)	정비 또는 필요한 경우 손상된 부품 교환
	타이밍 체인의 과도한 마모 또는 타이밍 체인 정렬 불량	필요한 경우 타이밍 체인과 스프로킷 교환
	캠 샤프트 로브의 마모	캠 샤프트의 밸브 리프트 교환
	밸브간극 불량	밸브간극 점검 및 필요한 경우 조정

현상	가능한 원인	정비
냉각수 소모와 엔진의 실화	• 실린더 헤드 개스킷의 결함 및 균열 또는 실린더 헤드 및 블록 냉각계통의 손상 • 냉각수 소모는 엔진 오버히트의 원인이 될 수 도 있다.	• 실린더 헤드 및 블록 냉각수 통로의 손상점검 • 또는 실린더 헤드 개스킷의 결함 점검 정비 또는 필요한 경우 손상된 부품 교환
과다한 엔진 오일 소모와 엔진의 실화	• 밸브, 밸브 가이드, • 밸브 스템씰의 마모	정비 또는 필요한 경우 교환
	피스톤 링의 마모(오일 소모가 엔진실화의 원인이 될 수도 있음)	압축압력 점검 정비 또는 필요한 경우 손상된 부품 교환
시동 시 몇 초간의 소음	부적절한 오일의 점도	적절한 오일로 교환
	크랭크샤프트 스러스트 베어링의 마모	크랭크샤프트 스러스트 베어링 점검 정비 또는 필요한 경우 손상된 부품 교환
엔진 회전수와는 무관한 엔진의 소음(고음)	낮은 오일 압력	정비 또는 필요한 경우 손상된 부품 교환
	밸브 스프링의 파손	밸브 스프링 교환
	밸브 리프트의 마모 또는 오염	밸브 리프트 교환
	• 타이밍 체인의 늘어남 • 파손 및 스프로킷 톱니의 손상	타이밍 체인과 스프로킷 교환
	타이밍 체인 텐셔너의 마모	필요한 경우 타이밍 체인 텐셔너 교환
	캠 샤프트 로브의 마모	캠 샤프트 로브 점검 필요한 경우 캠 샤프트 밸브 리프트 교환
	밸브 가이드 또는 스템의 마모	밸브와 밸브 가이드의 점검 정비 또는 필요한 경우 손상된 부품 교환
	밸브 고착(밸브 스템에 카본이 누적되어 밸브가 정확히 닫히지 않을 수 있음)	밸브와 밸브 가이드의 점검 밸브와 밸브가이드 점검 정비 또는 필요한 경우 교환
엔진 회전수와는 무관한 엔진의 소음(저음)	낮은 오일 압력	정비 또는 필요한 경우 손상된 부품 교환
	드라이브 플레이트의 손상 또는 헐거움	드라이브 플레이트의 점검 또는 교환
	오일 팬, 오일 펌프 스크린 접촉부 손상	오일팬 점검, 오일펌프 스크린 점검, 정비 또는 필요한 경우 손상된 부품 교환
	오일펌프 스크린의 유격, 손상 또는 막힘	오일펌프 스크린 점검, 정비 또는 필요한 경우 손상된 부품 교환
	피스톤과 실린더 사이의 과도한 간극	피스톤과 실린더 내경 점검, 정비 또는 필요한 경우 손상된 부품 교환
	과도한 커넥팅 로드 베어링 간극	아래 항목들을 점검 or 필요한 경우 교환 • 커넥팅 로드 베어링 • 커넥팅 로드 • 크랭크샤프트

<table>
<tr><th>현상</th><th>가능한 원인</th><th>정비</th></tr>
<tr><td rowspan="2">엔진 회전수와는 무관한 엔진의 소음(저음)</td><td>과도한 크랭크샤프트 베어링 간극</td><td>아래 항목들을 점검 or 필요한 경우 교환
• 크랭크샤프트 베어링
• 크랭크샤프트 메인저널
• 실린더 블록</td></tr>
<tr><td>피스톤, 피스톤 핀, 커넥팅로드의 부정확한 장착</td><td>피스톤 핀과 커넥팅로드의 올바른 장착 여부점검, 필요한 경우 정비</td></tr>
<tr><td rowspan="3">부하 시 엔진소음</td><td>낮은 오일압력</td><td>정비 또는 필요한 경우 손상된 부품 교환</td></tr>
<tr><td>과도한 커넥팅로드 베어링 간극</td><td>아래 항목들을 점검 or 필요한 경우 교환
• 커넥팅 로드 베어링
• 커넥팅 로드
• 크랭크샤프트</td></tr>
<tr><td>과도한 크랭크샤프트 베어링 간극</td><td>아래 항목들을 점검 or 필요한 경우 교환
• 크랭크샤프트 베어링
• 크랭크샤프트 메인저널
• 실린더 블록</td></tr>
<tr><td rowspan="6">엔진이 크랭킹 되지 않음 (크랭크샤프트가 회전하지 않는 경우)</td><td>실린더 내의 유체 유입
• 실린더 내에 냉각수/부동액 유입
• 오일 유입
• 과다한 연료유입</td><td>• 점화플러그를 분리하고 유체를 점검 헤드개스킷의 파손여부 점검
• 실린더헤드 및 블록의 균열점검
• 인젝터 고착, 연료압력 조절기의 누설 점검</td></tr>
<tr><td>타이밍 체인, 타이밍 체인 스프로 라킷의 파손</td><td>타이밍 체인과 스프로 라킷의 점검정비 또는 필요한 경우 교환</td></tr>
<tr><td>실린더 내에 이물질 유입
• 밸브의 파손
• 피스톤 재료
• 기타 이물질 유입</td><td>손상된 부분과 이물질 유입여부 점검 정비 또는 필요한 경우 교환</td></tr>
<tr><td>크랭크샤프트 또는 커넥팅로드 베어링의 고착</td><td>크랭크샤프트와 커넥팅로드 베어링 점검 정비 또는 필요한 경우 교환</td></tr>
<tr><td>커넥팅로드의 휨 또는 파손</td><td>커넥팅로드 점검 정비 또는 필요한 경우 교환</td></tr>
<tr><td>크랭크샤프트의 파손</td><td>크랭크샤프트 점검 정비 또는 필요한 경우 교환</td></tr>
</table>

③ 자동차 엔진 튜닝은 어떤 상황이든지 교통안전공단의 모든 승인 절차를 거친 후 성능 및 출력 향상이 가능하지만, 성능과 출력을 저하시키는 경우에는 불법으로 규정하기 때문에 주의해야 한다. 연료 장치를 휘발유에서 천연가스(CNG, LNG)나 액화석유가스(LPG)로 개조하는 것은 합법이다.

④ 엔진 튜닝에 있어서 가장 중요한 것은 밸런스를 유지하는 것이다. 고 출력화 및 고 회전을 위한 경량화 튜닝은 내구성이 떨어질 수 있다. 또한 동일 배기량에서 최고 출력을 높일 경우 저속 토크성능이 저하 될 수 있다. 따라서 튜닝 목적을 명확히 한 뒤에 내구성 악화 방지와 성능향상을 위한 전체적인 밸런스를 고려하여 튜닝을 진행해야 한다.

⑤ 엔진 튜닝 후 **엔진다이나모미터**(엔진동력계) 또는 **차대 동력계**(섀시다이나모) 등을 이용한 실험을 통해 반드시 성능확인을 해야 한다. 이는 매우 중요한 작업이다. 왜냐하면 엔진은 여러 가지 중요 부품으로 구성되어 있을 뿐만 아니라 밀접한 관계 속에서 서로 영향을 미치고 있으므로 특정 튜닝 조건에 맞는 성능향상 최적의 값을 도출하기가 어렵기 때문이다. 따라서 계측과 실험을 통한 정량적인 데이터 확보로 성능검증 및 최적의 세팅 포인트를 찾아내는 것은 중요하다.

⑥ 양산엔진에서 할 수 없었던 성능향상을 적극적으로 이루기 위해서는 엔진에 대한 전문적인 지식 습득과 깊은 통찰력이 요구된다. 현재 양산 엔진은 고효율 저연비 실현으로 완성도가 매우 높다. 특히 첨단화된 생산기술로 엔진 각 부품의 중량, 크기, 간극까지도 검토되기 때문에 정밀도의 허용오차 범위가 예전에 비해 크게 줄어들고 있어 엔진 튜닝 시 각각의 엔진이 갖고 있는 특성을 잘 검토하지 않으면 성능향상 효과가 매우 낮을 수 있다.

4 엔진 조립 시 주의사항

(1) 기본적인 주의사항

① 엔진 튜닝 부품의 오 조립의 방지 및 조립 작업의 정확도를 높이기 위해 반드시 정비 지침서의 순서대로 작업을 해야 한다.

② 교환 부품과 재사용 부품은 반드시 구분하여 사용해야 한다.

③ 볼트와 너트의 제원 및 규정 조임 토크는 필히 정비지침서의 규정 값을 준수한다.

④ 부품의 파손 및 손상 방지를 위해 정비 지침서 상에 특수공구의 사용을 지시하는 작업에는 필히 특수공구를 사용한다.

⑤ 엔진의 주요볼트 체결 시 나사산의 손상이 우려되는 에어공구는 사용을 금지한다.

⑥ 전기계통의 반도체 부품의 파손방지를 위해 사전에 배터리 (-)단자를 분리한다.

(2) 각도법이 적용되는 볼트/너트의 체결 시 주의사항

① 볼트/너트 체결 전 약간의 엔진오일을 볼트/너트에 도포하여 조립순서에 맞게 조립한다.

② 정비지침서에 각도법이 적용되는 볼트/너트는 특수공구(토크앵글게이지)를 사용하여 장착한다.

③ 최종 토크를 확인하기 위하여 추가로 볼트/너트를 조이지 말 것.

④ 일반적인 나사 체결 방법은 토크렌치를 이용하여 체결한다. 하지만 볼트 좌면 및 나사면에서의 마찰력의 편차로 인한 체결력(토크)이 크게 변하고 이 때문에 체결력은 높게 설정할 수 없다. 하지만 각도법을 이용하여 볼트/너트를 체결하면 이러한 체결력의 변화를 최소화 할 수 있으며 엔진의 규정 토크 값을 높여 엔진의 고성능화에 대응할 수 있다.

⑤ 각도법 적용 볼트/너트에 대하여 절대 임의로 토크법으로 환산하여 체결하면 안된다. 이 경우 볼트가 늘어나거나 손상되어 체결 시 또는 체결 후 사용 엔진 운전 중 볼트가 파손될 수 있다.

⑥ 탄성역 각도법 적용 시 볼트를 재사용할 수 있으므로 초기체결 토크 또는 각도를 잘못 작업한 경우 볼트, 너트를 푼 후 재작업을 실시하면 된다.

⑦ 하지만 소성역 각도법 볼트/너트는 교환을 원칙으로 하고 있어 반드시 폐기하고 새 부품을 사용해야 한다. 일부 볼트의 사용횟수 및 길이 제한이 있는 경우 각 사양별 재사용 여부를 반드시 확인 후 작업해야한다.

⑧ 또한 소성역 각도법 적용 시 체결 완료 직전 볼트가 늘어나는 느낌 즉, 토크가 증가하지 않고 볼트 또는 너트가 돌아가는 것을 느낄 수가 있으나 그 정도가 과다하게 느껴지는 경우 체결작업 상태를 반드시 재확인해야 한다.

(3) 볼트/너트 체결 종류

① 탄성역 체결법(체결 토크법, 회전각도법)

- 탄성역 체결법(탄성역 각도법)은 토크 렌치와 각도앵글 게이지를 이용하여 체결 하는 방법으로, 체결 시 탄성영역 내에서 조립되는 방법이다. 즉 나사 부품이 가진 탄성 한도 이하(항복점의 70~90%)에서의 탄성 영역내 체결을 말한다.

- 체결 토크와 체결력(축력)의 관계는 거의 직선적인 비례 관계에 있어서 체결 토크를 대용특성으로 체결시키는 방법이 가장 많다.(**그림 1-1, 그림 1-2**)
- 이 방법은 자리면의 **마찰계수**(토크계수)의 고르지 못함 등에 의해 체결 축력이 변동하여 최근에는 각도법에 의한 탄성 영역 각도 체결이 증가하고 있다.

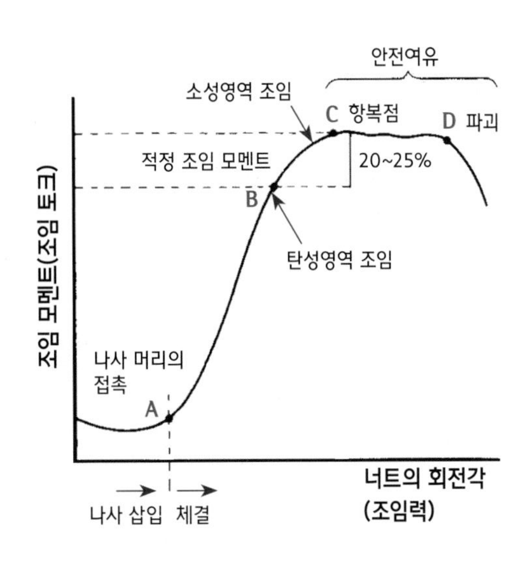

그림 1-01 **나사의 조임 관계도**

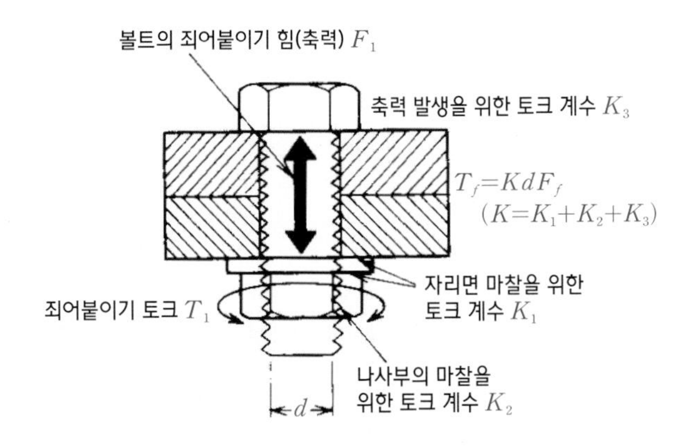

(A) 조임 토크와 조임 힘(축력)과의 관계

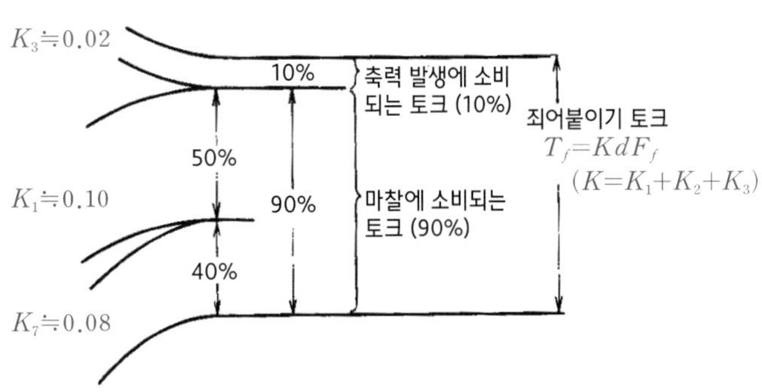

(B) 조임 토크의 일반적인 배분 상황

죄어붙이기 토크법

$T_f=KdF_f$

T_f 죄어붙이기 토크법(kg·cm)
F_f 죄어붙이기 힘(축력)(kg)
d 나사 유효 지름(cm)
K 토크 계수

일반적으로 $K=K_1+K_2+K_3=0.2$
$K_1 \fallingdotseq 0.10$ 자리면의 마찰에 관계하는 계수
$K_2 \fallingdotseq 0.08$ 나사부 마찰에 관계하는 계수
$K_3 \fallingdotseq 0.02$ 축력 발생에 관계하는 계수

그림 1-02 **조임 토크와 힘(축력)의 관계**

- **그림 1-3**은 너트의 회전각과 볼트의 신장에 대해 나타내고 있으며, 볼트의 회전각과 축력은 거의 비례하는 점에서 볼트의 탄성 영역 내 체결 각도를 제어함으로써 축력이 안정화 된다는 것을 볼 수 있다. **그림 1-3**의 식에서와 같이 피 체결물의 수축, 볼트의 늘어남과 회전각과의 관계를 미리 파악하는 것이 중요하다.

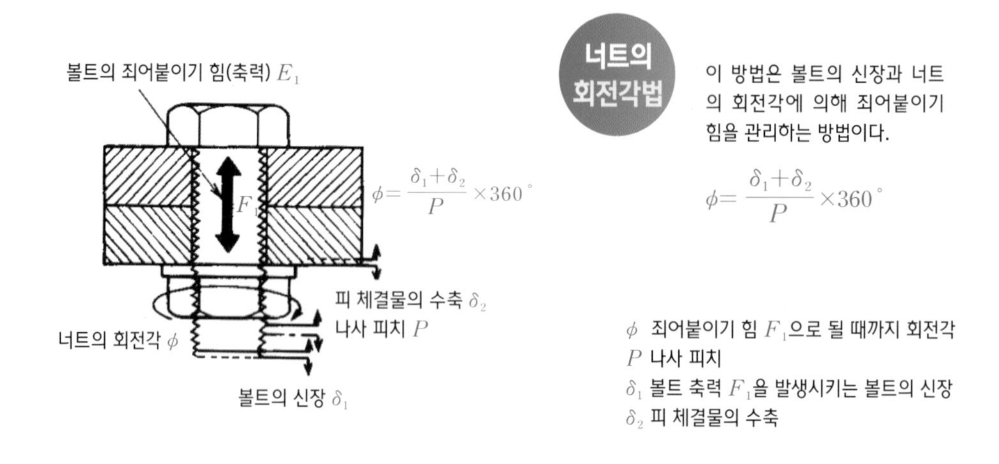

그림 1-03 **너트의 회전각과 볼트의 신장**

② 소성 영역 체결법(항복점 체결법)

- 소성역 체결법은 조립 시 항복강도를 지나 소성영역 내에서 조립되는 체결법으로, 체결에 의해 발생하는 축방향의 응력은 나사 부품이 가지고 있는 항복점(또는 내력) 이상이 되도록 하는 체결법을 말한다.
- 이 방식은 나사 부품이 가진 기계적 성질을 최대한으로 활용하여 높은 체결력을 얻을 수 있고, 체결력의 흐트러짐을 작게 하는 것이 가능하다.
- 또 체결 부족의 해소, 풀림이나 피로 파괴의 방지, 신뢰성의 향상, 나사의 사이즈 다운, 체결 볼트 수의 저감효과를 기대할 수 있다.

③ 각도법 적용 볼트/너트 조립 예

가) 체결토크 규정값 : 3.8~4.2Kgf·m(1단계) +118~120°(2단계) +88~92°(3단계)

나) 조립순서 : 크랭크샤프트 축 조립순서와 규정값에 맞게 토크렌치를 사용하여 1단계 조립 후 토크 앵글게이지를 사용하여 규정 각도에 맞춰 2단계와 3단계 차례로 볼트를 체결한다.

조립순서와 체결토크 규정값에 맞게 토크렌치를 이용 초기 토크 조임 3.8~4.2kgf·m

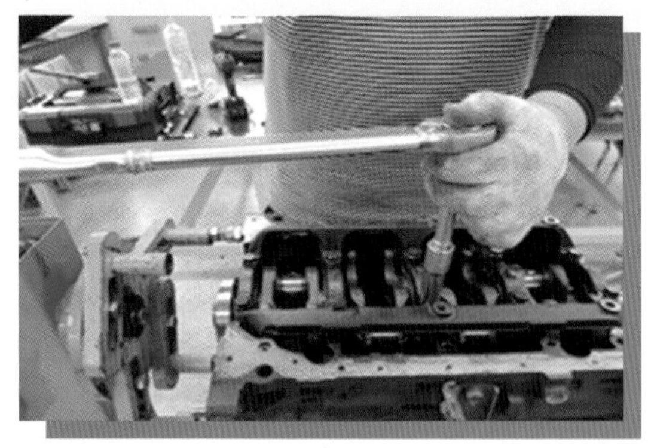

조립순서에 맞게 토크 앵글 게이지로 118~120° 조임

조립순서에 맞게 토크 앵글 게이지로 88~ 92° 조임

조립 완료

(4) 실린더 헤드 조립 시 주의사항

① 유압식 밸브간극 조정장치(HLA Hydraulic Lash Adjuster)의 경우 밸브의 간극을 자동으로 보정하게 되어있어 순서가 바뀌거나 캠 샤프트의 변경, 밸브의 변경으로 인한 간극조정은 필요가 없지만, 최근 출시되는 대부분의 차량에는 기계식 밸브간극 조정장치(태핏)(MLA Mechanical Lash Adjuster)이 적용됨으로 위치가 바뀌지 않도록 마킹을 해야 하며, 변경 시 반드시 간극조정을 필수로 해야 한다. 밸브간극 조정 시 반드시 실린더 헤드가 블록에 장착될 때 규정토크로 조여져 있어야 한다.

② 밸브 튜닝 후 이러한 밸브 간극 조정이 수행되지 않았을 경우 밸브 튜닝 전보다 출력 저하, 소음 증가 등의 결과를 나타내기도 한다.

③ 밸브간극이 클 경우 : 밸브소음("딱딱딱"과 같은 탁음) 발생

④ 밸브간극이 작을 경우 : 밸브를 완전히 닫지 못해 엔진 부조 발생

⑤ MLA의 밸브간극 조정방법에는 아래 표.4와 같이 두 가지가 있다. 이전의 MLA 타입의 경우 **심**shim으로 조정하지만 최근의 MLA 타입의 경우 품번으로 조정한다.

표 1-4 MLA의 밸브간극 조정 방법

항목	내용	항목	내용
심(shim) 조정방식		품번 조정방식	

⑥ 실린더 헤드볼트 선정 및 재사용 금지 : 엔진 재조립 시 순정 헤드볼트의 경우 조임 토크가 가해지지 않으므로 반드시 신품 헤드볼트를 사용해야 한다. 특히 **터보차져**Turbocharger 장착 차량의 경우 부스트 압력 증가 시 순정 헤드볼트가 실린더 헤드의 열전달을 통해 인장되어 압축압력 **리크**leak 발생, 냉각수 누수 발생, 실린더 헤드 개스킷 손상 등의 현상이 발생하게 된다. 하지만 열처리 된 강화 헤드볼트(커넥팅 로드 대단부 볼트, 헤드 볼트)의 경우 횟수에 제한은 있지만 재사용을 해도 순정 헤드볼트에 비해 내구성이 우수하므로 튜닝 시 고려해야 한다.

그림 1-04 열처리 된 강화 헤드볼트

(5) 실린더 블록 조립 시 주의사항

① 엔진마다 각자의 위치가 다르지만 실린더 블록에는 크랭크샤프트 보어 분류 마크와 실린더 보어사이즈 마크가 각인되어 있다. 이는 크랭크샤프트 베어링의 간극과 실린더와 피스톤의 간극을 맞추기 위해 각인되어 있다.

② 플라스틱 게이지의 측정값이 규정값을 벗어나는 경우 식별 색상이 같은 신품으로 교체하고 오일 간극을 재 측정한다.(아래 표 커넥팅로드 베어링 선택표 참조) 이때 베어링이나 캡을 가공하여 간극을 조정하지 않는다.

③ 만약 재측정 값이 여전히 규정 값을 벗어날 경우 한 단계 큰 베어링 또는 작은 베어링을 장착한 후 오일 간극을 재 측정한다.

표 1-5 분류마크 위치 및 분류표(그랜저 HG 3.0 GDI, 2016년식)

항목	분류마크 위치	분류표		
커넥팅로드		분류	마크	대단부 내경
		0	A	58.000~58.006mm
		1	B	58.006~58.012mm
		2	C	58.012~58.018mm
크랭크샤프트 핀 저널		분류	마크	대단부 내경
		I	A	54.966~54.972mm
		II	B	54.960~54.966mm
		III	C	54.954~54.960mm
크랭크샤프트 메인저널		분류	마크	메인저널 외경
		I	A	68.954~68.960mm
		II	B	68.948~68.954mm
		III	C	68.942~68.948mm

<table>
<tr><th>항목</th><th>분류마크 위치</th><th>분류표</th></tr>
<tr><td>커넥팅로드
베어링</td><td>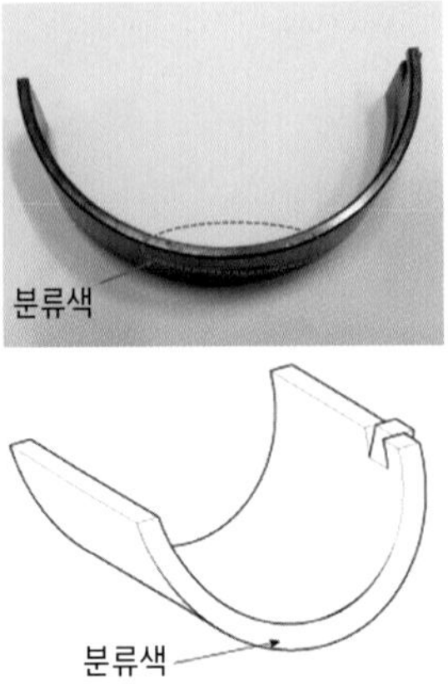
</td><td>
<table>
<tr><th>분류</th><th>마크</th><th>대단부 내경</th></tr>
<tr><td>E</td><td>청색</td><td>1.511~1.514mm</td></tr>
<tr><td>D</td><td>흑색</td><td>1.508~1.511mm</td></tr>
<tr><td>C</td><td>백색</td><td>1.505~1.508mm</td></tr>
<tr><td>B</td><td>녹색</td><td>1.502~1.505mm</td></tr>
<tr><td>A</td><td>황색</td><td>1.499~1.502mm</td></tr>
</table></td></tr>
<tr><td>크랭크샤프트
베어링</td><td>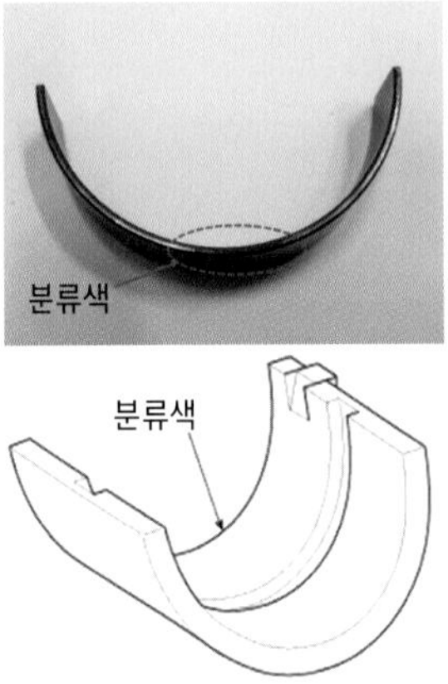
</td><td>
<table>
<tr><th>분류</th><th>마크</th><th>대단부 내경</th></tr>
<tr><td>E</td><td>청색</td><td>2.277~2.280mm</td></tr>
<tr><td>D</td><td>흑색</td><td>2.274~2.277mm</td></tr>
<tr><td>C</td><td>백색</td><td>2.271~2.274mm</td></tr>
<tr><td>B</td><td>녹색</td><td>2.268~2.271mm</td></tr>
<tr><td>A</td><td>황색</td><td>2.265~2.268mm</td></tr>
</table></td></tr>
<tr><td>실린더보어
사이즈 분류표</td><td>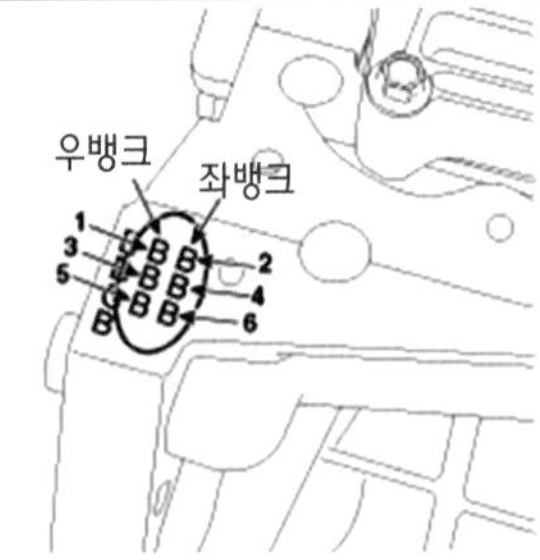
</td><td>
<table>
<tr><th>분류</th><th>마크</th><th>대단부 내경</th></tr>
<tr><td>0</td><td>A</td><td>92.00~92.01mm</td></tr>
<tr><td>1</td><td>B</td><td>92.01~92.02mm</td></tr>
<tr><td>2</td><td>C</td><td>92.02~92.03mm</td></tr>
</table></td></tr>
<tr><td>커넥팅 로드
베어링 선택표</td><td colspan="2">
<table>
<tr><th colspan="2" rowspan="2"></th><th colspan="3">커넥팅로드 분류마크</th></tr>
<tr><th>0(a)</th><th>1(b)</th><th>2(c)</th></tr>
<tr><td rowspan="3">핀 저널 분류
마크</td><td>I(A)</td><td>A(황색)</td><td>B(녹색)</td><td>C(백색)</td></tr>
<tr><td>II(B)</td><td>B(녹색)</td><td>C(맥색)</td><td>D(흑색)</td></tr>
<tr><td>III(C)</td><td>C(백색)</td><td>D(흑색)</td><td>E청색)</td></tr>
</table></td></tr>
</table>

④ 피스톤 조립 전 피스톤 링 엔드 갭과 사이드 간극은 반드시 측정 후 규정값에 맞는지 확인 후 조립해야 한다.

⑤ 또한 피스톤의 프런트 마크(A)와 커넥팅 로드의 프런트 마크(B)가 타이밍 체인쪽으로 향하도록 장착해야 한다. (**표 1-6** 참조)

⑥ 피스톤 링 조립 시 순정의 경우 120°법으로 장착하지만 튜닝용 단조 피스톤의 경우 180°법으로 사용하기도 한다. 하지만 튜닝용 피스톤 사용 시 가장 좋은 방법은 튜닝용 피스톤 제작사의 매뉴얼 상의 가이드를 따라 조립하는 것을 추천한다. 그리고 피스톤 링의 상단부 마킹을 확인 후 조립하는 것에 유의해야 한다.

표 1-6 피스톤 링 조립 시 주의사항

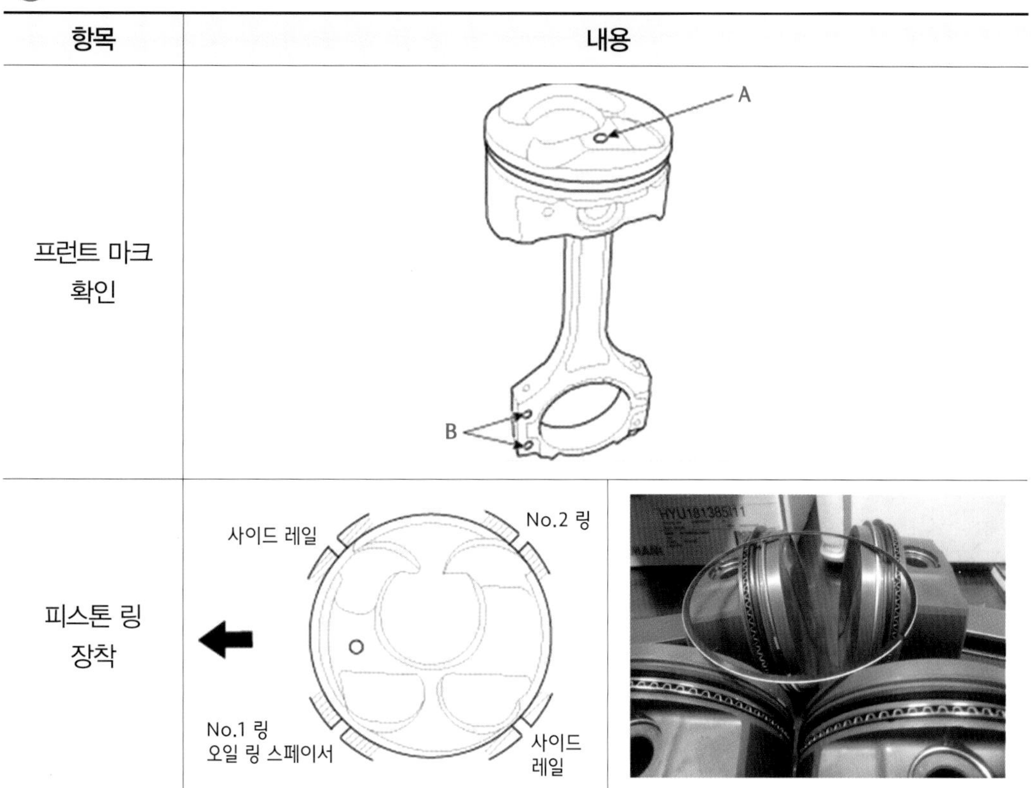

항목	내용
프런트 마크 확인	
피스톤 링 장착	

⑦ 엔진 왕복운동 시 부하가 많이 걸리는 크랭크샤프트와 커넥팅로드 베어링 교환 후 초기 시동 시 엔진보호를 위해 크랭크샤프트 베어링 및 커넥팅로드 베어링 표면에 극압용 고급 **그리스**Grease를 도포 후 조립해야 한다.

 1-7 크랭크샤프트 베어링 파손 예

항목	내용
극압용 고급그리스 특징	• 온도범위: −30℃~+160℃ • 내왕복운동 윤활성 확보 및 고하중 제품 보수유지
크랭크샤프트 베어링 표면에 그리스 도포 모습	
파손된 크랭크샤프트 저널 메인 베어링	

CHAPTER 2

자동차 엔진 본체 튜닝

2 CHAPTER

엔진 본체 튜닝

01 실린더 헤드 튜닝

실린더 헤드는 충전효율, 열효율, 압축비 등과 같은 엔진 성능과 직접적으로 연관된 부품이다. 실린더 헤드는 상부를 덮어 혼합기가 연소하는 연소실을 형성하는 부분으로 흡, 배기 포트 및 밸브작동장치가 내부에 설치되어 복잡한 형상을 하고 있어 가솔린 엔진 및 소형디젤 엔진의 경우 주조성이 뛰어난 알루미늄 경합금이 주로 사용된다. 이는 알루미늄 경합금이 열전도성과 냉각성능이 우수할 뿐만 아니라 비교적 경량이기 때문이다.

그림 2-01 실린더 헤드

실린더 헤드 튜닝은 흡, 배기 포트, 흡, 배기기 밸브 등 흡, 배기기 시스템의 튜닝과 마찬가지로 흡입 공기가 흐름에 간섭 없이 신속하게 연소실로 유입되고 연소 후 배기가스가 신속하게 배출될 수 있도록 하는 것이 중요하다. 또한 실린더헤드에 장착되는 밸브 시스템은 각 부품별 매우 정교하게 제작 및 작동되므로 엔진 밸런스를 고려하지 않은 튜닝을 하거나 기본에 충실하지 못할 경우 엔진 출력 저하, 파손 등과 같은 손실을 초래할 수 있으므로 세심한 주의가 필요하다.

1 연소실

연소실은 흡배기 밸브 주변의 가스 통로를 형성하고 있어서 연소실 형상은 출력, 연료 소비율, 배기가스 성분 등 엔진의 주요 성능을 지배하는 중요한 요소이다. 연소실의 형상이 결정되면 밸브의 협각이나 밸브의 지름, 점화플러그의 위치, 피스톤 헤드의 형상 등이 이를 중심으로 정해지게 된다.

그림 2-02 **연소실의 정의**

그림 2-2에 나타낸 바와 같이 연소실은 피스톤이 상사점에 도달하였을 때 실린더 헤드쪽과 피스톤 크라운 면으로 둘러싸이는 공간을 말한다. 그리고 피스톤이 하강을 시작해도 연소가 계속 진행되므로 그 공간 또한 넓은 의미에서 연소실이라고 할 수 있다. 하지만 피스톤이 상사점에 도달했을 때의 연소실 공간이 연소특성의 대부분을 지배하며, 연소실의 형상은 엔진의 성능을 직접 좌우하게 된다.

2 압축비

압축비는 엔진의 성능에 미치는 영향이 크다. 압축비는 엔진의 사이클 당 열효율과 아래 식과 같은 관계를 가진다.

$$\eta_{th(0)}=1-\left(\frac{1}{\varepsilon}\right)^{k-1} \quad \text{식1}$$

오토사이클의 이론열효율 $\eta_{th(0)}$는 압축비 ε과의 사이에 가스의 비열비를 k라고 할 때 **식 1**의 관계가 된다. 이것을 도시하면 **그림 2-3**과 같이 되며, 압축비 증가에 따라 이론열효율은 개선되게 된다. 그림에서 보면 압축비가 12 정도 되면 곡선의 구배가 작아지는 것을 볼 수 있다. 여기서 열효율은 엔진으로부터 얻어낼 수 있는 일과 마찰력을 극복하고 엔진자체를 회전 시키는 일의 합과 공급된 연료가 가진 열에너지와의 비ratio이고, 이것이 좋다고 하는 것은 같은 양의 열에너지가 공급될 경우 보다 많은 일을 하게 된다.

즉 출력이 크다는 것을 의미한다.

실제 엔진의 압축비는 15~16이 상한이고 그 이상 압축비를 크게 해도 열효율은 오히려 저하된다. 이것은 여러 가지 원인이 있으나 주원인으로는 압축비 증가에 비례하여 연소실의 **표면적**(S)과 **체적**(V)의 비(S/V)가 커지게 되어서 냉각손실이 증가하고 압축말의 온도가 높아져서 노킹을 일으키기 쉬워지므로 점화시기를 늦추어야 하는 것과 또한 마찰손실이 증가되는 것 등이 있다. 하지만 압축비 상승은 연소 압력상승과 이를 통한 엔진 출력 상승 그리고 열효율 상승을 통한 연비상승 효과를 얻을 수 있다.

압축비는 연소실 체적과 직접적으로 관계되며, 연소실 체적은 연소실에 설치된 흡, 배기 밸브의 각도와 피스톤 헤드의 형상, 흡, 배기 포트 경사도 등에 따라 차이가 발생하게 된다. 하지만 엔진 출력 향상을 위한 과도한 압축비 상승 튜닝은 **노킹**Knocking 발생으로 인한 커넥팅 로드 휨(파손), 피스톤 파손, 메탈베어링에 가해지는 하중이 비정상적으로 증가시켜 메탈 베어링 손상 등과 같은 엔진의 손실을 초래하게 되며(**그림 2-5**), 또한 노킹 발생으로 점화시기를 **MBT**Minimum spark advance for Best Torque까지 진각 시킬 수 없게 되거나 MBT 점이 지각되기 때문에 점화시기를 조정하지 않으면 압축비 상승효과를 충분히 얻을 수 없게 될 뿐만 아니라 엔진 출력의 손실이 발생하게 되므로 적절한 압축비 튜닝은 매우 중요하다고 할 수 있다.

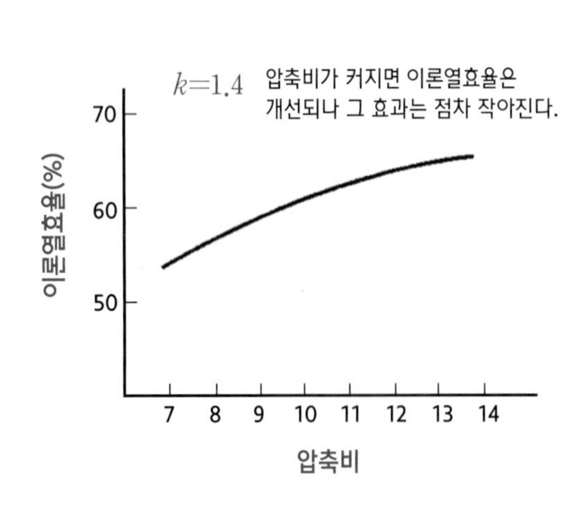

(A) 고압축비화에 의한 열효율의 개선

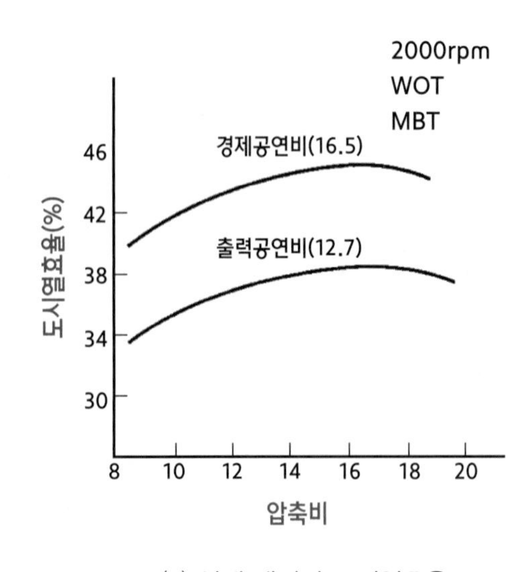

(B) 실제 엔진의 도시열효율

그림 2-03 고압축비화와 실제 엔진의 도시열효율

자연흡기(N/A)방식 엔진의 경우 일반적으로 압축비를 높이기 위해서는 실린더 헤드 개스킷을 순정에 비해 얇은 것으로 교체하는 방식과 실린더 헤드 연소실의 아래쪽을 연마하여 연소실 체적을 줄이는 방식을 사용하고 있다.(**그림 2-4**) 예를 들어 각 실린더당 배기량이 45cc, 실린더 보어가 85cc, 압축비가 10:1인 엔진에서 실린더 헤드 개스킷의 두께를 0.1mm 얇게 하게 되면 연소실 체적은 0.6cc 정도 작아져 압축비가 약 0.1 높아지게 된다. 하지만 실린더 헤드 개스킷의 두께가 얇아진 만큼 연소실 가장자리의 **스퀴시[1] 발생 영역**Squish area의 간극이 작아져서 연소 특성에 영향을 미치게 됨과 동시에 이 영역에 카본이 쌓이게 되어 조기점화를 일으키는 **열점**Hot spot으로 작용하여 노킹을 유발하게 된다. 최근의 양산용 엔진의 경우 **경량화**down sizing와 최적화로 헤드 개스킷을 두께가 얇아져 튜닝의 폭이 매우 좁아진 것이 사실이다.

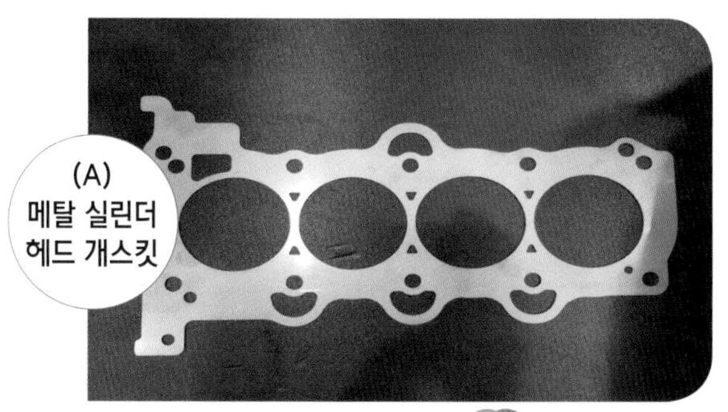

그림 2-04 튜닝용 실린더 헤드 개스킷

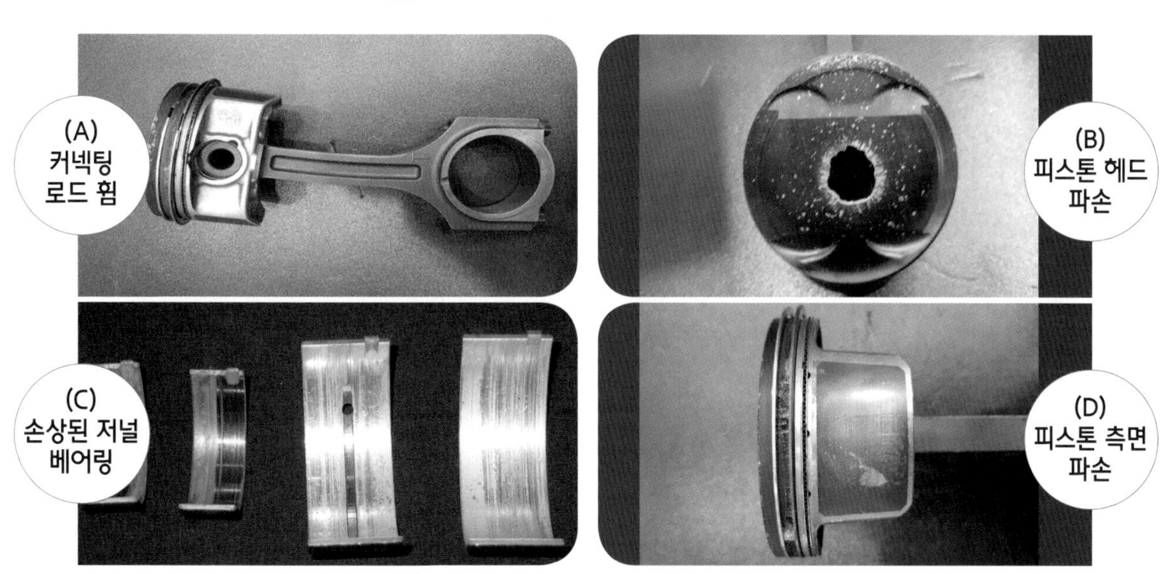

그림 2-05 주요 부품 파손 사례

1 압축 행정 시 혼합기에 의해 연소실 주변의 혼합기를 연소실 중앙으로 밀어주는 와류

실린더 헤드의 아랫면(밸브 페이스 쪽)을 연마해서 압축비를 높이게 될 경우 캠축과 크랭크샤프트의 거리(**그림 2-6** 참조)가 가까워지게 되어 밸브 타이밍에도 미세하지만 영향을 미치기도 한다. 예를 들어 밸브 타이밍의 부조화로 인해 밸브 기밀성이 저하되어 출력이 저하될 수 있으므로 주의해야 한다. 따라서 압축비 변경 시 연소실 체적 감소로 밸브와 피스톤 부딪히게 될 가능성이 높다는 것이다. 만약 엔진 작동 중 밸브와 피스톤이 부딪히게 되면 엔진이 파손되므로 신중히 점검해야 한다. 특히 밸브와 피스톤 거리가 너무 가까울 경우 고 회전 중에 작은 밸브 서징 현장이 발생하거나 밸브 타이밍이 조금만 어긋나도 밸브와 피스톤이 부딪힐 수 있다는 점을 고려하여 압축비 튜닝을 해야 한다.

그림 2-06 **밸브와 상사점에서의 피스톤 헤드와의 거리**

참고자료

- **실린더 헤드면 가공을 통한 압축압력 증대 시 주의사항**
  - 헤드면 가공 후 반드시 수평도 확인
  - 실린더 헤드 개스킷과 헤드 볼트 재사용 금지
  - 압축비 상승에 따른 연소실 온도 상승으로 실린더 헤드 냉각성능 개선필요
  - 과도한 헤드면 가공을 통한 압축비 상승은 노킹 발생으로 엔진에 치명적인 손상을 줄 수 있으므로 주의하고, 노킹 발생 시 점화시기 지각 등과 같은 ECU 맵(map) 데이터 수정 필요함.
  - 고옥탄가 휘발유 사용

3 실린더 헤드 흡 · 배기 포트

흡입 공기량의 증대는 엔진 출력 증대를 위한 가장 기본적인 조건이다. 엔진 출력의 근원은 연소실 내에서 발생하는 열에너지다. 단위 시간에 발생하는 에너지를 증대시키기 위해서는 더욱 많은 양의 연료를 연소시켜야 하며, 이를 위해 보다 많은 흡입 공기량이 필요하다.

터보차저가 장착된 엔진은 **과급장치**(터보차저)에 의해 강제적으로 압축된 공기를 실린더로 공급하는 것에 비해 자연흡기(N/A) 방식 엔진의 경우 흡입 행정 시 실린더 내의 부압으로 공기 또는 혼합기를 실린더 내 연소실에 공급하게 된다. 실제 엔진에서는 이론상 흡입되는 공기량 보다 실제 흡입되는 공기의 양이 적다. 이때 실린더가 흡입한 공기의 양을 평가하는 척도로 흡기효율이 있다. 흡기효율은 체적효율과 충전효율로 나눌 수 있다.

체적효율은 흡입 시점의 압력과 온도 조건에서 흡입한 공기의 체적과 피스톤이 상사점에서 하사점까지 움직이면서 형성된 실린더의 체적변화, 즉 배기량과의 비율을 말한다. 그런데 흡입된 공기의 온도가 높으면 체적이 같더라도 중량은 가벼워진다. 그리고 해발이 높은 곳에서는 대기압이 낮아지기 때문에 공기밀도가 낮아져 같은 체적효율이라고 해도 흡입된 공기의 중량은 작게 된다. 이러한 사항을 고려하여 나타낸 평가 척도가 충전효율이다. 따라서 이러한 체적효율 또는 충전효율을 높여 엔진의 고출력화를 이루는 것이 흡, 배기 포트 튜닝의 주요 목적이라고 할 수 있다.

실린더 헤드는 주철이나 알루미늄 합금으로 주조로 제작되기 때문에 거친 표면을 갖게 된다. 실린더 헤드 흡, 배기 포트 튜닝은 흡기와 배기 저항을 줄이기 위해 흡, 배기 매니폴더(다기관)와 결합되는 접합부인 실린더 헤드 흡, 배기포트를 에어공구와 **루터** router를 이용하여 **포팅**potting과 **폴리싱**polishing 작업을 하는 것이다. 포팅은 흡, 배기 매니폴더(다기관)와 실린더 헤드의 접합부인 포트의 직경을 크게 하는 작업으로 주로 흡기 포팅을 통해 공기 저항을 줄여 단위 면적당 흡입 공기량을 늘리기 위한 작업을 말하며, 폴리싱은 실린더 헤드의 접합부 내면과 흡기 매니폴더(다기관)의 내부 표면의 요철을 없애 흡, 배기 공기 및 가스 유동을 부드럽게 해주는 작업을 말한다. 폴리싱 작업은 포팅기를 이용해 1차 연마한 후 페이퍼(사포)로 마무리한다.

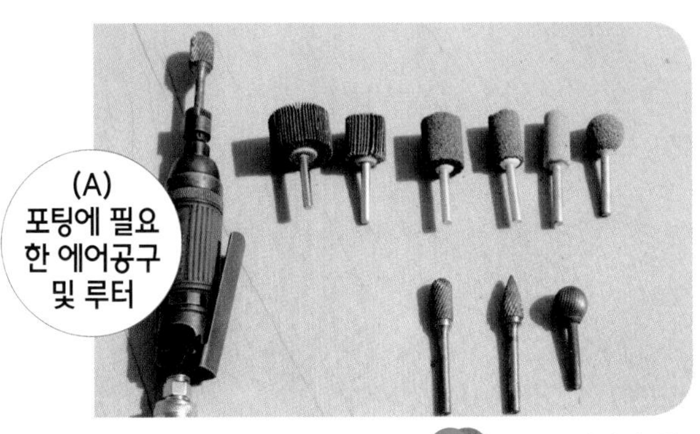

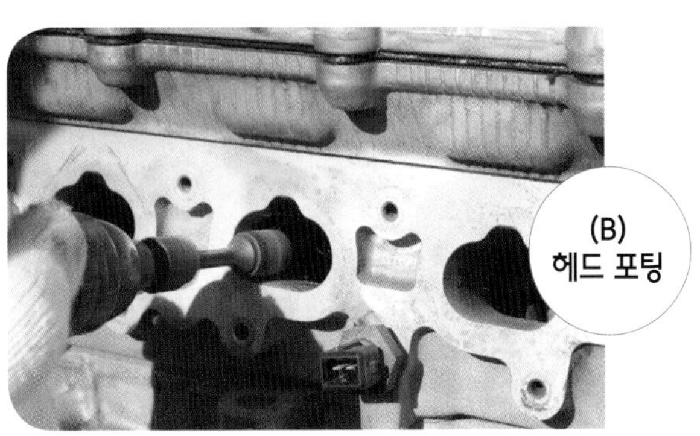

그림 2-07 실린더 헤드 포팅 공구 및 헤드 포팅

(1) 실린더 헤드 흡, 배기포트 포팅 시 주의사항

① 포트 연마(포팅, 폴리싱)의 기본은 최대 사이즈가 밸브 직경을 넘지 않는 범위 내에서 포트 내경을 넓히고, 표면을 매끄럽게 가공하여 공기의 흐름을 원활하게 하여 엔진의 응답성을 향상 시키는 것이다. 하지만 과도한 포팅은 포트입구의 단면적 증가로 인해 오히려 연소실로 유입되는 흡입공기의 속도를 저하시켜 흡기효율 감소뿐만 아니라 연소실 내 유동속도성분인 **스월**swirl과 **텀블**tumble 그리고 **스퀴시**squish 등과 같은 유동의 감소로 인한 연소특성에 영향을 끼쳐 오히려 출력 저하를 초래할 수 있게 된다. 따라서 기존 포트 라인에서 크게 벗어나지 않는 범위 내에서 목표를 정해 직경을 가공한 다음 공기의 흐름을 원활하게 하고, 실린더 내에 많은 양의 공기가 흡입 될 수 있도록 폴리싱 작업을 해주는 것이 바람직하다.

② 포트 확대나 연마 작업 시 각 기통마다 포트 사이즈가 일정하도록 맞추어야 하며, 실린더 헤드 쪽 포트와 흡, 배기 매니폴드(다기관)와의 단차가 생기지 않도록 하는 것도 매우 중요하다. 이러한 단차는 개스킷을 장착하여 확인 할 수 있다. 개스킷의 나사 구멍을 실린더 헤드 쪽 볼트의 매니폴드(다기관) 쪽 나사 구멍에 비교 했을 때 개스킷 쪽에 공기 통로와 실린더 헤드 쪽과 매니폴드(다기관) 쪽과의 오차가 없다면 단차가 없다는 것이다. 하지만 실린더 헤드 쪽 볼트에 개스킷을 장착하여 개스킷 쪽 공기통로가 헤드 쪽 포트 일부를 막을 경우 포트 쪽에 덮여진 부분만큼 개스킷을 잘라 내어 단차를 맞추어야 한다. 그리고 매니폴드(다기관) 쪽 또한 개스킷과 맞추어서 매니폴드(다기관) 쪽과 개스킷의 공기통로에 단차가 있을 경우 매니폴드(다기관) 쪽 공기통로를 절삭해 단차를 제거해 단차를 없애야 한다.(**그림 2-8** 참조)

그림 2-08 **실린더헤드 흡기포트에 개스킷 장착 모습**

③ 최근 가변 밸브 타이밍(VVT[1] variable valve timing) 적용으로 포팅 작업 후 출력상승 효과가 상대적으로 미미하다는 것도 고려하여 작업을 해야 한다.

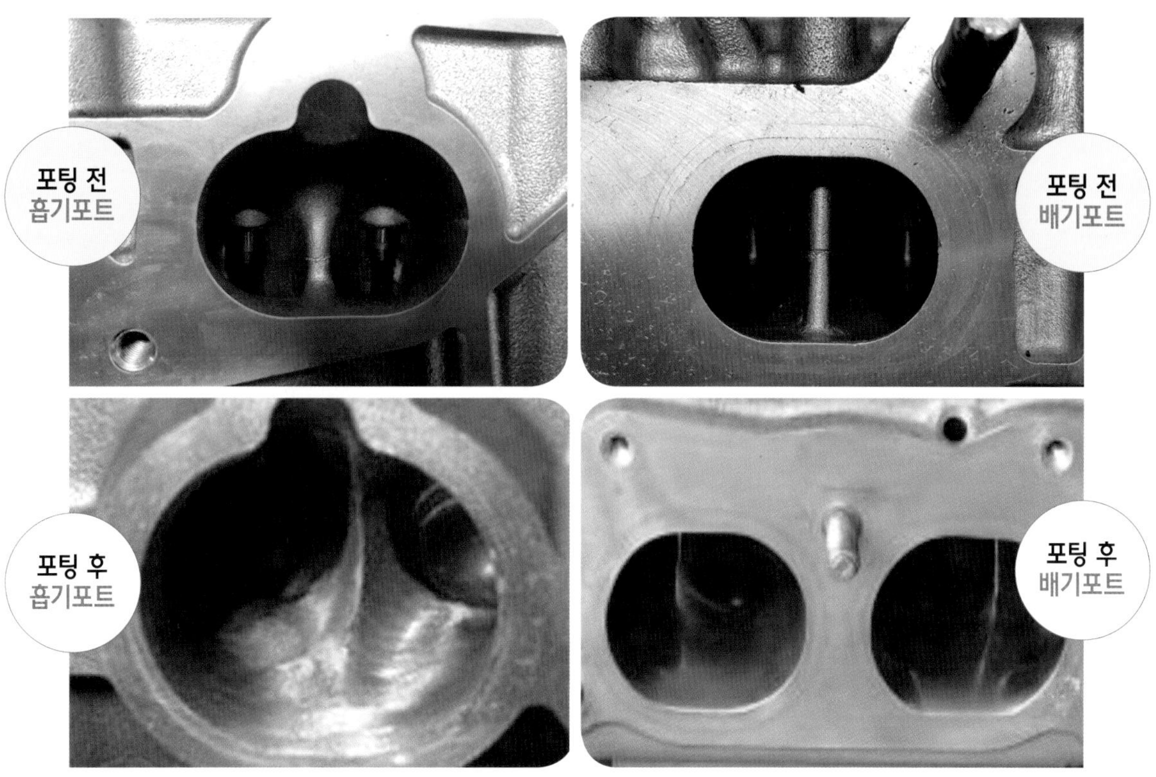

그림 2-09 실린더 헤드 흡기 포트 전, 후 비교

4 밸브 시트 및 밸브 가이드

밸브시트는 밸브와 밀착해 연소실의 압력이 새는 것을 방지하여 밸브와의 기밀성을 유지하기 위해 고온강도, 내마멸성, 내식성 등이 요구된다. 일반적으로 실린더헤드의 모재가 알루미늄 합금인 경우 모재와는 다른 내열성이나 내마모성이 우수한 철제의 소결합금 등으로 만들어진 밸브시트나 가이드를 열박음 한다.

흡기측 재질은 주철재를 사용하고, 배기측은 소결재가 사용되나. 디젤엔진에서는 내열강도 사용된다. 밸브시트의 각도는 통상 45°원추형이나 30°원추형도 사용되는 경우가 있어 밸브보다 30'~1°정도 작은 각도이다.

1 4행정 피스톤 엔진에서 사용하는 기술 용어로, 자동차 운행 중에 회전대역에 따라 흡기나 배기 밸브의 개폐 타이밍이나 개폐량, 개폐시간을 바꿀 수 있게 한 기구이다. 2행정 엔진에서는 파워 밸브 시스템으로 유사한 효과를 얻는다.

밸브와의 맞닿는 폭은 냉각성이나 밀착성을 고려해 1.4~2mm 정도이다. 또 밸브시트부의 형상은 통기 저항의 저감을 위해 다면 가공된다. 밸브시트가 마모되거나 손상된 경우 압축압력 **리크**leak로 시동불량, 공전 시 엔진부조 그리고 엔진작동 시 실린더 헤드에서 밸브 소음이 발생하게 된다.

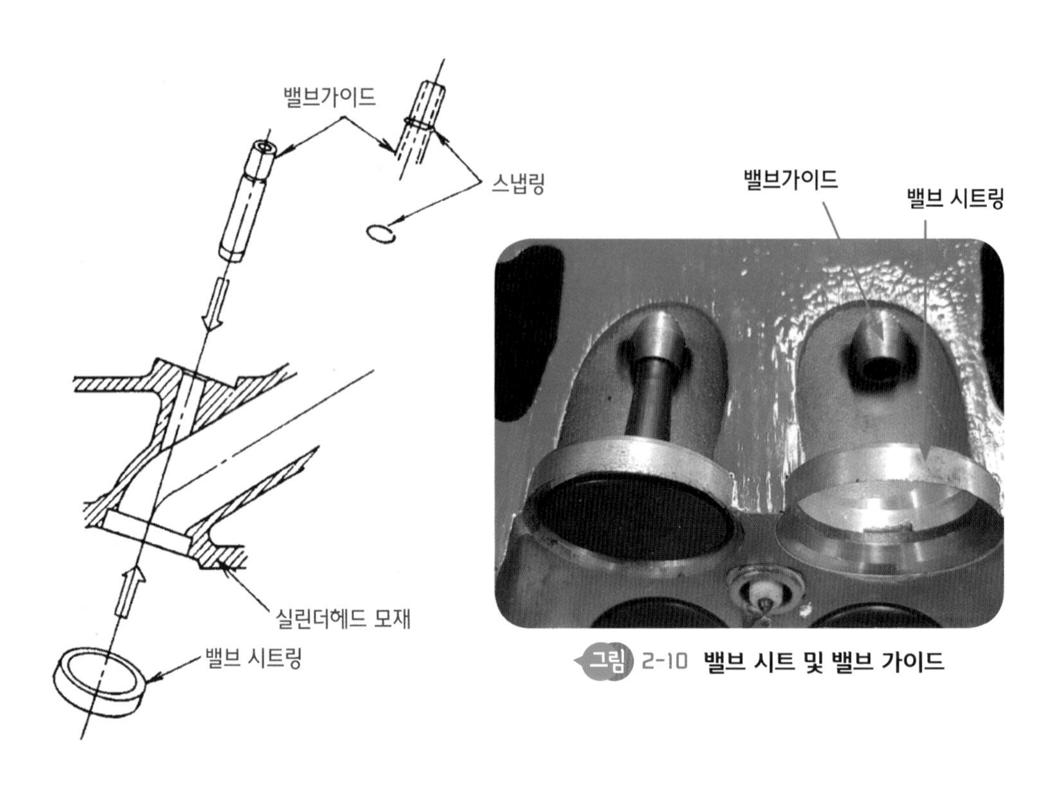

그림 2-10 **밸브 시트 및 밸브 가이드**

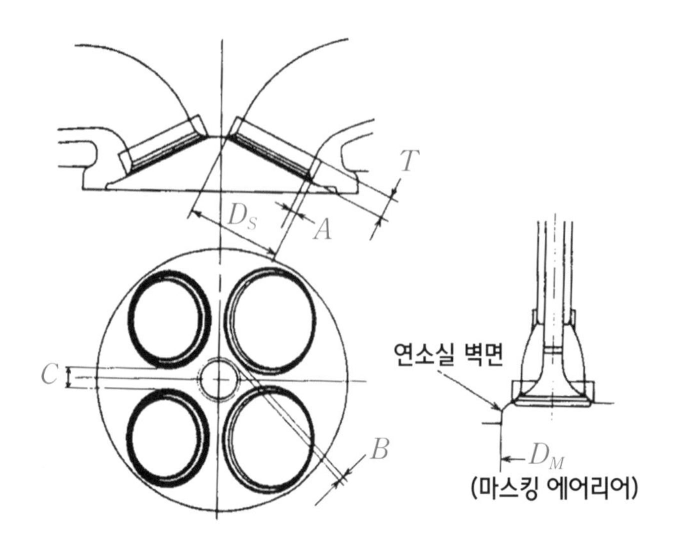

그림 2-11 **밸브 시트의 제 치수**

그림 2-11에서 T, A, B, C 등의 각 치수는 큰 쪽이 유리하다. 즉, 시트의 강성을 높이고 시트 간 두께를 크게 해 체결력을 높여 배기밸브 시트나 점화플러그의 열 영향을 받지 않게 해야 한다. 하지만 엔진의 고 출력화 튜닝 시 정해진 보어직경의 중앙부에 큰 직경의 밸브가 장착되기 때문에 치수를 크게 할 수 없다. 일반적으로 A/DS의 값은 0.06 정도가 한계이고, 최소 시트 간 두께에도 엔진의 열 부하에 상응해서 한계가 있다. 특히 흡기포트에서는 포트로부터 연소실에의 저항을 작게 해야 하며, 아래의 사항을 고려해야한다.

① **그림 2-11**의 T의 값을 작게 하여 포트와의 연결을 좋게 한다.
② 착좌면의 상, 하에 모따기 가공을 한다. 모따기의 각도나 길이는 밸브 헤드 지름이나 밸브 리프트 양에 의해 최적으로 한다.
③ 마스킹 에어리어(연소실의 벽면에 대한 유효개구부)를 크게 한다. **그림 2-11**의 D_M을 마스킹 에어리어 지름으로 부르며, 이 지름이 밸브헤드 지름에 대해 충분히 확보될 수 없는 경우, 헤드 지름을 크게 해도 흡, 배기 효율이 상승하지 않는 경우도 있다.

벨브 가이드의 기능은 밸브가 정위치에 착좌하도록 안내하는 것과 밸브의 열을 외부로 방산시켜 냉각시키는 것이다. 일반적으로 **그림 2-12** (A)와 같이 실린더 헤드에 압입된 후 밸브 시트와 동축 가공을 하지만, 열부하가 높은 엔진 등에서는 (B)와 같은 턱 붙이 가이드를 사용하는 경우도 있으며, 레이싱용에서는 (C)와 같이 직접 냉각수를 돌리는 경우도 있다. 재질은 주철이나 소결합금이 많으며 밸브의 냉각성에서 열전도율이 뛰어난 동계 합금이 사용되는 경우도 있다. 밸브 가이드는 기능과 내구성에 따라 형상이 상반되는 것이 있다.

예를 들어 외경에 관해서 성능을 중요시한다면 흡, 배기 저항을 감소시키기 위해 가늘고 짧게 해야 하지만, 밸브의 변형에 의한 밸브 시트나 밸브 가이드의 마멸, 밸브 가이드 자체의 파손 등을 고려한다면 반대로 굵고 긴 쪽이 좋다. 따라서 튜닝용 밸브 가이드의 내경 설정 시 밸브와의 틈새는 열간 시에 밸브의 융착이 발생하지 않는 범위에서 최소로 해야 한다. 일반적인 예로 밸브와 밸브 가이드와의 온도차가 흡기측에서는 그다지 없지만 배기측은 200℃ 정도 발생하는 경우가 있어 흡기측의 유막 틈새는 일반적으로 30㎛ 정도, 배기측은 이것보다 밸브의 열 팽창분 만큼 크게 설정해야 한다.

일반적으로 밸브 가이드는 헤드 포트 내부로 일부가 돌출되어 있어 흡,배기 저항을 조금이라도 줄이기 위해서 이 부분을 매끄럽게 제거하여 흡, 배기 효율을 높여주는 것이 좋다. (**그림 2-13(B)** 참조)

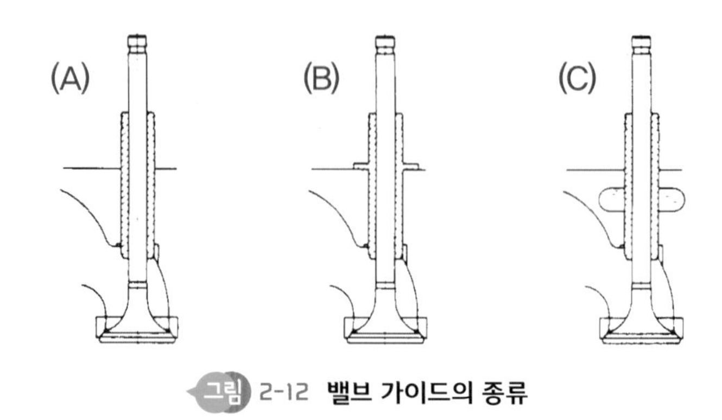

그림 2-12 **밸브 가이드의 종류**

그림 2-13 **밸브 시트 링 가공 및 가이드 제거 후 모습**

하지만 밸브 시트 가공 후 밸브의 기밀이 유지되는지도 반드시 확인해야 한다. **그림 2-14**는 밸브 시트 가공 후 실린더헤드를 뒤집어서 수평을 맞춘 다음 부동액으로 밸브 기밀 유지를 확인하는 모습이다.

그림 2-14 **실린더 헤드 기밀유지 확인**

밸브 페이스면과 밸브 시트면으로 이루어지는 착좌면은 흡기 전체 통로 가운데에서 압력손실이 가장 큰 부분으로 **그림 2-15**를 참조하여 아래 사항에 유의해야 한다.

① 밸브의 양정이 작은 부위(밸브 지름 대비 양정이 1/10 이하인 부위)에서의 통로 면적을 크게 한다.

② 밸브 양정이 큰 부위(밸브 지름 대비 양정이 1/5 이상인 부위)에서의 흡기통로의 급격한 변화를 억제하여 흡입공기 유입 시 박리현상이 일어나지 않도록 한다.

③ 밸브의 착좌면에서 **초킹**chocking현상[1]이 일어나지 않도록 한다. 흡입 때 유속이 지나치게 커지지 않도록 밸브 양정과 위치선정으로 초킹 현상을 방지할 수 있다.

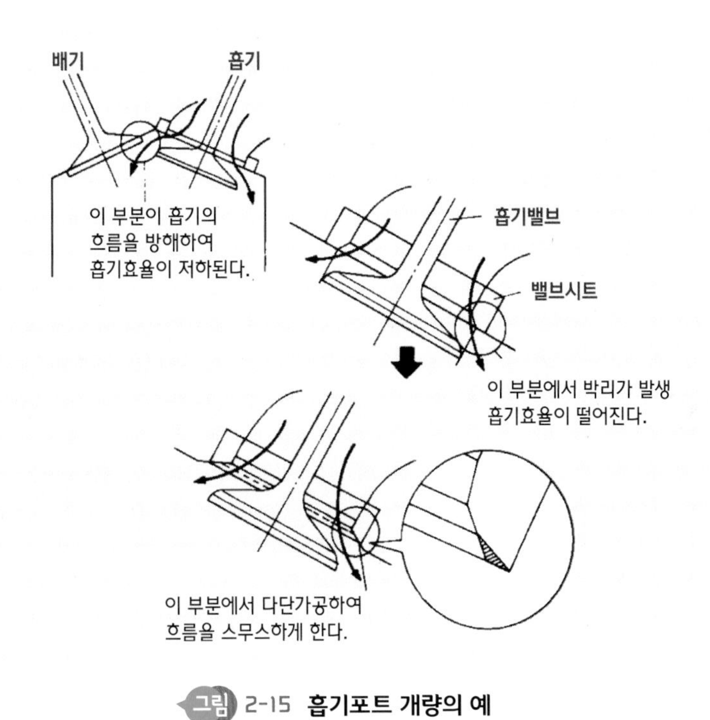

그림 2-15 흡기포트 개량의 예

5 흡 · 배기 포트

연소실에 공기를 흡입하기 위한 통로가 되는 흡기 포트는 가능한 한 저항을 최소화하는 것이 이상적이다. 따라서 대량의 흡입공기를 원활하게 연소실로 보내기 위해서는 흡입 포트의 형상 특히 흡입 포트의 단면적 변화 형태와 흡기포트 기울기 등이 중요하다. 그리고 흡입 과정에서 가능한 저항을 최소화하기 위해 포트 내면을 매끄럽게 연마해야 한다.

1 유동 중 최소 단면적 부위에서 유속이 음속에 도달되는 현상으로 초킹 발생 시 충전효율이 저하됨

포트 부분의 두께는 보통 3~4mm 정도이므로 이것을 참고하여 연마 하면 된다. 이때 포트 내면의 두께가 일정하지 않게 연마 되었을 경우 관내를 흐르는 기체는 압축성이므로 반드시 팽창이나 수축을 반복하게 되어 오히려 저항이 발생되므로 반드시 주의해야 한다.(**그림 2-16** 참조)

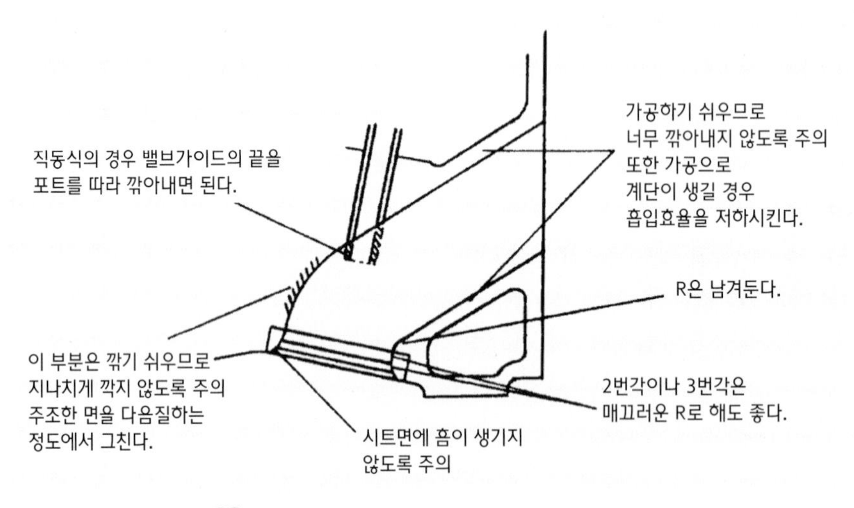

그림 2-16 **흡기포트 내면 연마 시 주의사항**

흡기포트의 형상은 실린더 내 흡입 효율, 혼합기의 흐름(스월) 및 연료의 무화 등에 직접적인 영향을 미치게 되므로 튜닝 시 충분히 고려해야 한다. **그림 2-17**은 실린더내의 가스 유동을 조절하기 위해 흡기포트 기울기를 조절한 예를 나타내고 있다. 높은 포트는 흡, 배기 저항이 적고 고출력 엔진에 적합하며, 낮은 포트는 저속에서도 가스유동이 활발하여 이 영역에서의 연소를 안정시키는데 효과가 있다.

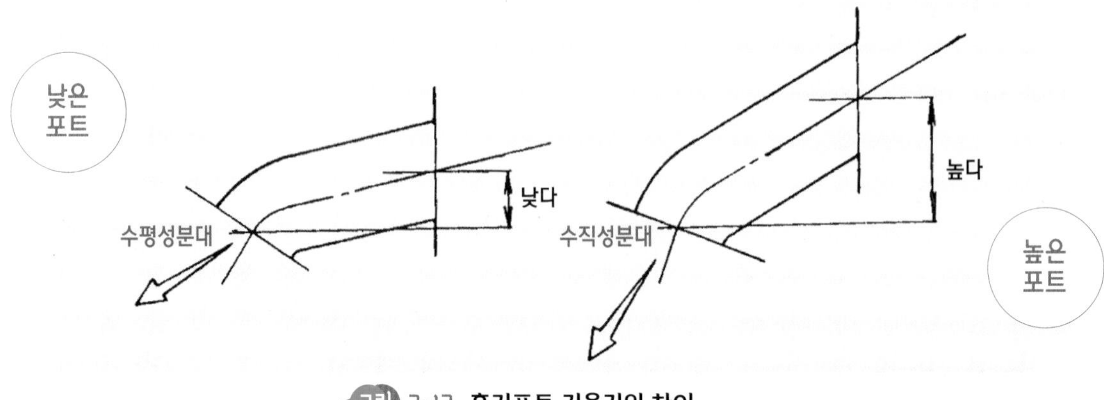

그림 2-17 **흡기포트 기울기의 차이**

배기포트의 형상은 고온의 배기가스가 통과하기 때문에 튜닝 시 각 부분의 냉각성에 충분히 고려해야 한다. 특히 배기 밸브 시트 부근의 온도는 고온이므로 밸브 시트 사이에 냉각수 통로 확보가 매우 중요하다. 또한 배기 측 밸브 가이드의 온도상승을 억지하기 위해 배기 밸브 가이드의 포트에 노출을 최소화할 필요가 있다.

6 냉각수 통로

냉각수는 실린더 블록으로부터 헤드 개스킷의 냉각수 통로를 통과하여 실린더 헤드 아래 면에서 연소실, 흡, 배기 포트, 점화 플러그 주변으로 흐르는 구조로 되어있다. 연소실 주변의 냉각성능 저하는 노킹 한계를 극복할 수 있는 범위가 제한적이 되어 고 성능화가 어려워지게 때문에 냉각이 성능에 미치는 영향이 크다. 헤드의 각 고온부를 균일하게 냉각시키기 위해 헤드 개스킷의 냉각수 통로 직경을 달리하여 냉각수의 유량을 조절하여 냉각 성능을 최적화해야 한다. 특히 점화플러그 주변이나 배기밸브의 시트 링 주변이 열부하가 크기 때문에 냉각이 잘 되도록 해야 한다.

따라서 실린더 헤드의 효율적인 냉각을 위해 대용량 워터펌프 교환, 워터펌프 풀리 비ratio 변경뿐만 아니라 실린더 헤드의 냉각수 통로 형상 개선도 고려하여 튜닝을 실시해야 할 것이다.

하지만 출력상승을 위해 압축비를 높일 경우, 이때 마찰력의 증가와 동시에 압축비 상승에 따른 노킹 방지를 위해 냉각성능을 높이게 된다. 이럴 경우 냉각손실의 증가로 오히려 열효율이 저하되어 출력 손실뿐만 아니라 연비도 저하 된다는 것을 잊지 말아야 할 것이다.

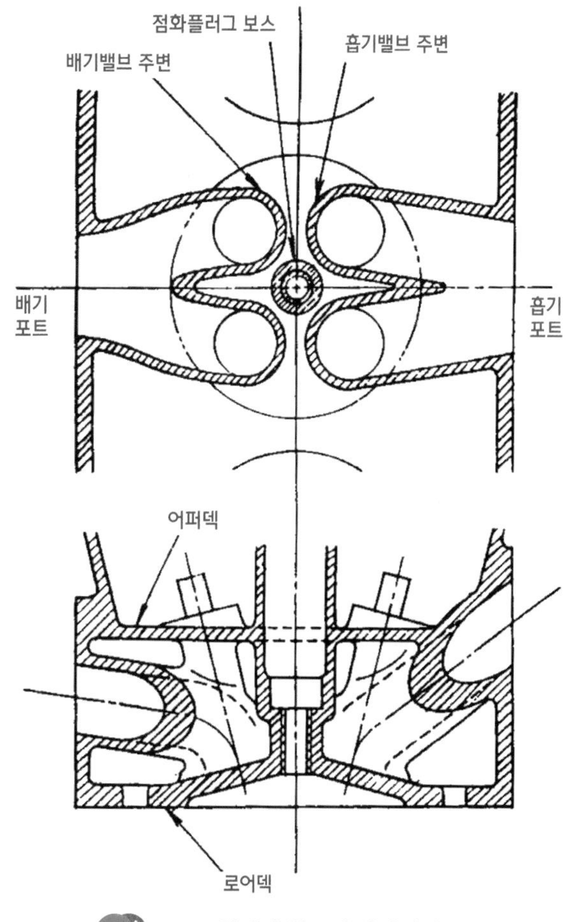

그림 2-18 실린더 헤드의 워터재킷

일반 엔진의 경우 냉각수의 온도가 일정온도 이하일 때는 엔진 내부에서만 냉각수가 순환을 하는 반면 레이싱 차량은 워밍업을 충분히 실시한 후 엔진을 사용하게 때문에 **서모스탯**thermostat을 제거하는 경우가 있다. 이럴 경우 냉각수의 저항이 적어지기 때문에 흐름이 바뀌게 되어 서모스탯이 엔진 한쪽 끝에 장착되어 있어 그와 반대쪽에 있는 실린더로 냉각수의 흐름이 나빠져 노킹의 원인이 되기 쉽다. 이럴 경우 각 실린더가 균일하게 냉각될 수 있도록 실린더 주위의 냉각수 통로 크기를 조정해서 실린더 사이의 냉각 균일성을 도모할 필요가 있다.

냉각계로 방열되는 열량의 약 80%는 실린더 헤드에서 그리고 나머지는 실린더 블록의 워터재킷에서 냉각수로 전달된다. 따라서 실린더 헤드의 워터재킷 형상을 엔진의 성능이나 내구성에 끼치는 영향이 크다. 이상연소인 노킹이나 데토네이션, 충전효율의 저하 등도 냉각성능과 밀접한 관계가 있다. 실린더 헤드로부터의 방열이 나쁘면 밸브 시트의 이상마멸, 밸브의 밀착불량이나 용착, 점화플러그의 파손 등 여러 가지 문제가 발생한다. 실린더 헤드에서 방열량이 가장 큰 부위는 연소실 벽면, 배기밸브 시트와 점화플러그 구멍 주위, 배기포트의 외주나 배기밸브 가이드 구멍 등이다.

그러나 **그림 2-18**에서와 같이 가장 냉각이 필요한 연소실의 중심부위는 충분한 냉각수 통로를 확보하기 어렵다.

이것은 실린더 헤드 냉각 통로 튜닝 시 유의할 점이다. 이 부분의 열 유속(단위 시간에 단위 면적당 통과하는 열량)은 3×10 [kcal/m^{2}h] (1.3×10^6 [kJ/m^{2}h])에 달하여 고성능 보일러와 맞먹는 양이다. 이 **열 유속**heat flux에 대응하기 위해서는 흡, 배기포트나 점화플러그 구멍 사이에 흐르는 냉각수의 유속을 높이고 또한 중점적으로 냉각 되어야 할 곳에 냉각수가 닿을 수 있도록 해야 한다.

그리고 실린더 블록의 워터재킷으로부터 바로 유입된 냉각수를 이 좁은 공간에 유도하여 세차게 흐르도록 하는 것도 중요하다. 열은 냉각수 유속의 1/3승에 비례하여 방열되므로 이곳에서의 유속은 큰 의미를 갖는다. 또한 열을 빼앗은 냉각수는 신속하게 실린더 헤드의 어퍼덱을 따라 **서머스탯**Thermostate을 통해 라디에이터로 이동할 수 있도록 하며, 이때 어퍼덱 가까이나 좁은 냉각수 통로에 기포가 발생되어 냉각수가 정체되는 일이 없도록 하는 것도 중요하다.

7 오일 통로

실린더 헤드에는 흡, 배기 밸브를 포함한 복잡한 구조의 캠 작동 기구들이 설치되어 있어 고출력 튜닝 시 이러한 작동기구들의 윤활 및 냉각작용을 하는 오일의 회수 및 공급이 원활하도록 하는 것도 매우 중요하다. 크랭크 핀이나 저널만큼 부하가 크지는 않지만 헤드 쪽의 오일 공급과 회수가 잘 되지 않게 되면 마찰손실이 증가하고, 브리더breather호스에서 오일이 뿜는 등 성능에 직접적인 영향을 미치게 된다. 특히 윤활이 끝난 오일이 원활하게 회수 되지 않을 경우 밸브 스프링이나 스템에 달라붙어 나중에 오일이 연소실로 들어갈 가능성(oil dropping)이 있다. 따라서 회수용 통로의 출구를 가공chamfering하여 오일이 아래로 떨어지기 쉽도록 해준다.

이렇게 원활한 오일의 회수 및 공급을 저해하는 주요 원인으로는 첫 번째, 블로바이가스 재순환을 위해 설치된 PCVPositive Crankcase Ventilation밸브의 작동으로 인해 오염된 오일이 헤드 각 부에 오일 공급을 어렵게 함과 동시에 오일 유증기가 블로바이가스와 함께 흡기 매니폴더(다기관)로 빠져 나가게 되기 때문이다. 따라서 헤드에 공급되는 오일 통로와 오일 팬으로 회수되는 통로를 적절히 가공해주는 것이 좋다.

두 번째, 복잡한 헤드 구조 및 고출화로 인해 유압의 높아서 헤드로 공급되는 오일 양이 많아져 헤드 여러 부분에 오일이 고이게 되기 때문이다. 따라서 캠 작동부와 베어링 등에 오일 공급을 방해하는 구조물들을 제거하거나 가공해 줌으로써 실린더 헤드 각 작동부에 원활한 오일 공급과 회수로 내구성 향상 및 출력상승 부하에 충분히 대응할 수 있을 것이다.

그림 2-19 제네시스 쿠페 실린더 헤드 상부 모습

02 실린더 블록 튜닝

1 실린더 블록 개요

엔진 본체는 실린더 블록과 헤드로 나눌 수 있다. 실린더 블록은 크랭크샤프트나 피스톤이 부드럽게 회전운동이나 왕복운동을 할 수 있도록 강성이 필요하며, 크랭크샤프트 등의 회전력과 열에 의한 변형이 없어야 한다. 실린더 블록은 엔진의 구성 부품 중 가장 외형이 크고 무게 또한 무거워서 엔진의 중량에 직접적으로 영향을 미친다. **표 2-1**은 실린더 블록의 기본적인 역할을 나타낸 것이다.

그림 2-20 **실린더 블록**

표 2-1 **실린더 블록의 주요기능**

항목	기능
실린더 라이너부, 워터 재킷부	• 피스톤의 접동을 가능하게 함 • 연소실과 크랭크케이스 사이의 가스, 윤활유의 누설방지
베어링부	• 축을 지지하여 회전을 가능하게 함 • 운전 중의 하중을 받음
크랭크케이스부	• 실린더부나 베어링부에서 발생하는 진동의 전달을 억제 • 연소가스, 냉각수, 윤활유의 외부로의 누설 방지 • 엔진의 기본 구조 부품으로서 그 밖의 부품을 지지

그림 2-21에서와 같이 하중이 주기적으로 가해질 경우 그 힘의 크기에 관계없이 변형이 된다. 특히 공진 주파수일 때에는 진동이 격심하고 소음특성에 끼치는 영향이 크다. 힘이 정적으로 가해졌을 때 실린더 블록이 변형하게 되면 가스가 블로아웃 되는 외에 일직선상에 있어야 할 메인 베어링의 **얼라인먼트**alignment가 틀어지기 때문에 크랭크샤프트의 회전이 원활하지 못하게 된다.

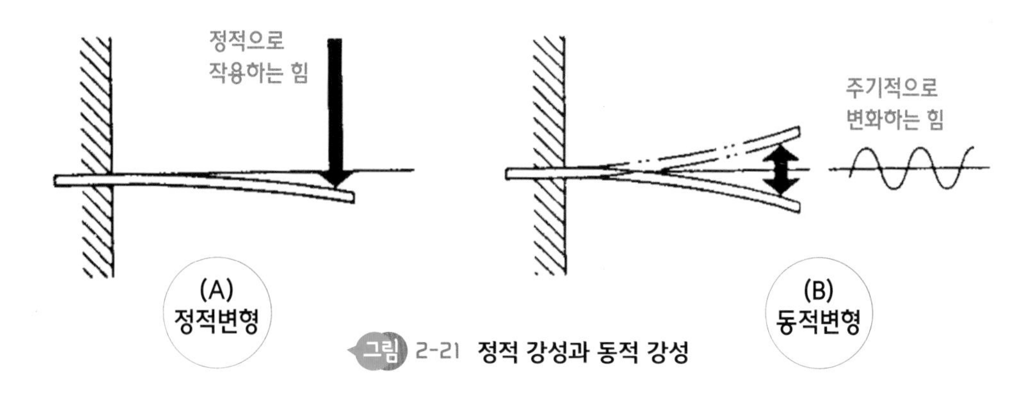

그림 2-21 정적 강성과 동적 강성

실린더 블록의 비틀림 변형은 **그림 2-22**의 오른쪽과 같이 크랭크샤프트를 회전시키려고 하는 힘의 반력 등에 의해 생긴다. 실린더 블록의 강성이 부족하여 문제를 일으키는 사례는 많이 볼 수 있다.

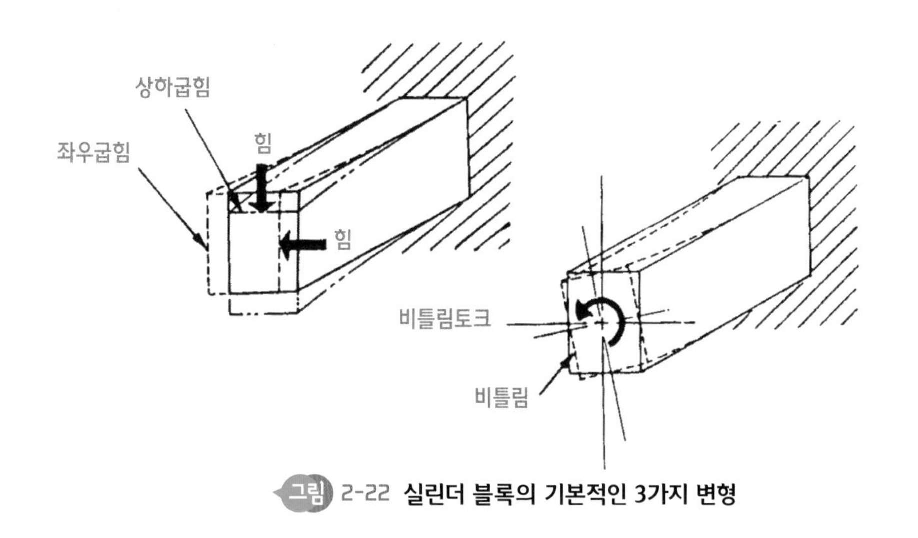

그림 2-22 실린더 블록의 기본적인 3가지 변형

실린더 블록의 하단에 위치하며 크랭크케이스를 형성하는 부분을 스커트부라고 한다. 이 부분도 실린더블록의 강성에 끼치는 영향이 크다. 스커트부의 형식에는 **그림 2-23**에서와 같이 **하프스커트**half skirt와 **디프스커트**deep skirt 두 가지가 있다. 하프스커트식은 사커트의 하단이 크랭크샤프트의 중심, 또는 그 가까이(5mm 정도 아래까지 연장되는 경우가 많다)에 있으며, 디프스커트식은 스커트를 연장(예를 들어 60mm)하여 오일팬 쪽이 그만큼 얕아지게 된다. 일반적으로 디프스커트식이 중량은 증가하나 상하 굽힘(길이방향의 굽힘), 좌우 굽힘(옆 방향의 굽힘)의 각 강성이 높으며, 변속기의 장착부를 크랭크샤프트의 중심보다 아래쪽에 배치할 수 있어서 변속기와의 결합에 유리하다.

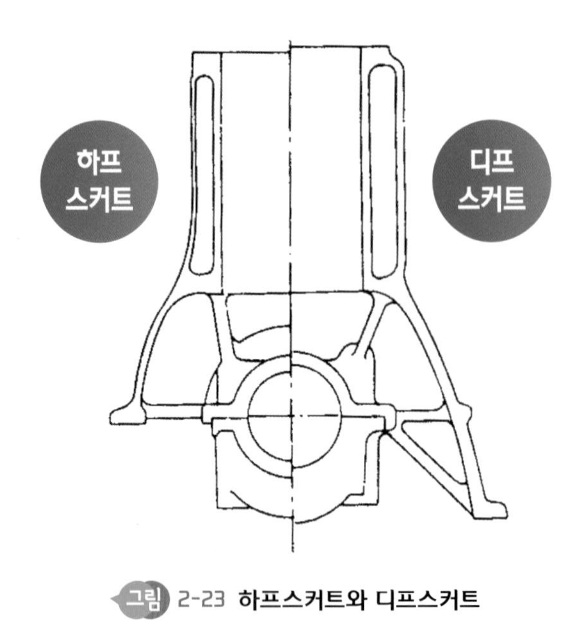

그림 2-23 하프스커트와 디프스커트

실린더 블록에는 **그림 2-24**에서 보는바와 같이 실린더 헤드와의 맞춤면이 되는 **어퍼덱**upper deck이 있는 **클로즈드덱**closed deck 방식과 실린더 윗면과 외벽의 그것이 직접 맞춤면을 형성하는 **오픈덱**open deck 방식이 있다.

클로즈드덱식 방식은 강성을 크게 유지할 수 있으나 주조에 시간이 걸린다. 그리고 오픈덱 방식은 클로즈드덱 방식에 비해 강성이 떨어지고 외벽도 상부가 고정되지 않기 때문에 진동을 일으키기 쉽다.

그러나 주조 시 **워터재킷**water jacket을 만들기 쉽고 더구나 알루미늄 다이캐스트로 실린더 블록을 만들 경우 재킷을 포함하는 모두를 금형으로 할 수 있어서 생산성이 높고 품질의 균일화를 기할 수 있는 장점이 있다.

2 실린더 블록 상부 연마

실린더 블록 상부는 개스킷을 사이로 실린더 헤드와 결합되어 있다. 이 면의 거칠기를 다듬고 평면도를 향상시킬 필요가 있다. 특히 응력을 받는 부위를 연마함으로써 그 힘을 분산시켜 균열이 발생하지 않도록 하는 효과가 있다.

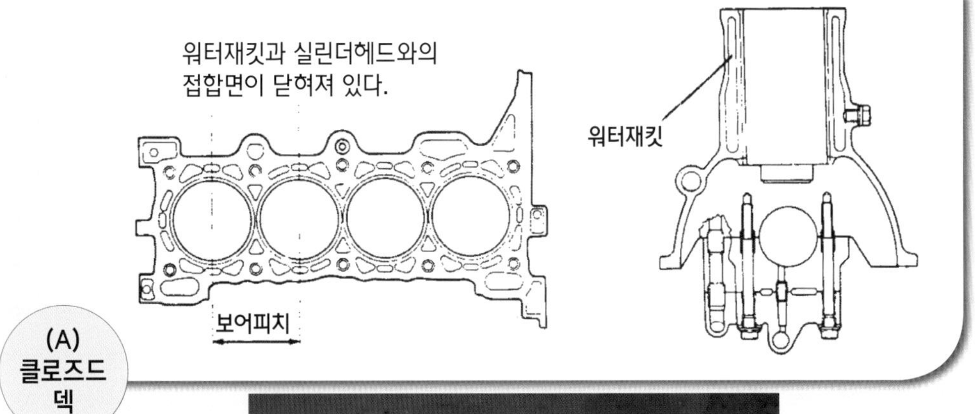

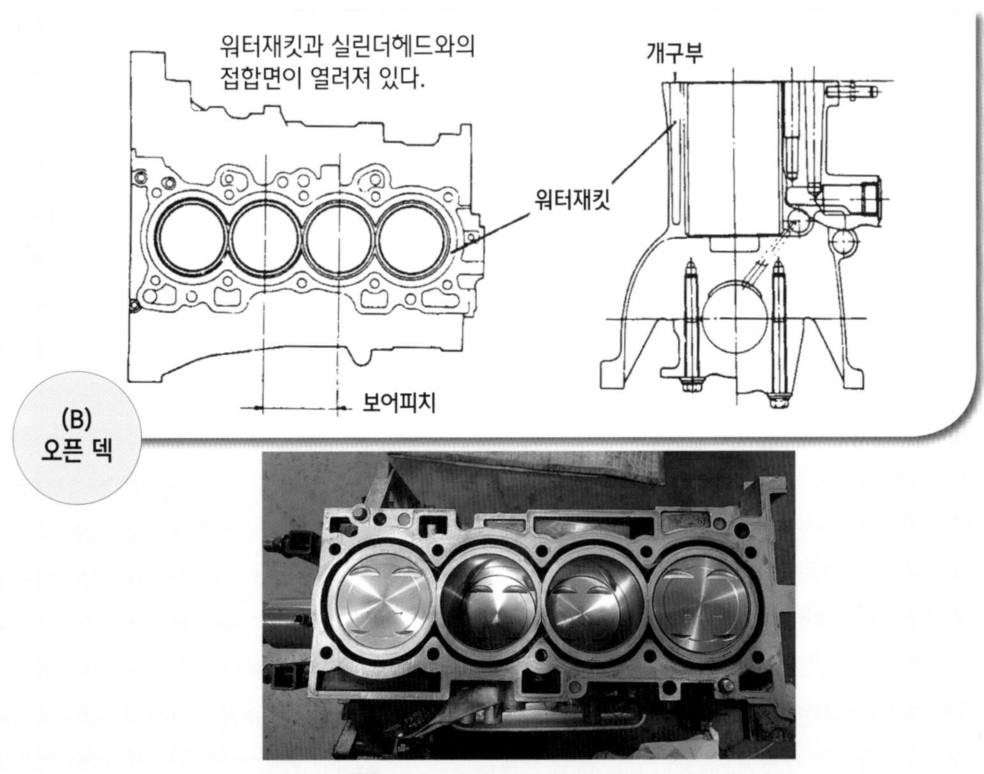

그림 2-24 실린더 블록의 헤드 부착면

3 실린더 라이너(슬리브) 교체

피스톤, 피스톤링이 접동하는 실린더는 엔진의 성능과 내구성에 끼치는 영향이 대단히 크다. 그리고 실린더 부분을 크게 나누면 **그림 2-25** 같이 3개의 형태로 분류할 수 있다. (A)는 **모노블록**mono block 타입으로 다른 부분과 함께 주조되며 주철제의 실린더 블록인 경우는 거의 이 방식을 채택한다. 알루미늄합금제의 모노블록인 경우에는 실린더 내면에 실리콘을 석출시키거나 경질의 크롬도금을 한다. 알루미늄합금제의 실린더 블록인 경우는 (B)와 같이 **건식**dry type의 라이너를 주조 때 함께 주입하거나 압입 또는 열박음을 한다.

즉 라이너는 블록본체의 재질과는 다른 내마멸성의 재질을 사용한다. (C)는 별도로 기계가 가공된 라이너를 완성된 실린더 블록에 삽입하는 방식이다. 라이너의 바깥쪽이 직접 냉각수에 접하게 되며 이 때문에 **습식 라이너**wet liner라고 한다. 습식 라이너는 라이너 주위를 냉각수가 직접 접촉하는 구조를 가지고 있어 실린더 블록에 라이너를 삽입할 때에는 수밀성을 확보하기 위해 O링이나 플랜지면이 정밀가공 된다.

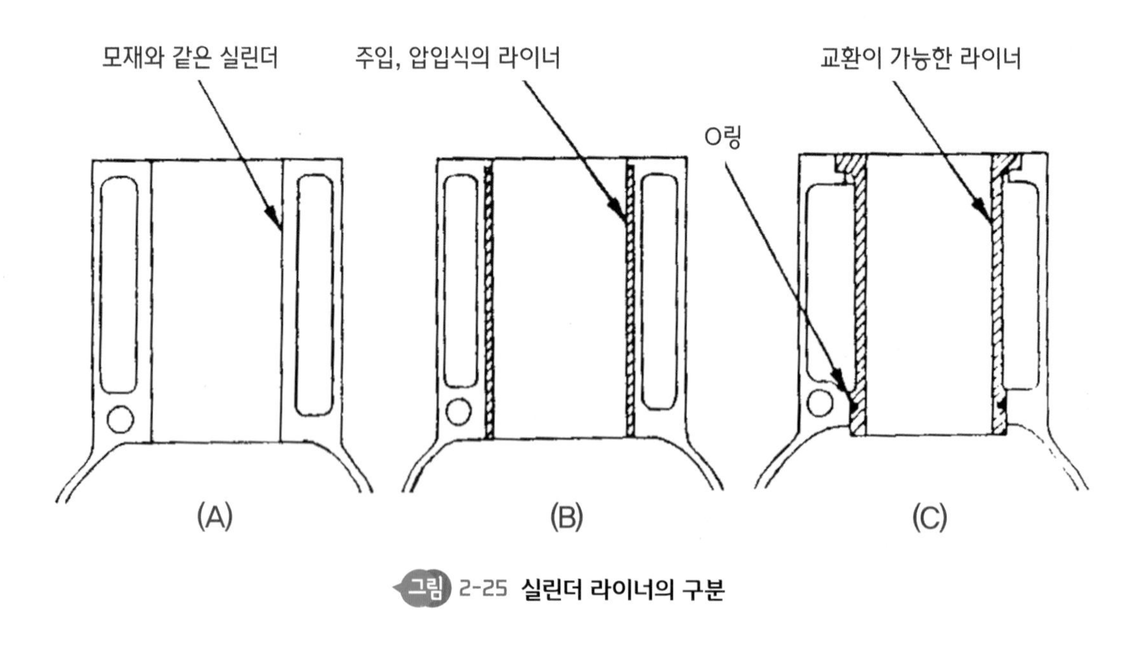

그림 2-25 실린더 라이너의 구분

실린더 보어 피치는 보어 중심간 거리를 의미한다. 보어 업을 해도 변하지 않는다. 보어간 거리는 보어 사이의 거리를 의미한다. 제작사의 순정으로 사용하고 있는 엔진 중에도 보어 치수가 다른(배기량이 다른) 엔진에서는 보어간 거리가 다르다.

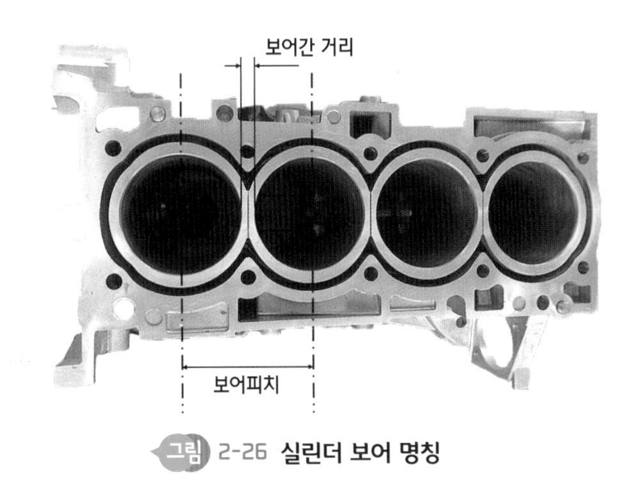

그림 2-26 실린더 보어 명칭

엔진 출력 상승을 위해 압축비 증대 등과 같은 튜닝 시 순정 대비 실린더 내부의 압축압력 및 폭발압력의 상승으로 실린더 라이너(슬리브)가 견디지 못하고 변형이 발생하여 엔진 부조, 오일 소모량 증대, 커넥팅로드 파손, 실린더 블록 파손 등을 초래하게 된다. 따라서 이러한 튜닝 시 튜닝용 강화 라이노(슬리브)로 교체하여 내구성을 강화하는데 절대 소홀이 해서는 안 될 것이다.

(A) 실린더 내부 스크래치 및 카본슬러지 발생

(B) 피스톤 랜드 파손으로 1번 압축링 고착

그림 2-27 실린더 내부 손상 사례

(A) 클로즈드덱 실린더 라이너

(B) 오픈덱 실린더 라이너

그림 2-28 튜닝용 강화 라이너(슬리브)

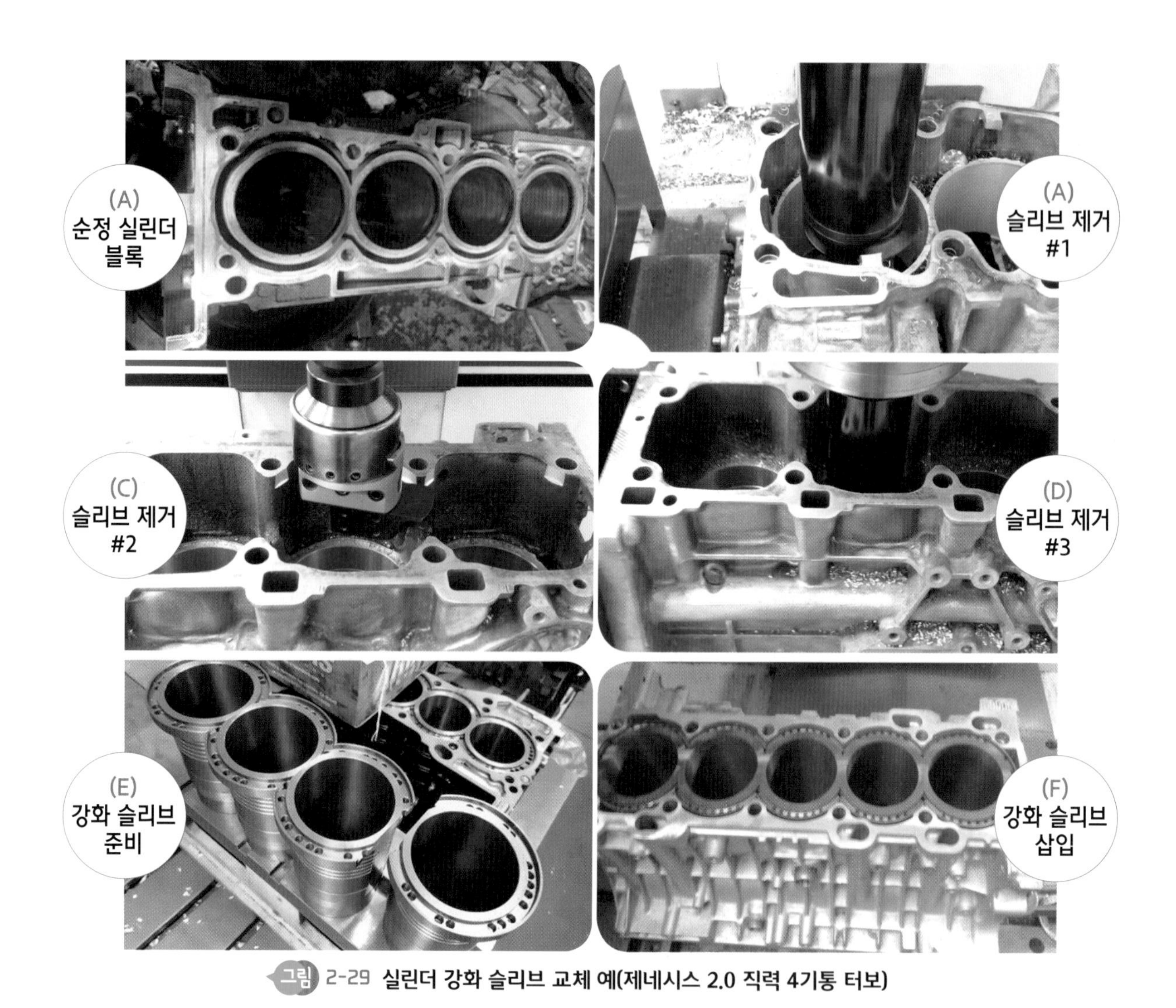

그림 2-29 실린더 강화 슬리브 교체 예(제네시스 2.0 직렬 4기통 터보)

(A)
라이너 제거

(B)
라이너 압입

그림 2-30 클로즈드덱 실린더 라이너 교체 예

CHAPTER 3

자동차 주 운동계 튜닝

3 CHAPTER

주 운동계 튜닝

01 주 운동계 튜닝

주 운동계는 연소로 발생된 열에너지에 의해 압력이 상승된 가스의 팽창으로 이루어지는 일을 회전일로 변환시키는 기구 전체를 지칭한다. 앞서 실린더 헤드에서 기술한 바와 같이 연소공간의 형상은 헤드쪽의 연소실과 피스톤 상부 크라운면으로 이루어진다. 피스톤 크라운면은 고온에 노출될 뿐만 아니라 경우에 따라서는 초속 20m/s를 초과하는 속도로 실린더 내를 왕복운동 한다. 이때 피스톤에는 **그림 3-1**에 나타낸 연소압력에 의한 하중과 왕복운동에 의한 관성력이 작용해서 기계적 변형이 발생한다.

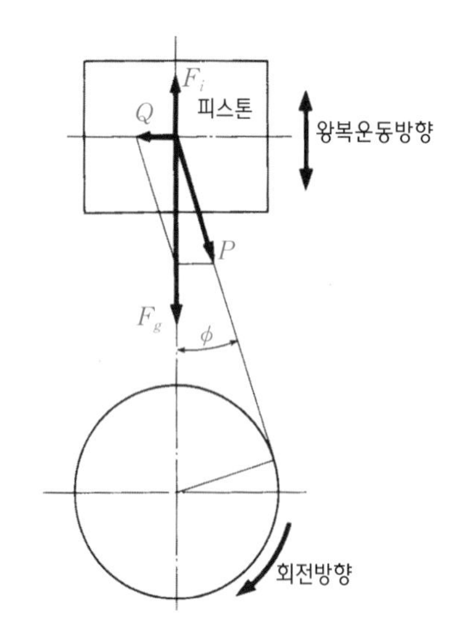

$$F_g = \frac{\pi D^2}{4} \cdot P$$

$$F_i = M_i \cdot \alpha$$

$$P = (F_g + F_i)\sec\phi$$

$$Q = (F_g + F_i)\tan\phi$$

F_g 폭발하중
F_i 왕복 질량에 의한 관성력
P 커넥팅로드의 압축력
Q 피스톤 스러스트 힘
D 실린더 지름
p 실린더 내 압력
M_i 왕복질량
α 피스톤 가속도

그림 3-01 피스톤에 작용하는 힘

1 피스톤

(1) 피스톤과 피스톤 핀

그림 3-2는 피스톤 단면 형상과 각부의 명칭을 나타내고 있다. 피스톤에는 **그림 3-1**에 나타낸 연소압력에 의한 하중과 왕복 운동에 의한 관성력이 작용해서 기계적 변형이 발생한다. 또한 연소 가스에 노출되어 온도가 상승하게 되는데, 이때 **그림 3-3**과 같은 온도 구배가 생겨 열 변형이 발생한다. 이러한 폭발하중 및 관성력, 열부하 등에 의해 피로파괴나 용손, 접동부의 마멸, 융착 등의 손상이 발생하기도 한다. 피스톤은 **그림 3-1**에 나타내는 힘의 작용에 의해 왕복 회전 운동에 수반하여 목이 흔들리는 거동을 나타낸다. 이 거동은 피스톤과 실린더의 충돌에 의한 소음(슬랩 음)이나 윤활유 소비량 등에 영향을 준다.

따라서 위에 기술한 손상의 방지, 소음의 저감 그리고 기계효율을 향상시키기 위한 경량화를 도모함과 동시에 피스톤 각부의 제원 결정 시 유의사항은 다음과 같다.

① 피스톤 헤드는 연소실의 일부를 형성한다. 연소 가스에서 받은 열을 효과적으로 주위에 전달하고 연소압력에 대한 강도 및 고온 연소가스와 흡입 혼합기에 의한 열 충력에 대한 강도를 확보한 형상이어야 한다.

② 피스톤 링의 기능을 유지하고, 피스톤 링의 교착이나 피스톤 링 및 링 홈의 이상 마멸, 슬러지의 이상 퇴적 등을 방지하도록 고려한다. 특히 링 홈 가공면의 면 다듬질이 매끄럽지 못하면 블로바이가스 배출에 영향이 크다. 톱 랜드는 끝부분의 열 변형을 억제하고, 두 번째 랜드는 가스 하중에 의한 절손에 대한 강도를 확보할 수 있어야 한다. 피스톤 핀 중심을 피스톤 중심에서 오프셋(**그림 3-2** 참조)하는 것에 의해 피스톤 거동이 안정화 되어 슬랩 음이 저감된다.

③ 피스톤 스커트는 피스톤의 왕복 운동 시의 거동을 안정시키는 가이드 역할을 하고, 길이와 강성은 피스톤 핀 보다 위의 중량 등에 상응해 결정해야 한다. 피스톤 스커트의 형상은 슬랩음, 내 융착성, 마찰 저항, 윤활유의 긁어내림 양 등에 영향을 준다. (**그림 3-4** 참조)

④ 피스톤 간격(피스톤과 실린더의 최소간격)은 피스톤과 실린더 사이의 실링성과 윤활 및 슬랩 음을 고려해서 선택해야 한다. 간격이 작은 쪽이 피스톤 동작이 안정되고, 슬랩 음이 저감하지만, 열팽창에 의한 융착에 대한 고려가 필요하다.

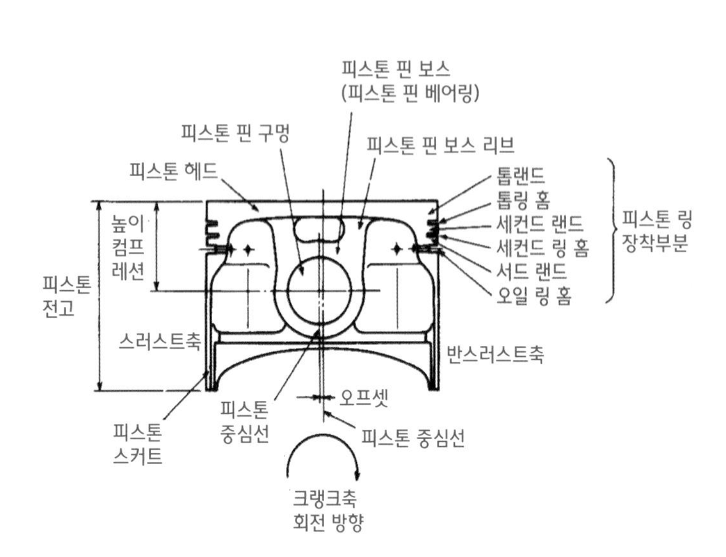

그림 3-02 피스톤의 구조 예(승용차용 가솔린 엔진)

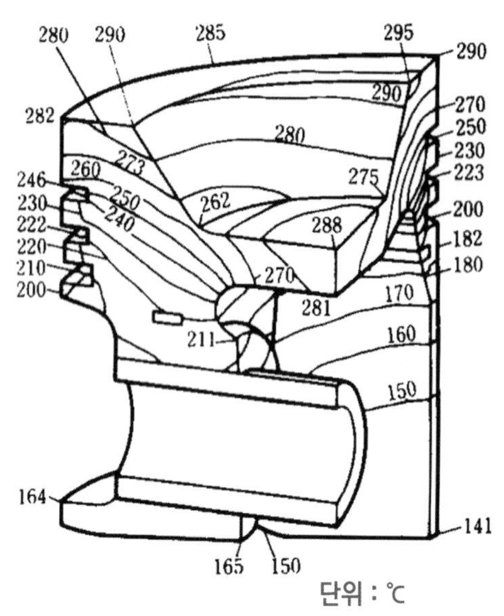

그림 3-03 피스톤의 온도 분포 예(전 부하 시)

스커트 폭	넓다	
효과	슬립 음 저감 등	A
적용	디젤 엔진에 많음	

스커트 폭	좁다	
효과	마찰저항의 저감 등	B
적용	고출력 가솔린 엔진에 많음	

(A) (B)

그림 3-04 피스톤 스커트 형상 예

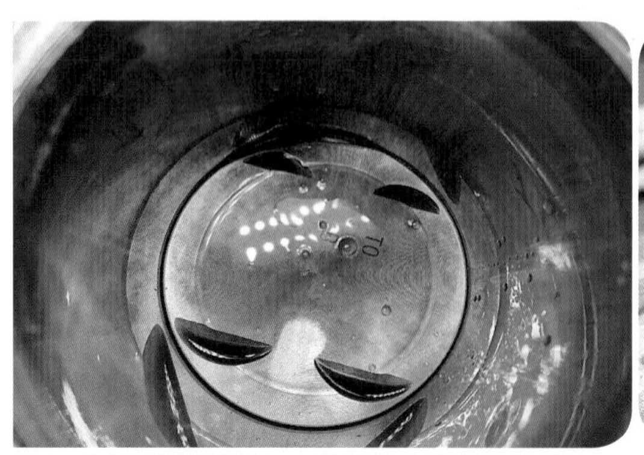

(A) 피스톤 손상으로 인한 실린더 내부 손상

(B) 피스톤 파손

그림 3-05 피스톤 손상 사례

피스톤 핀에는 강한 가스압력과 피스톤의 관성력이 직접 가해진다. 예를 들어 실린더 지름이 85mm, 연소에 의한 가스압력이 55kgf/㎠ 라고 할 때 피스톤에는 약 3120kgf(3.1×104N)의 힘이 작용하게 된다. 이와 같은 큰 힘은 피스톤 핀에 굽힘이나 전단력으로 작용하게 되며, 만약 피스톤 핀이 변형되면 피스톤의 핀 보스부에 영향을 끼쳐 융착에 이르게 되므로 핀은 충분한 강도와 강성을 가지도록 하는 것이 중요한다. 피스톤 핀은 커넥팅 로드 소단부와 피스톤 핀 보스부를 결합하는 것으로 그 방식에는 압입 고정식과 부동식이 있다. 다음은 원통형의 균일 단면을 가진 피스톤 핀에 대한 강도 및 강성의 계산식 예이다.

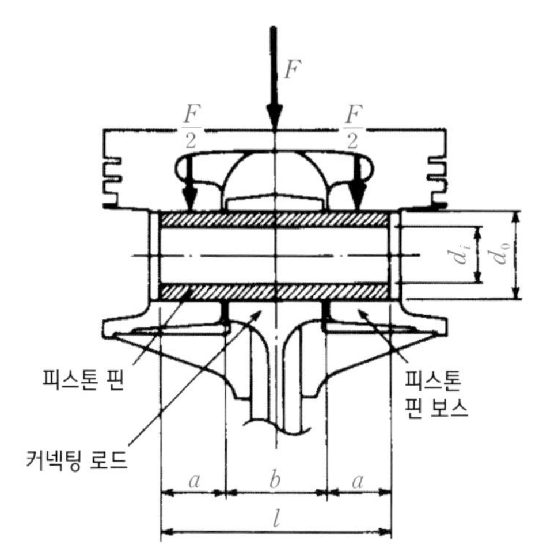

그림 3-06 **피스톤 강도, 강성 계산에 사용한 각부의 수치 기호와 하중**
(수치 단위: mm, 하중단위: N)

굽힘응력 $\sigma_B = \frac{4}{\pi} \cdot \frac{F \cdot l \cdot d_0}{d_o^4 - d_i^4}$ [MPa]

압축응력 $\sigma_o = \frac{F \cdot d_0}{l(d_0 - d_i)^2}$ [MPa]

합성응력 $\sigma_T = (\sigma_B^2 + \sigma_o^2)^{\frac{1}{2}}$ [MPa]

굽힘변형 $\sigma_e = \frac{64F}{\pi E(d_o^4 - d_i^4)}(\frac{a^3}{48} + \frac{a^2 \cdot b}{16} + \frac{5a \cdot b^2}{96} + \frac{5b^3}{96})$ [mm]

압축변형 $\sigma_o = \frac{5F \cdot d_0^3}{12l \cdot E(d_0 - d_i)^3}$ [mm]

여기서 F: 피스톤 핀에 작용하는 총 하중(N), E: 종탄성계수(MPa), 그 밖의 기호는 그림 3-6에 나타내었다.

일반적으로 피스톤 핀 바깥지름 d_0를 가솔린 엔진에서는 실린더 지름의 0.2~0.3배, 디젤 엔진에서는 0.3~0.4배로 하고, 응력 허용값은 400MPa 정도, 변형량 허용값은 0.05mm 정도로 하여 각 길이를 결정한다. 일반적 제조법으로 표면 열처리강을 인발, 냉간 단조, 절삭 등으로 성형하고, 침탄, 질화 등의 처리 후에 연마 마무리 한다.

(2) 피스톤 링

피스톤 링은 극히 특수한 예를 제외하면 2개 이상의 세트로 사용된다. 압축 링은 **가스 실**gas seal이 주된 기능이고 실린더 벽에 부착된 오일을 긁어내리는 작용도 한다. 오일 링은 벽면의 오일을 긁어내리는 역할을 한다. 이들 링에 의해 실린더 벽에 필요로 하는 최소한의 두께인 **유막**oil film을 형성하여 피스톤의 왕복운동 때 접동부를 윤활한다. 이 유막의 두께는 피스톤 속도와 링의 면압에 의해 결정되며, 유막의 두께가 지나치게 두꺼워지면 오일의 소비가 많아진다.

그림 3-7은 피스톤 링 각부의 명칭과 종류이다. 그리고 **그림 3-8(A)**에 피스톤 링의 구성 예를 나타내었다. 호칭 지름 d는 실린더의 지름과 같다. 링을 실린더에 대해 직각으로 기울러지지 않게 하여 밀어 넣었을 때의 절단부 틈새가 C이고 그 측정은 틈새 게이지를 사용하여 쉽게 측정할 수 있다. 이 틈새 C가 지나치게 크면 가스누출을 일으키고 또 너무 작으면 팽창 때 끝부분이 닿아 파손에 이르게 된다. 장력 W는 링의 실린더 벽에 대해 버티는 힘을 나타내는 지표이고 단위는 Kgf나 N이 사용된다. 그리고 링의 두께 T와 너비 B의 관계에서 너비 B는 되도록 작게 하는 것이 좋으며 한편 두께 T가 크면 장력 W가 커지며 실린더의 열이나 외력에 의한 변형에 대해 추종성이 떨어진다.

피스톤 링의 기능은 **그림 3-8(B)**, 피스톤 링과 실린더와의 사이에 생성되는 유막의 상태)와 같이 왕복 운동에 따른 접동면과 실린더 사이에 형성되는 유막에 의해 유지된다. 유막의 상태는 주로 피스톤 스피드, 피스톤 링, 실린더 사이의 면압에 의해 결정된다. 따라서 기능을 유지하고 동시에 마찰 저항을 최소화할 수 있도록 각부 치수를 결정해야 한다.

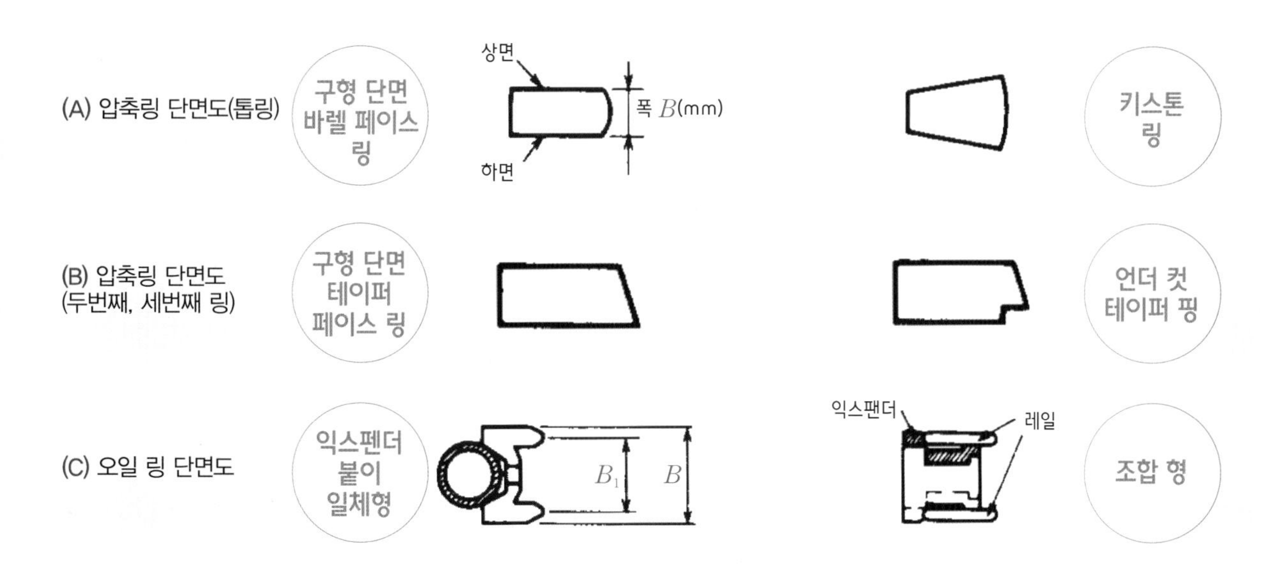

(D) 피스톤링 각부 명칭

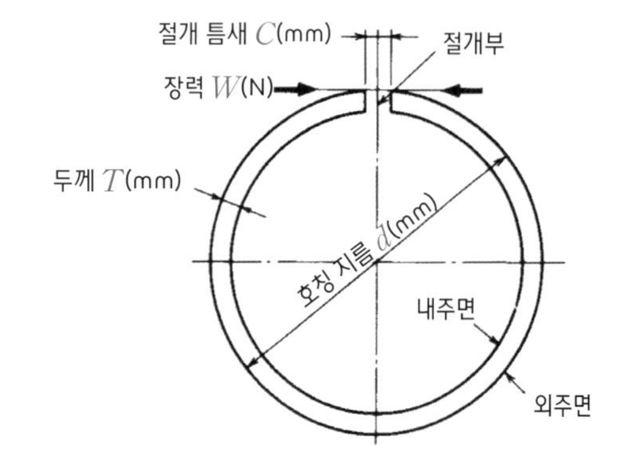

그림 3-07 **피스톤 링 각부의 명칭과 종류, 단면 형상**

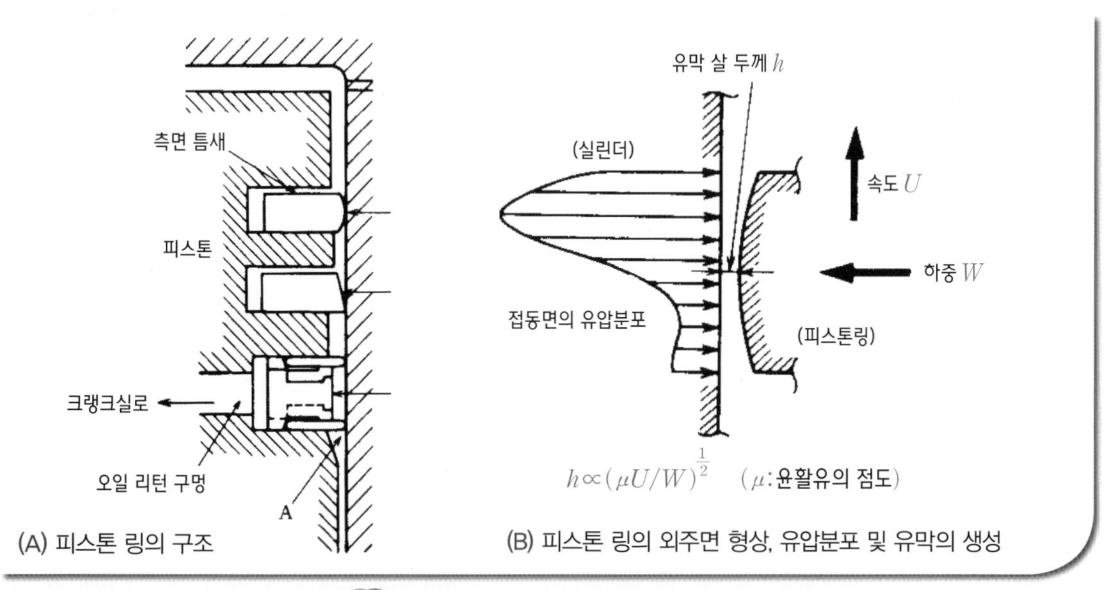

그림 3-08 **피스톤 링의 구성 및 유압 분포**

2 커넥팅 로드

커넥팅 로드는 로드부와 캡으로 구성되어 강력한 가스압력에 의한 압축하중과 피스톤이나 커넥팅로드 자체의 관성력 등에 의한 인장과 압축하중을 번갈아 받는다. 이들 힘을 받은 피스톤 핀이나 크랭크 핀 등의 베어링 부에는 큰 면압이 발생하여 융착을 일으키기 쉬운 부위가 되고 또 이 커넥팅 로드가 파괴될 때에는 엔진에 치명적인 손상을 가져오게 된다. **그림 3-9**는 일반적인 커넥팅 로드 형상을 나타내었다. 기본적으로 소단부, 대단부, 본체부(로드부)로 나눌 수 있다. 대단부와 캠과는 **리머볼트**reamer bolt 혹은 핀에 의해 위치가 결정되어 하우징이 형성되고 그 내면을 가공하여 진원도를 확보한다.

커넥팅 로드의 파손부위로서는 볼트나 너트 자리의 구석진 부분이고 이곳으로부터 균열이 진행되는 경우가 많으므로 튜닝 시 이들 자리의 구석을 둥글게 모따기 하여 응력의 집중을 피한다. 그리고 너트나 볼트 자리와 볼트 구멍과의 직가도가 확보되지 않으면 볼트의 목 부분에 응력이 집중하여 볼트가 절손되는 사례가 있다. 일반적으로 비조질재의 탄소강이나 크롬강, 크롬몰리브덴강 등을 단조한 것을 사용하고 있다.

최근에는 엔진의 연료 소비율 저감화, 고회전화를 위해 경화를 목적으로 티탄 합금이나 알루미늄 합금의 단조품, 소결 합금제, 알루미늄에 스테인리스 화이바 등을 주입한 **FRM**Fiber Reinforced Metal제 등을 사용해 경량화 한 제품이 있다. 커넥팅 로드 볼트나 너트는 고장력강을 사용하고 그 체결법 으로는 토크법이나 소성역 체결법 또는 양쪽을 사용하는 등 커넥팅 로드의 조립에 세심하게 주의하고 있다.

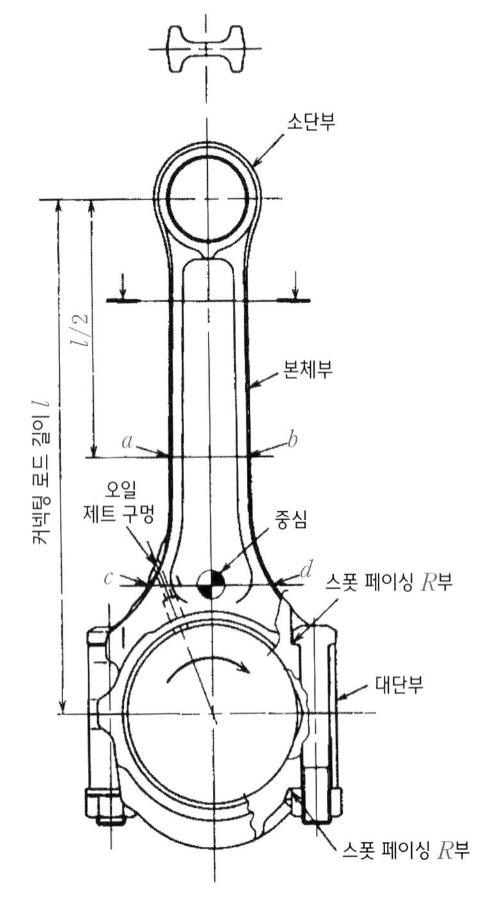

그림 3-09 커넥팅 로드 각부의 명칭

대단부에서 크랭크 핀에 작용하는 힘의 방향과 크기는 그 움직임에 따라 변동된다. 연소가스의 작용력이나 피스톤 및 로드부의 왕복관성력에 의해 커넥팅 로드의 대단부는 변형되면서 크랭크 핀에 구속되어 운동하고 있다. 커넥팅 로드의 왕복 중량은 전체 중량의 1/4~1/3이고 나머지 중량은 크랭크 핀과 함께 원 운동을 하고 있는 것으로 생각하면 되며, 이 부분의 중량이 원심력을 발생시킨다.

피스톤에 작용하는 가스 압력은 각 행정과 크랭크 각에 의해 변한다. 압축행정과 팽창행정에서는 피스톤에 가스압력이 작용하게 되지만 배기행정에서는 거의 압력이 가해지지 않는다. 그리고 흡입행정에서는 부(−)의 압력이 작용한다. 그와 함께 커넥팅 로드는 요동하기 때문에 관성력은 상하방향뿐만 아니라 옆 방향이나 경사방향에도 발생된다. 또한 여기에 대단부의 중량에 의한 원심력이 가해진다. **그림 3-10**은 커넥팅 로드 대단부와 크랭크 핀 사이에 작용하는 힘의 방향과 크기의 변화 양상을 시계열적으로 나타낸 것이다. 오른쪽 상사점 때에는 가스압력이 작고 관성력이 거의 그래도 작용하여 대단부를 강하게 아래쪽으로 인장시킨다.

이 때문에 베어링 캡은 **그림 3-11**과 같이 변형되고 그것에 대응하여 측면이 안쪽을 향해 변형되는데, 이것이 **크로스 인**cross-in 현상이고 메탈 클리어런스가 국부적으로 지나치게 작아지면 융착을 발생시키는 경우가 있다. 그 대책으로는 캡의 강성을 높이고 또한 로드부의 강성도 활용함으로써 베어링 하우징 전체로서 변형에 대응될 수 있도록 한다.

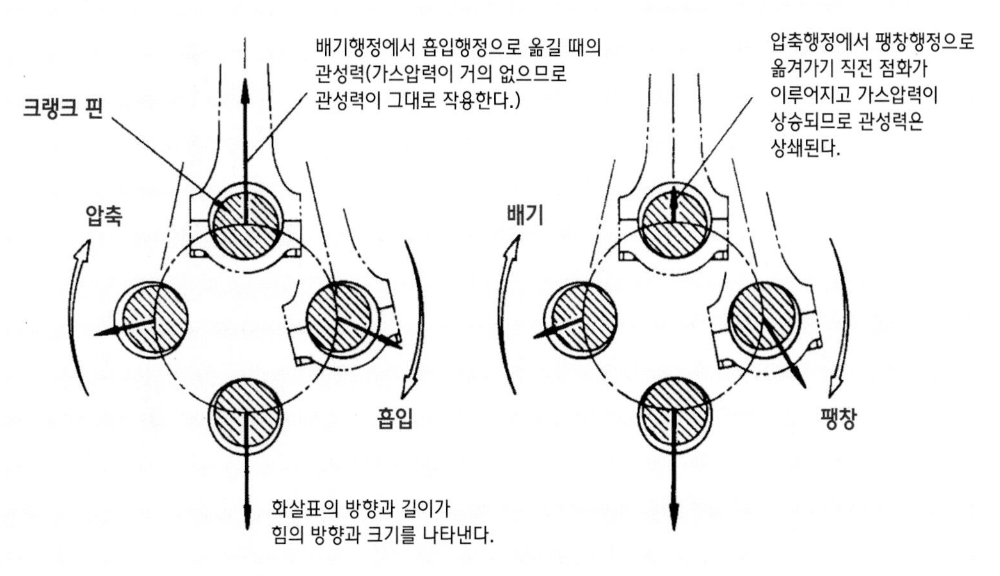

그림 3-10 대단부에서 크랭크 핀에 작용하는 힘의 변화

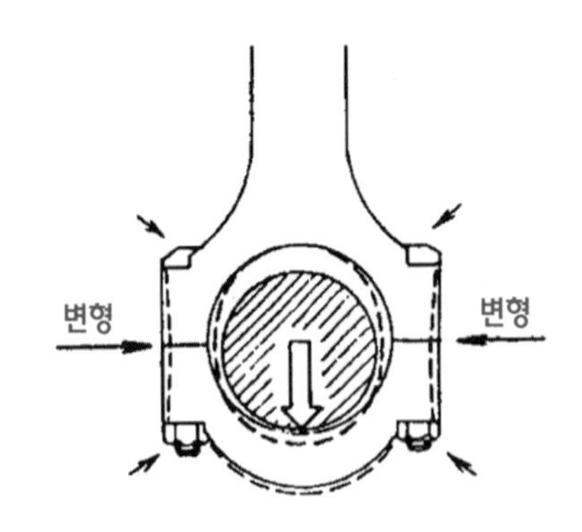

그림 3-11 **대단부의 크로스 인(cross-in)**

3 크랭크샤프트

크랭크샤프트는 실린더 블록과 함께 엔진 전체의 강도에 끼치는 영향이 큰 부품이다. 크랭크샤프트의 기본적인 구성(**그림 3-12** 참조)은 메인저널, 크랭크 핀과 크랭크 암, 카운터 웨이트로 되어있고 1개의 실린더에 상당하는 이 구성 전체가 엔진 세트가 된다. 메인저널에서 크랭크 핀 부로 급유공이 뚫어져 있으며, 이 구멍은 직선적으로 메인저널에서 크랭크 핀을 향해 뚫리는 스트레이트 드릴링 방식이 있으나 고속회전 때 오일이 원심력에 의한 과다유출로 유압이 저하되는 예가 있어 이것을 방지하기 위해 T자 형의 통로(크로스 드릴링방식)로 하는 것이 일반적이다.

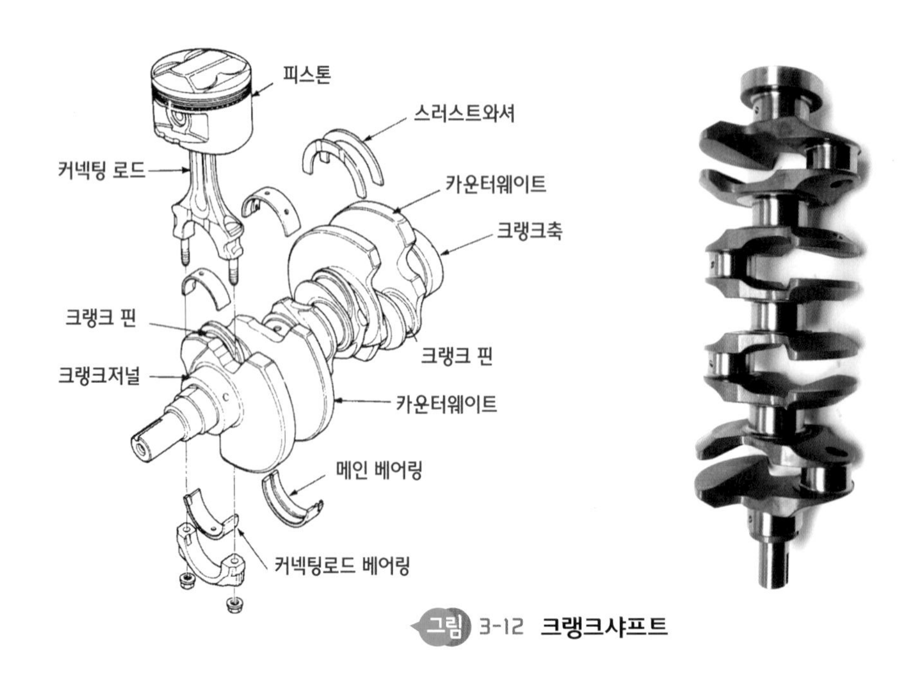

그림 3-12 **크랭크샤프트**

크랭크샤프트는 그 형상으로부터 응력이 집중되는 부위가 많다. 특히 응력의 집중으로 균열의 기점이 되기 쉬운 메일저널 및 크랭크 핀과 크랭크 암과의 경계에는 **그림 3-13**과 같이 모따기 R을 붙이거나 **필렛롤**fillet roll 가공을 한다. 재료는 탄소강의 단조품으로 하거나 생산성 면에서 **덕타일 주철**ductile cast iron제인 경우도 있다. 어느 경우나 저널이나 핀 부분, 모서리 부분은 고주파 담금질 등을 하며 강인하고, 접동 부분은 내마멸성이 우수해야 한다.

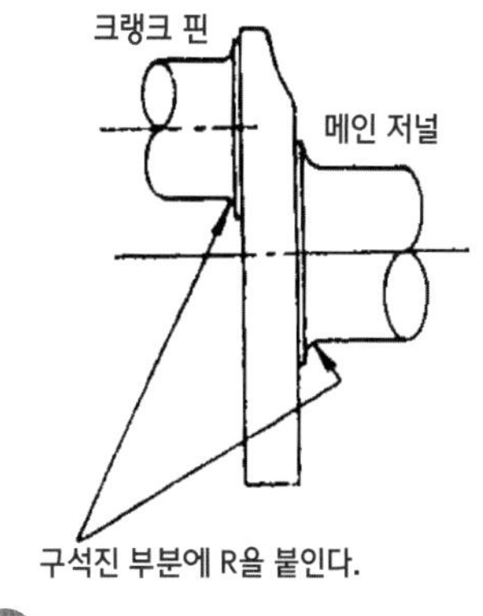

그림 3-13 **크랭크샤프트 핀부의 응력 집중 완화**

그림 3-14는 크랭크샤프트 메인 베어링이다. 엔진에 사용되는 베어링은 미끄럼베어링으로 2분할의 반달모양의 플레인 베어링이고 축을 감싸는 것과 같은 형상으로 되어있다. 크랭크 저널이나 핀의 축 지름이나 길이는 강성과 동시에 베어링 면압과 마찰의 관점에서 검토해야 한다. **그림 3-15**에서와 같이 지름 d, 길이 l인 축부가 하중 W를 받아서 균일의 유막두께 C를 유지하면서 회전속도 N으로 회전할 때 축의 주속을 U라고 하면, 오일의 점석계수를 μ라고하면 유막의 응력 τ는 다음과 같다.

$$\tau = \mu\frac{U}{C} = \mu\frac{\pi dN}{C} \quad \text{식2}$$

그리고 베어링 단위 길이당 하중을 $p=\frac{W}{l}$라고 하면 베어링 면압 p_m은 다음과 같다.

$$p_m = \frac{p}{d} = \frac{W}{ld} \quad \text{식3}$$

즉 베어링 메탈의 허용 면압으로 부터 축부의 지름과 길이를 곱한 값이 결정된다. 그런데 이때 $l \times d$가 어느 값 이상이면 좋다고 하는 의미는 아니다. 축부의 길이 l이 커지게 되면 크랭크샤프트의 강성이 저하되고 지름 d가 커지면 강성은 크게 개선된다. 하지만 d가 커지게 되면 주속이 커져서 마찰이 증대된다. 회전축의 단위 너비당의 저항을 D, 마찰계수를 f라고 하면 $D=f \cdot p$가 된다. 한편 $D=\tau\pi d$이므로 τ에 **식 2**를 대입하면

$$D = \pi\frac{\pi^2 d^2 N}{C} \quad \text{식4}$$

또 **식** 3으로부터 $p=dp_m$이므로

$$f=\frac{D}{p}=\frac{\mu\pi^2 dN}{Cp_m} \quad \text{식5}$$

이 된다. 이것을 고쳐 쓰면 **식** 6과 같이 되어, 축의 지름 d가 커지게 되면 F도 비례하여 커지는 것을 알 수 있다. 또 d를 일정한 것으로 하여 생각하면 $\pi^2 d/C$는 정수로 되며 F는 $\mu N/p_m$에 비례한다. 여기서 $\mu N/p_m$을 베어링 정수라고 한다. 그러나 이 식은 유막의 두께 C가 온 둘레에 걸쳐서 일정하다고 하는 조건 하에서 유도되어 있다. 실제의 평 베어링의 경우는 F와 $\mu N/p_m$과의 관계는 **그림 3-16**과 같이 된다.

$$f=\frac{\pi^2 d}{C}\frac{\mu N}{p_m} \quad \text{식6}$$

그림에서 유체 윤활의 범위는 안정되어 있고 유온이 상승되면 점성이 저하되어 마찰은 감소되는 방향이나, 경계윤활의 영역에서는 마찰이 크고 점성이 저하되면 더욱 마찰이 증대되며 온도는 가속도적으로 상승하여 마지막에는 융착에 이르게 된다.

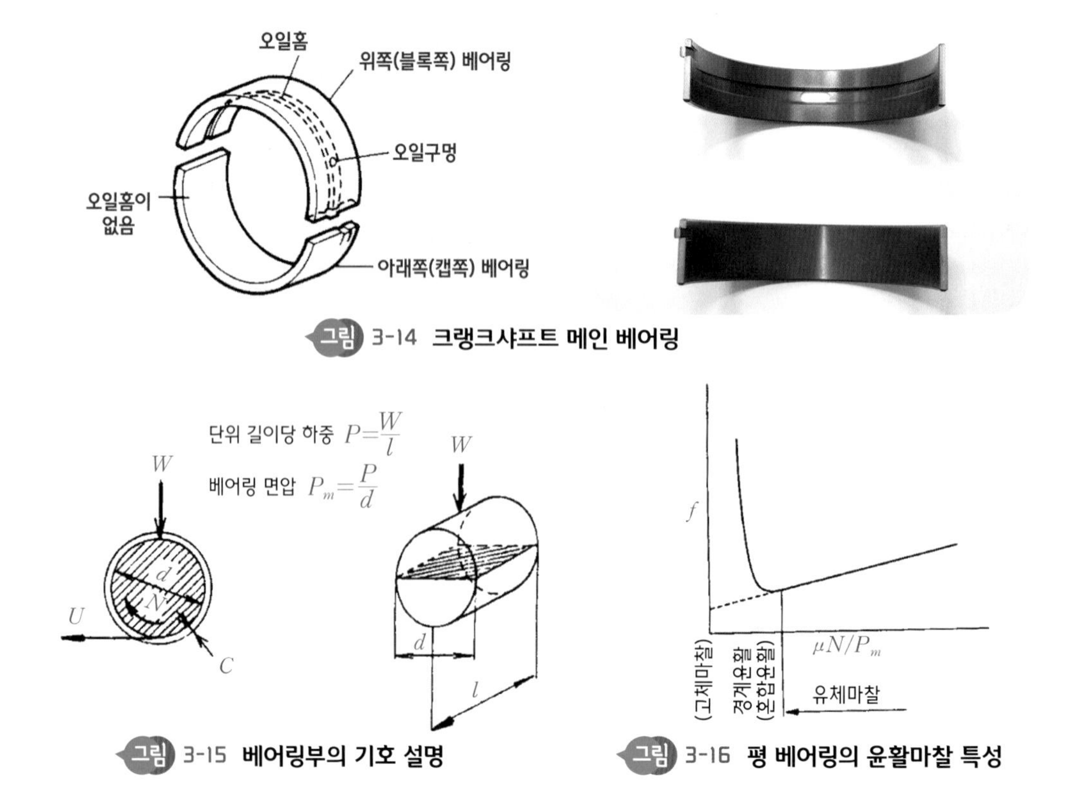

그림 3-14 크랭크샤프트 메인 베어링

그림 3-15 베어링부의 기호 설명

그림 3-16 평 베어링의 윤활마찰 특성

그림 3-17은 엔진의 비틀림 모멘트 발생 메커니즘을 나타내고 있다. 팽창행정 때 피스톤이 스러스트 쪽의 실린더 벽을 강하게 밀게 되고 한편 그 반력으로 크랭크샤프트를 지지하는 메인 베어링에는 크기가 같으면서 역 방향 힘, 즉 반력이 발생하게 된다. 이들의 힘을 F, $-F$ 또 그 작용점 사이의 거리를 y라고 하면 실린더 블록에는 $F \times y$의 비틀림 모멘트가 작용하게 된다. 이 모멘트에 의해 비틀림 변형된 실린더 블록이 가스의 압력이 급격히 낮아지는 팽창행정 중간에 순간적으로 압력이 낮아짐과 동시에 고유의 진동수로 진동하기 시작한다. 또한 피스톤에 강한 연소압력이 작용하면 그 힘은 크랭크샤프트의 메인 저널에서 메인 베어링으로 입력된다.

이것에 의해 **그림 3-18**의 왼쪽에서와 같이 메인 베어링은 점선으로부터 실선의 상태로 변형되고 이에 따라 스커트부가 위쪽으로 변형됨과 동시에 오른쪽 그림에서와 같이 메인 베어링부가 힘의 방향과 직각 방향으로 벌어지게 된다. 이것은 **그림 3-19**에서와 같이 크랭크샤프트가 미시적으로 휘어지고 메인 베어링부가 이에 따르는 형상으로 서로 벌어지면서 전도되기 때문이다.

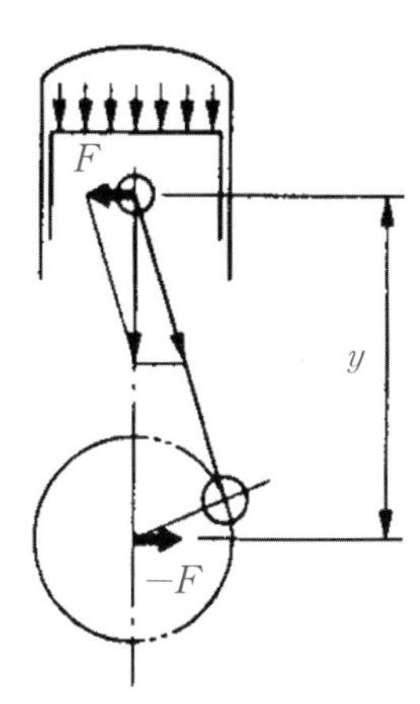

그림 3-17 엔진의 비틀림 모멘트 발생

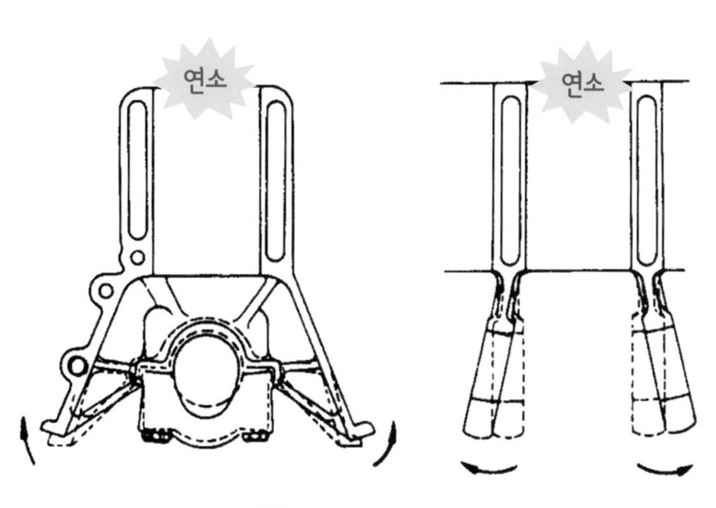

그림 3-18 연소압력에 의한 메인 베어링부의 변형

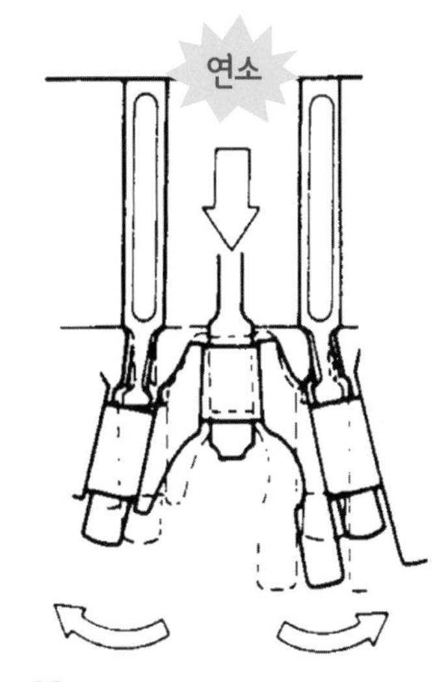

그림 3-19 메인 베어링부의 진동발생 특성 메커니즘

그림 3-20 크랭크저널 및 커넥팅 로드 손상 사례

(1) 크랭크샤프트 메인 베어링 튜닝 시 주의사항

엔진마다 각자의 위치는 다르지만 블록에는 크랭크샤프트 보어 분류 마크와 실린더 보어 사이즈 마크가 각인되어 있다.(**그림 3-21(A)** 참조) 크랭크샤프트 보어 분류 마크 5자리(BBBBB)를 먼저 확인한 후 크랭크샤프트 끝에 각인되어 있는 크랭크샤프트 메인 저널 분류 각인을 확인한다.(**그림 3-21(B)** 참조) 5자리(22222)의 분류 마크 확인 후 정비 지침서에 있는 크랭크샤프트 메인 베어링 선택 표를 기준으로 적절한 베어링을 선택한다. 마지막으로 플라스틱 게이지를 이용해 오일 간극을 반드시 측정하여 확인하는 것을 잊지 말아야 한다.

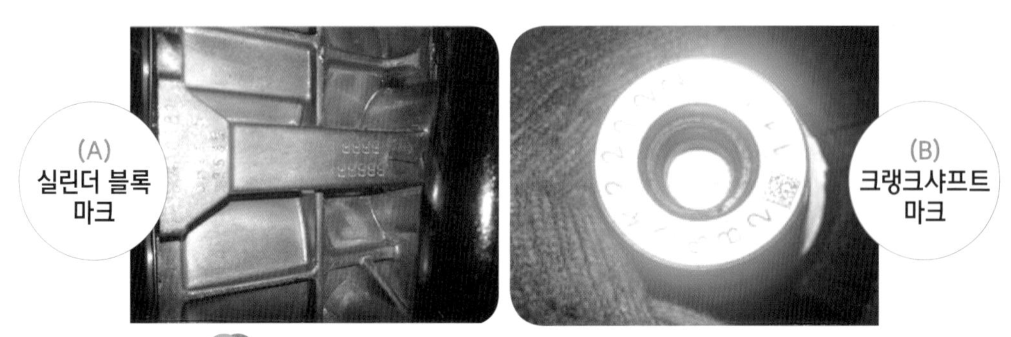

그림 3-21 크랭크샤프트 베어링 선정을 위한 분류 마크 위치

4 주요 운동계 튜닝

(1) 단조 피스톤으로 교체

압축비 증가 등과 같은 고 출력 튜닝 시 순정 피스톤의 경우 높은 압축압력과 연소압력을 견디지 못해 피스톤 링 랜드부 파손, 점화플러그 팁 충격으로 인한 피스톤 헤드 구멍(파손) 등이 발생하게 된다. 양산용 피스톤은 알루미늄 합금으로 된 주조제품으로 내구성이 약하며, 단조 제품과는 강도의 차이가 크다. 따라서 양산용 피스톤에 비해 내충격성과 내열성이 우수하고 피스톤의 무게가 일정하여 회전 밸런스가 우수한 단조 피스톤으로 교체함으로써 엔진의 고출력 튜닝에 대응가능하다.

그림 3-22는 제네시스 쿠페 3.8(N/A)용 순정 피스톤과 단조 피스톤 사진이다. 피스톤 헤드면의 깊이가 차이나는 것을 볼 수 있다. 이로 인해 순정 피스톤 장착 시 압축비가 10.5인데 비해 튜닝용 단조 피스톤 장착 시 압축비는 9.3으로 낮아지게 된다. 이것은 N/A 엔진에 터보 장착을 위해 압축비를 낮춰 튜닝을 실시하기 위함이다.

이렇게 과급기 튜닝 시 과도한 압력 상승으로 인한 엔진 내구성 저하 및 손상을 막기 위해 반드시 압축비를 낮춰 튜닝을 해야 한다. 압축비를 낮추는 방법으로는 압축비가 낮은 튜닝용 피스톤으로 교체하거나 커넥팅로드 스트로크 조정 그리고 실린더 헤드 개스킷 추가 등이 있다.

그림 3-22 순정 피스톤과 단조 피스톤

(2) 단조 커넥팅 로드 교체

피스톤과 마찬가지로 고 출력 튜닝 시 순정 커넥팅 로드의 경우 높은 압축압력과 연소압력으로 인해 휨이 발생하며, 이로 인해 실린더에 충격을 가해 엔진에 손상을 끼친다. 따라서 내 충격성과 내열성이 우수한 단조 커넥팅 로드로 교체가 필요하다.

커넥팅 로드를 형태로 분류하면 I형 단면과 H형 단면으로 나눌 수 있다. 가능한 중량을 늘리지 않으면서 강도를 확보하기 위한 형태라고 할 수 있다. 커넥팅 로드의 단면은 커넥팅 로드의 대단부나 소단부 구멍을 측면에서 보는 방향으로 표시된다. 즉 일반적인 양산용 엔진의 커넥팅 로드는 대부분이 I형 단면이기 때문에 측면에서 본 형태는 평평한 상태이고 대단부와 소단부의 구멍을 정면으로 향하게 하면 중앙부분이 오목한 형태가 된다.

이에 비해 H형 단면 쪽은 측면에서 보면 중앙부분이 오목한 형태이고 양쪽이 벽처럼 튀어나온 형태이며 대단부와 소단부의 구멍을 정면으로 향하게 하면 커넥팅 로드 전체가 평평한 형태가 된다.(**그림 3-23** 참조) 고 출력용 엔진의 경우 대부분 H형 단면의 커넥팅 로드를 주로 사용한다.

일반적으로 양산용 커넥팅 로드의 대부분은 표면이 거친 주물 흔적이 남아 있어 이 표면을 매끄럽게 가공하는 것이 튜닝의 방법 중 하나이다. 또한 한 대의 엔진에 여러 개가 들어가는 커넥팅 로드의 중량차이를 가능한 한 제로에 가깝도록 가공하여 밸런스를 맞추는 것도 튜닝에 포함된다.

마지막으로 커넥팅 로드 볼트에 대해서도 고려해야 한다. 목표로 하는 엔진 튜닝으로 고 회전, 고 출력의 엔진이 되면 커넥팅 로드에 걸리는 부하가 상당히 커지기 때문이다. 커넥팅 로드 볼트의 강화는 재질이 우수한 제품을 교체 하던지 사이즈를 늘리는 방안도 고려해볼 수 있다. 하지만 커넥팅 로드 볼트는 커넥팅 로드 본체와 캡 부분의 위치 맞추기를 동시에 하고 있는 경우가 많다. 이점을 고려한다면 강도 향상만을 고려하다가 베어링 캡 부분이 뒤틀리는 문제도 발생할 여지가 있으므로 유의해야 한다.

또 커넥팅 로드를 연마하는 경우 볼트의 육각머리와 너트가 접촉하는 부분에 단차

참고자료

● 튜닝용 단조 커넥팅 로드 교체 시 주의사항

튜닝용 단조 커넥팅 로드에는 보어 분류 마크가 없으므로 반드시 플라스틱 게이지를 이용해 오일 간극을 측정하여 오일 간극을 맞춰 조립해야 한다.

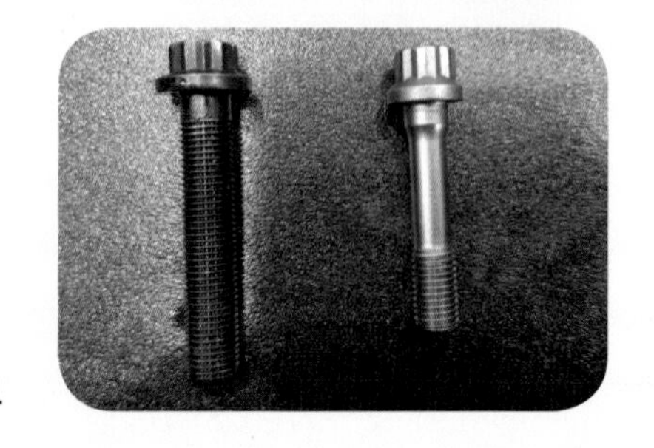

그림 3-23 **커넥팅 로드 볼트 비교**

나 곡면이 없도록 가공할 필요가 있다. 볼트나 너트는 나사 부분에 의해 끌어당겨질 뿐만 아니라 볼트와 너트가 접촉하는 상대쪽 접촉면과의 압력에 의해 풀림을 막는 효과도 있기 때문이다. **그림 3-24**의 좌측은 양산용 커넥팅 로드 볼트이고 우측은 강화용 커넥팅 로드 볼트이다.

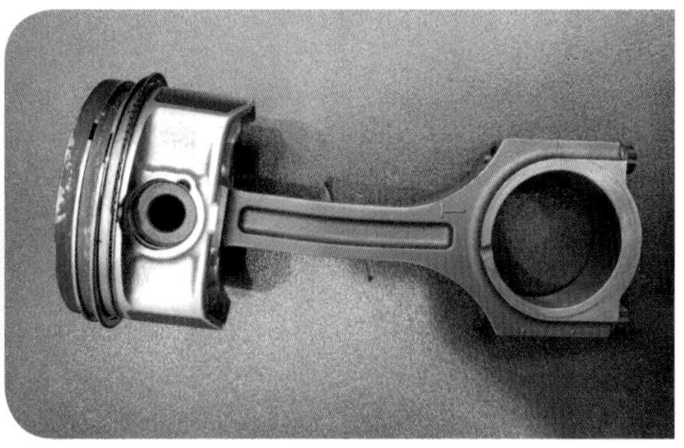

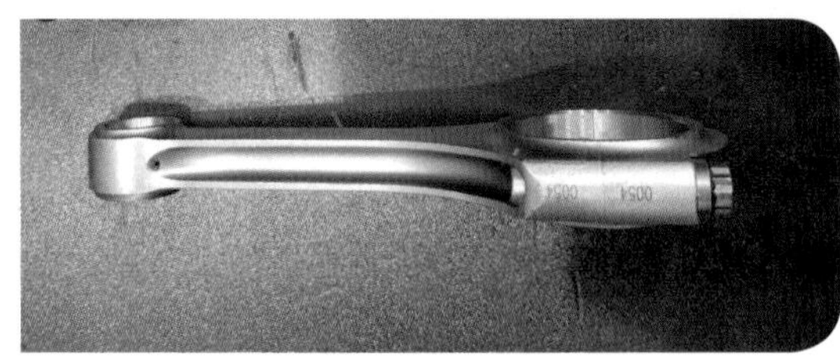

(A) 튜닝 용 단조 커넥팅 로드(I형)

(B) 양산용 커넥팅 로드(H형)

그림 3-24 **양산용 커넥팅 로드와 단조 커넥팅 로드**

(3) 단조용 크랭크샤프트로 교체

크랭크샤프트는 상하 방향으로 큰 힘과 회전력이 동시에 작용하기 때문에 강성이나 회전밸런스가 매우 중요하다. 이러한 조건을 만족시키지 않았을 경우 고 회전영역에서 크랭크샤프트가 파손되거나 하는 큰 문제가 발생할 수 있다. 보통 양산용 크랭크샤프트 튜닝 시 크랭크샤프트 표면이 거친 밸런스 웨이트 부분을 매끄럽게 연마 가공하여 크랭크 암 부분에 응력이 집중되는 것을 막아 전체적인 강성을 높이는 방법을 사용한다.

(A) 양산용 크랭크 샤프트

(B) 튜닝용 단조 크랭크샤프트

그림 3-25 양산용 크랭크샤프트 단조 크랭크샤프트

그림 3-26 **주 운동계 튜닝 용 단조 풀 키트(Kit):** 오버사이즈 피스톤, 단조 커넥팅로드 & 크랭크샤프트

저널 베어링을 포함해 크랭크샤프트 교환 후 반드시 **크랭크샤프트 엔드플레이**(크랭크샤프트의 축 방향 유격)를 확인해야 한다. 유격이 클 경우 크랭크샤프트 메인 베어링 손상 및 수명 단축, 피스톤에 측압이 발생하여 실린더 벽이나 피스톤 링이 조기 마모, 크랭크샤프트 오일 씰 손상, 클러치 디스크 조기마모 등과 같은 치명적인 손상이 발생하게 된다.

그림 3-27 **크랭크샤프트 엔드플레이 측정**

CHAPTER 4

자동차 밸브 작동계 튜닝

4 CHAPTER

밸브 작동계 튜닝

01 밸브 작동계 튜닝

4행정 사이클 엔진은 크랭크샤프트 2회전으로 1사이클을 완성하게 되므로 매 2회전마다 흡기나 배기가 이루어지게 된다. 따라서 크랭크샤프트의 1/2의 회전속도로 회전하는 캠축이 밸브 타이밍에 맞춰 구동되면서 밸브를 개폐한다. **그림 4-1**은 밸브 작동계의 구성요소를 나타낸 것이다.

밸브는 밸브스프링에 의해 항상 닫히는 방향으로 눌러져 밸브 헤드의 페이스와 시트가 닿는 면에서 접촉에 의해 면압을 발생, 기밀을 유지한다. 밸브 스템의 끝 부분과 어퍼upper 리테이너와의 결합은 분할된 코터cotter에 의해 이루어진다. 캠은 태핏을 거쳐 밸브를 스프링을 눌러서 열게 되며, 그 때 열팽창이나 밸브 시트면의 침하로 밸브가 들려 올려지는 것을 방지하기 위해 밸브 스템과 태핏 사이에는 적정 밸브 간격clearance이 설정되어 있다. 이 간격은 심shim의 두께 선정에 따라 조정된다. 밸브가 닫힐 때에는 캠의 프로필에 따라 스프링이 밸브를 눌러서 제자리에 닫히도록 되어 있다. 밸브 오일 실seal은 윤활유가 필요 이상으로 밸브 스템과 가이드의 틈새로부터 포트 내에 들어가지 않도록 스템을 감싸면서 여분의 오일을 긁어내리는 역할을 한다.

밸브 클리어런스
어퍼 리테이너
심
캠축
코터
밸브 오일실
스프링 시트
태핏
아우터 스프링
이너 스프링
밸브가이드
밸브
밸브시트

그림 4-01 **밸브 작동계 구성**

1 밸브

밸브는 헤드면이 연소실의 일부를 형성하고 리프트 커브에 따라 흡기 포트나 배기 포트의 입출구 통로를 개폐한다. 고속 회전 때에는 큰 가속도의 개폐 운동 때문에 큰 관성력이 생긴다. 따라서 고온에 견디고 경량이면서 높은 강도가 요구된다. 엔진의 운전 중 밸브 헤드부의 온도는 흡기밸브 250~500℃, 배기밸브의 경우 600~900℃ 정도가 됨으로 내열 합금이 사용된다. 또 밸브 시트와의 닿는 면에는 **그림 4-2**의 아래 부분에 나타내는 것과 같이 **스텔라이트**stellite를 용접에 의해 살 돋움 하는 경우가 많다.

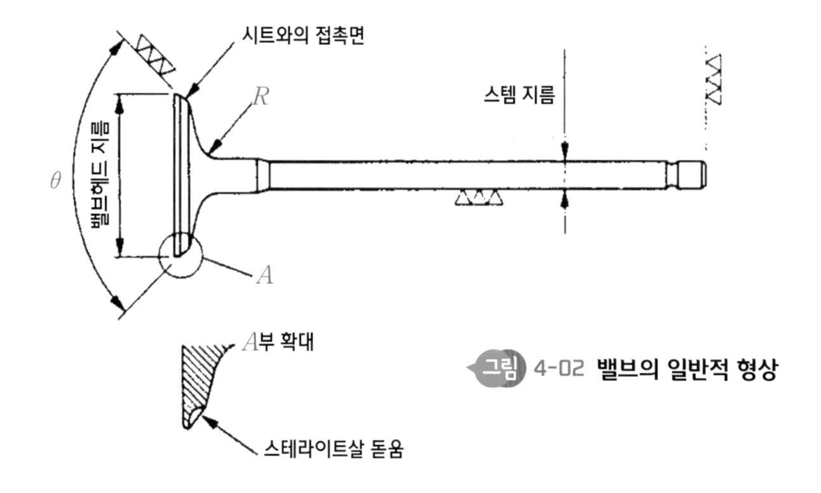

그림 4-02 밸브의 일반적 형상

밸브의 확실한 기밀성은 엔진 출력에 직접적인 영향을 끼친다. 높은 기밀성을 위해 밸브가 밸브 시트에 착좌 했을 때 면압을 높게 설정하면 시트면의 마모 우려가 있고, 반대로 면압이 낮으면 압축가스 누설 발생 위험이 있다. 그러므로 밸브 스프링에 의해 발생되는 시트의 면압은 착좌 투영면적으로 0.17~0.27kgf/㎟ 정도로 설정된다.

예를 들어 **그림 4-2**에서 θ가 90°인 경우 밸브 시트의 유효 접촉 폭을 1.4mm, 그 중심부의 지름을 32mm, 그리고 밸브 스프링의 부착하중을 25kgf라고 하면 면압 P는

$$P=\frac{25}{\frac{1.4\times\sin 90^{0}}{2\pi\times 32}}=0.25kg_{f}/mm^{2} \quad \text{식7}$$

가 된다. 그리고 여기에 헤드부가 받는 가스압력에 의해 발생되는 면압이 가해져서 가스 **실**seal이 이루어진다. θ의 값은 유량계수를 크게 유지하고 이물질이 끼어드는 것에 대한

저항성 등을 고려하여 90°로 하는 것이 일반적이다. 그러나 엔진 조립 직후 시트와 밸브의 접촉을 개선하기 위해 시트 쪽을 90°, 밸브의 닿는 면의 꼭지각을 이것보다도 0.5°~1.0° 크게 설정하는 경우가 많다.

2 밸브 스프링

밸브 스프링은 캠의 회전에 따라 흡, 배기 밸브를 개폐하는 역할을 한다. 밸브, 리테이너, 코터, 태핏, 심 그리고 스프링 자체의 중량에 의해 발생되는 관성력에 대응하여 밸브를 정상적으로 작동시키기 위한 스프링 장력을 발생시킨다. 장력은 엔진회전속도 전 영역에 걸쳐 밸브 시트나 밸브 페이스 면에 과도한 충격을 주지 않을 정도로 유지하면서 기밀을 유지해야 한다. 밸브 스프링의 재료는 스프링 강으로 **쇼트피닝**short peening 등의 표면처리를 하여 피로강도를 향상시킨다.

그림 4-03 밸브 스프링

밸브의 개폐운동 특성을 **그림 4-4**의 실선으로 나타낸 것과 같은 리프트 커브를 갖는다. 이 특성은 모두 캠 프로파일profile에 의해 밸브가 운동하는데 따라 얻어진다. 그러나 스프링의 힘이 약하면 A와 같이 정규의 리프트 커브로부터 이탈하여 **점프**Jump 하거나 B와 같이 **바운스**bounce를 일으키게 된다.

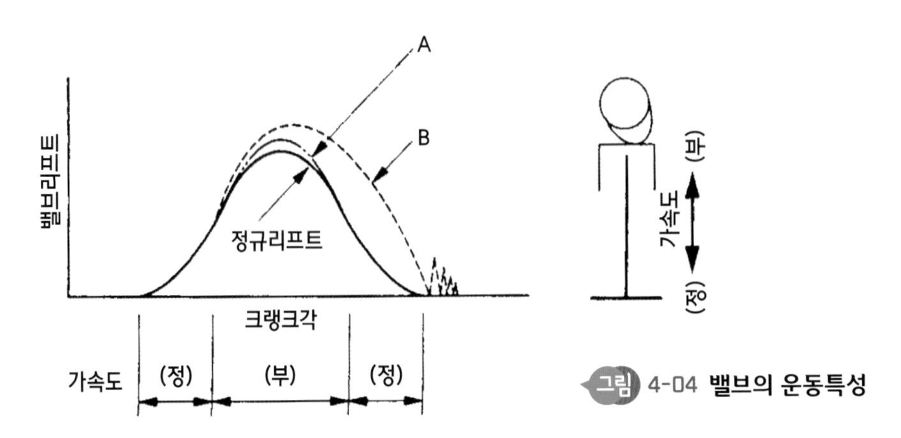

그림 4-04 밸브의 운동특성

점프는 밸브가 태핏을 거쳐 캠과 부딪히는 것을 의미하고 바운스는 밸브의 헤드부가 밸브 시트에 충돌하는 것을 말한다. 밸브의 가속도는 회전속도의 제곱에 비례하여 커지게 되므로 엔진이 오버런 하였을 때에는 점프나 바운스가 발생된다. **그림 4-5**에서와 같이 밸브 스프링을 부착하였을 때의 하중은 밸브의 착좌면압에 의해 결정된다.

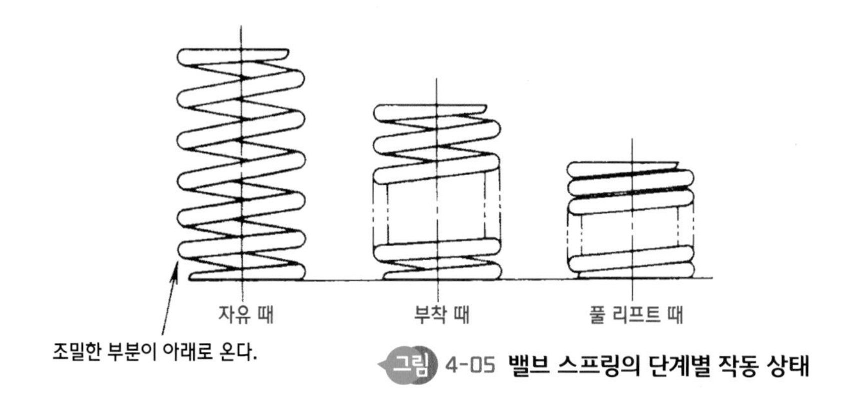

그림 4-05 **밸브 스프링의 단계별 작동 상태**

밸브 스프링은 자중과 스프링 정수에 의해 정해지는 고유 진동수를 가진다. 스프링이 밸브 리프트 커버에 따라서 압축과 복원을 반복하게 되면 그 고주파 성분에 의해 가진되어 공진을 일으키게 되는데 이것을 **서징**surging현상이라고 한다. 이 서징현상이 발생되면 소정의 스프링 정수를 얻을 수 없게 되고 밸브가 불규칙적인 운동을 하게 된다. 심할 경우 밸브 스프링이 파손되고, 밸브 스프링이 파손될 경우 밸브가 열린 상태로 있기 때문에 피스톤과 충돌을 일으켜 실린더 내에 심각한 손상을 초래하게 된다.

이와 같은 밸브 스프링의 서징현상을 저감시키기 위해 **그림 4-6**에서 보는 바와 같이 권선의 피치를 변화시키는(부등피치) 것이 유효하다. 압축되기 시작하면 조밀하게 감겨진 부분이 먼저 밀착 되면서 비선형의 스프링 정수가 된다. 또 부등피치 스프링을 부착할 때 이를 스프링 정수의 변화점으로서 사용하면 서징현상 발생 때에는 피치가 상대적으로 작은 부분, 즉 조밀하게 감겨진 부분이 서로 접촉되거나 떨어지는 등 하면서 고유진동수가 변화되므로 서징현상을 저감시키는 효과가 있다.

엔진의 회전속도 범위가 넓기 때문에 서징현상은 항상 발생될 수 있는 위험이 있으므로 밸브 스프링을 2중 스프링식으로 사용하는 경우도 있다. 이는 한쪽 스프링이 서징을 일으켜도 다른 쪽이 소정의 스프링 정수를 유지하고 있어 그 영향이 반감된다. 그리고 스프링의 아랫부분의 직경이 상부에 비해 큰 원뿔형이나 벌통형 등의 스프링식도 있다.(**그림 4-7** 참조)

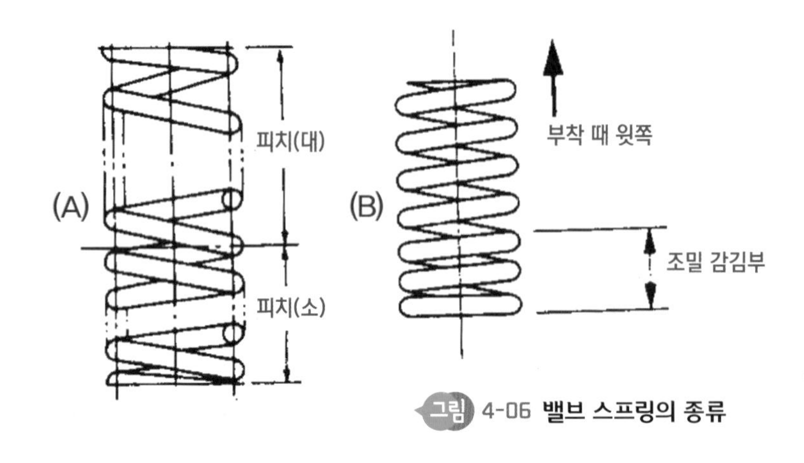

스프링은 선의 굵기와 권선수가 결정되면 가해지는 힘에 비례하여 변형된다. 따라서 스프링의 권선수를 부분에 따라 달리하여 가해지는 힘이 작을 때에는 유연하게, 클 때에는 딱딱하게 하여 파워손실이 작고 정확하게 작동 되도록 한다.

그림 4-06 밸브 스프링의 종류

(A) 원통형 등피치 (P1=P2) (B) 원통형 부등피치 (P1〉P2〉P3) (C) 이중 스프링 (D) 벌통형

그림 4-07 밸브 스프링의 종류

그림 4-8은 엔진 작동 중 밸브의 운동이 캠 곡선에서 떨어지는 실측 결과의 예이다. 밸브가 열리기 시작하는 것이 늦어지는 것은 푸시로드 등의 변형에 의한 것이기 때문에 4000rpm에서 일단 닫힌 밸브가 다시 뛰어 오르는 현상이 일어나, 흡, 배기 작용을 혼란시켜 기관성능의 저하를 초래한다.

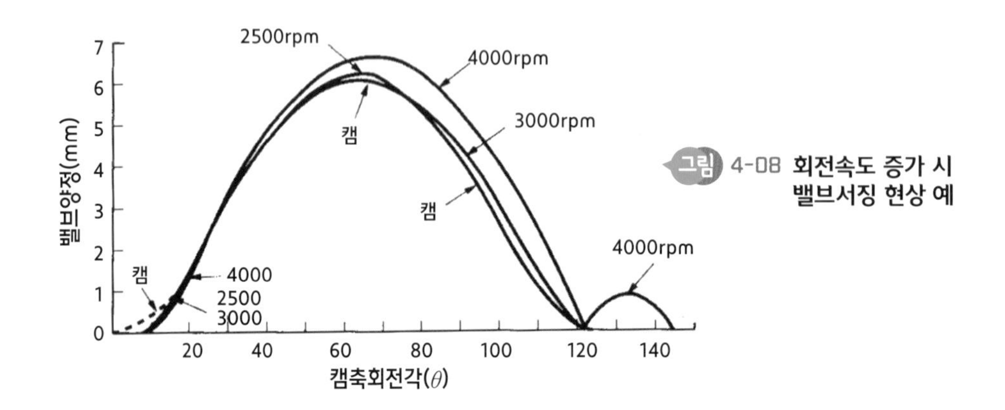

그림 4-08 회전속도 증가 시 밸브서징 현상 예

이 현상을 간단히 검토해보자. 밸브 스프링의 스프링 상수를 k라 하면 χ거리만큼 축소하는 데 필요한 힘은 $k\chi$가 된다. 또 밸브를 설치하는 힘을 F_0라 하면, 스프링 힘은 $k\chi+F_0$가 된다. 그리고 스프링의 한쪽 끝과 함께 움직이는 질량을 스프링 받이 m_4와 밸브 m_6은 실제 측정한 값, 스프링 m_5는 실체 측정값의 1/3, 로커암은 그 축 중심 O의 회전관성모멘트 I_0를 B점의 질량 m_6만으로 치환하면 **식 8**과 같이 된다.

$$m_b = \frac{I_0}{b^2}$$ 식8

b : 로커암 중심점에서 밸브 스템쪽 끝단까지의 거리
O : 로커암 중심점
B : 로커암 끝단과 밸브의 중심점

같은 방법으로 로커암 A단과 함께 운동하는 $m_1+m_2+m_3$를 점 B로 치환하면 다음과 같이 된다. 따라서 전체 질량 M은 **식 9**와 같이 된다.

$$M = (m_1 + m_2 + m_3)\frac{a^2}{b^2} + \frac{I_0}{b^2} + m_4 + \frac{1}{3}m_5 + m_6$$ 식9

m_1 : 태핏 질량
m_2 : 푸시로드 질량
m_3 : 간극조절나사 질량
A : 로커암과 푸시로드의 중심점

이때 스프링 힘 보다 관성력이 클 경우 밸브는 튀어 오른다. 즉,

$$kx + F_0 < M\frac{dx^2}{dt^2}$$ 식10

이와 같은 현상은 밸브가 열릴 때의 가속영역에서는 일어나지 않지만 감속 시 및 밸브가 닫힐 때에 일어날 수 있다.

3 캠축 Cam Shaft

캠축은 밸브 수만큼의 캠을 1개의 축에 포함시켜 일체로 만든 것이다. 캠축은 캠의 형상과 정해진 순서에 따라 회전운동을 밸브의 개폐가 이루어지도록 밸브를 상,하 직선운동으로 실행한다. **캠 로브**cam lobe부에 큰 접촉면압을 발생시키면서 접동하고 캠축부에는 밸브작동에 의한 비틀림과 굽힘 모멘트가 작용한다. 캠 부분은 우수한 내마멸성 캠

축부에는 높은 강성이 요구된다. 재료는 주철(강), 특수강, 소결합금 등이 사용된다. 밸브 개폐시기와 밸브의 개변 지속기간, 밸브 리트프양 등은 캠 의 형상에 의해 결정된다.

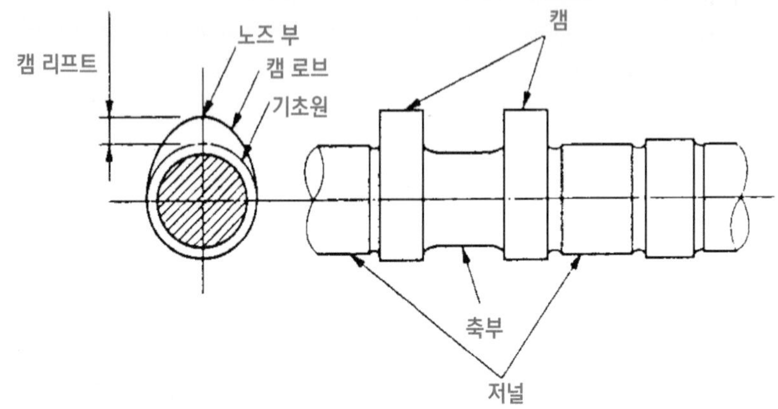

그림 4-09 캠축(cam shaft)의 구성

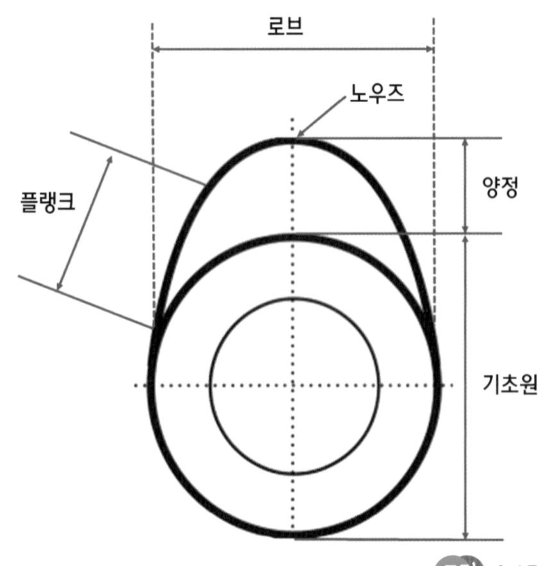

- 기초원(base circle): 캠축의 기초가 되는 원
- 노우즈(nose): 밸브가 완전히 열리는 점
- 양정(lift): 기초원과 노우즈와의 거리, 양정 = 캠 높이 - 기초원
- 플랭크(flank): 밸브 리프터가 접촉, 구동되는 캠 옆면
- 로브(lobe): 밸브가 열려서 닫힐 때 까지의 거리

그림 4-10 캠(cam)의 각부 명칭

4 밸브 개폐시기

그림 4-11은 크랭크 각에 대한 흡, 배기 밸브의 리프트 상태를 나타낸다. 밸브의 리프트 특성은 엔진의 성능에 미치는 영향이 크며 그 작동특성은 캠 로브 부의 **프로파일**profile에 따라 결정된다.

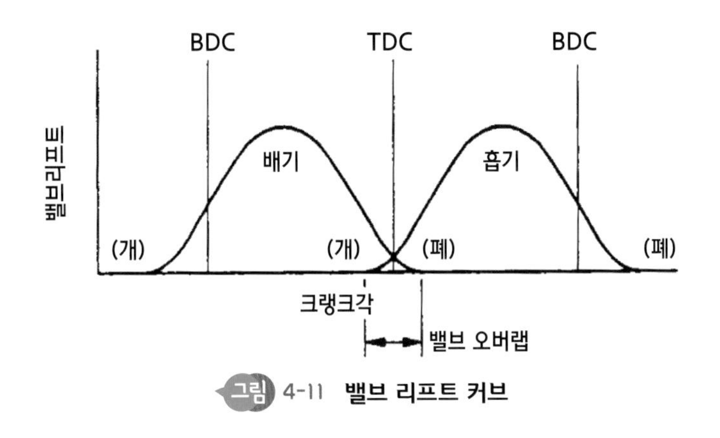

그림 4-11 **밸브 리프트 커브**

흡, 배기밸브의 개폐를 크랭크샤프트의 어떤 시기에 할 것인가를 나타낸 것을 **밸브개폐시기선도**valve timing diagram라고 하며, **그림 4-12**는 4행정기관의 밸브 개폐시기선도를 나타낸다.

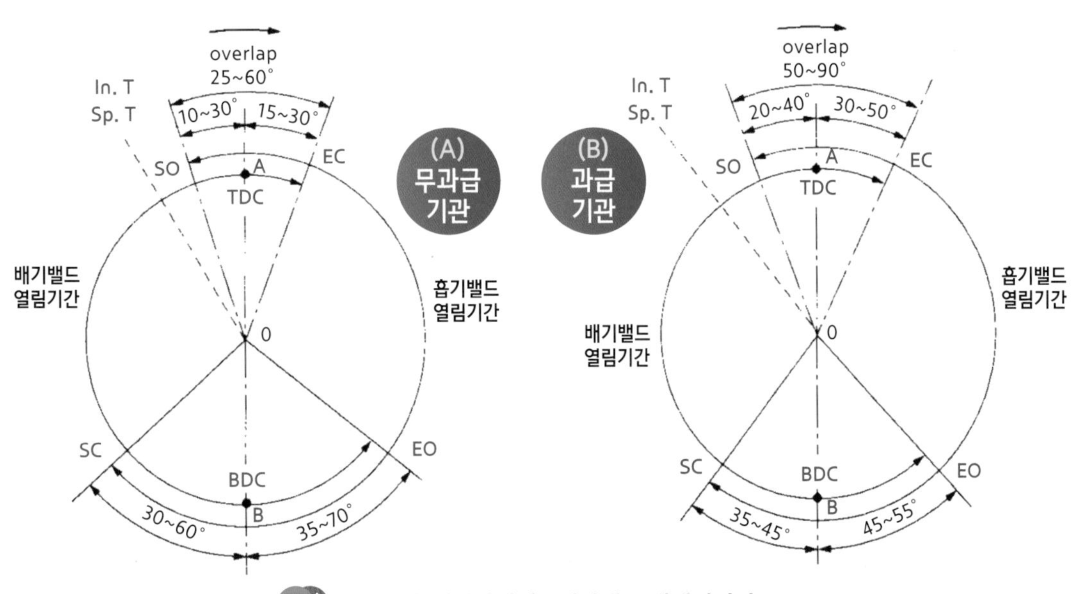

그림 4-12 **4행정기관의 흡, 배기밸브 개폐시기선도**

실린더에 흡입되는 혼합기체나 실린더에서 배출되는 배기가스는 그 흐름에 관성이 작용하기 때문에 그림에서 보는 바와 같이 실제 흡입과 배기의 작용은 밸브가 열린 순간과 차이가 있는 것을 볼 수 있다. 또 흡, 배기 작용이 시작된 이후에는 관성이 생겨 피스톤이 다음 행정으로 넘어간 이후에도 가스의 유입과 배출이 계속되려 한다.

이처럼 가스의 흐름과 피스톤 움직임의 최적화로 흡, 배기 효율을 최적화하기 위해서는 흡입, 압축, 폭발, 배기의 각 행정과는 조금 다른 타이밍으로 밸브를 열고 닫아야 한다. 엔진별 최적의 밸브 타이밍은 엔진의 회전 범위나 부하상태에 따라 달라지게 된다. 이때 캠의 작용 각이나 밸브 타이밍은 흐르는 가스의 양과 관계가 있으므로 배기가스 배출과 직접적인 연관이 있게 된다. 실제 밸브 타이밍의 설정방법은 밸브의 최대 리프트점을 기준으로 한 중심각에 따라 세팅하는 방법을 많이 사용한다.

그림 4-12에서 보면기체의 관성에 의해 거동이 지연되는 것을 고려해 배기밸브의 경우 피스톤이 하사점(**BDC**Bottom Dead Center)에 도달하기 전에 35~70° 앞서 열리기 시작한다. 이로 인해 아직 팽창도중에 있는 작동가스가 배출됨으로써 **블로다운 손실**blowdown loss이 발생하게 되지만 출력의 증대를 위해서는 감수해야할 희생이다. 상사점(**TDC**Top Dead Center)을 지난 시점(ATDC 15~30°)에서 배기밸브는 닫히고 상사점보다 조금 전에 흡기밸브는 열리기 시작한다. 이때 흡, 배기밸브가 동시에 열려 있게 되며 이 기간을 **밸브 오버랩**valve overlap이라고 하며, 그 사이에 배기포트에는 부압이 생기고 순간적으로 이 부압에 의해 신기가 빨려 들어가는 것처럼 유입되면서 연소실내의 잔류가스가 **소기**scavenging 된다.

하지만 배기포트에 부압이 발생하지 않는 운전조건에서는 배기가스가 역류되어 오히려 잔류가스의 증가로 엔진의 안정도가 떨어지게 된다. 이처럼 밸브타이밍은 해당 엔진의 성격을 결정짓는 중요한 역할을 함으로 엔진이 기본개념을 종합할 때 검토되어야 할 항목이다.

(1) 흡기밸브의 열림 시기 (SVO Suction Valve Open)

피스톤의 속도가 큰 시점에서 밸브의 열림 면적을 크게 하기 위해 흡기밸브는 일반적으로 상사점전 BTDC 5~30°에서 열게 되어있다. 이 값을 크게 하면 밸브오버랩이 커져서 저속에서는 잔류가스 량의 증가로 체적효율이 저하되고 또한 고속에서는 역으로 동적효과에 의해 체적효율은 증대된다.

(2) 흡기밸브의 닫힘 시기 (SVC Suction Valve Closed)

흡기행정의 초기에는 밸브 전후의 차압이 크나, 밸브의 리프트가 커지게 되면 실린더 벽으로부터 전열과 잔류가스와의 혼합 등으로 흡기의 온도가 상승되면서 압력이 대기압에 가까워진다. 따라서 흡기밸브의 닫힘 시기가 빠르면 밸브의 시트와 페이스 사이에서 흡기의 스로틀링으로 인해 압력이 회복하지 못하므로 SVC는 하사점 후 ABDC 30~60° 정도로 늦추며 이 보다 닫힘이 빠르면 체적효율은 저하된다. 그리고 역으로 닫힘이 늦으면 일단 실린더 내에 흡입된 신기가 흡입계로 역류하게 되어 빠른 경우와 같이 체적효율이 낮아진다. 흡기의 관성의 영향으로 SVC의 최적값은 회전속도에 의해 달라지며 저속에서는 빠르고 고속에서는 늦추는 것이 바람직하다.

(3) 배기밸브의 열림 시기 (EVO Exhaust Valve Open)

배기밸브의 열림시기 EVO의 값은 체적효율에 미치는 영향이 비교적 작다. 그러나 가능한 팽창일을 크게 하고 배기가스의 배출 손실 일을 저감시키는 측면에서 하사점 전 BBDC 35~70°의 값이 많다.

(4) 배기밸브의 닫힘 시기 (EVC Exhaust Valve Closed)

배기행정이 종료되는 시점에서도 실린더 내 압력은 배가가스의 스로틀링 작용으로 배기포트내의 압력보다 약간 높다. 잔류가스의 양을 감소시켜서 체적효율을 향상시키기 위해 EVC는 상사점 후 15~30° 값으로 하는 경우가 많다. 그 시기가 지나치게 빠르면 배기가 충분하지 못해 잔류가스 량이 증가되어 체적효율이 저하되며, 반대로 닫힘 시기가 너무 늦어지게 되면 배기가스가 배기포트로부터 실린더내로 역류되어 역시 잔류가스가 증가된다.

(5) 밸브 오버랩 Valve Overlap

밸브의 오버랩은 흡, 배기밸브가 모두 열려 있는 기간을 말한다. 이 기간에는 고속인 경우는 흡기의 관성으로 배기를 밀어냄으로써 흡입효율이 향상된다. 그러나 저속 특히 공전상태에서는 배기가스가 흡기쪽으로 역류되는 현상이 발생하여 잔류가스의 양이 증가된다. 공전상태에서는 처음부터 흡기량이 적어서 연소가 불리한 가운데 잔류가스와 혼합하게 되므로 연소는 더욱 악화되고 운전 상태는 한층 불안정하게 된다. 특히 4

밸브 엔진의 밸브의 면적이 커서 2밸브 엔진과 밸브의 오버랩 기간이 같아도 실질적으로 그 기간이 길어지는 것과 같다. 또한 배기량이 적은 엔진의 경우는 배기량에 비해 상대적으로 밸브면적이 큰 경구가 많으므로 이와 같은 경향은 더욱 심하다.

그림 4-13은 흡, 배기밸브의 리프트 양이 충전효율에 미치는 영향을 나타낸 그래프이다. 엔진 회전수에 따라 약간의 차이는 있지만 밸브 리프트 양이 제일 큰 10.0mm 일 때 저속과 고속영역 모두에서 충전효율이 높은 것을 볼 수 있다. 하지만 엔진회전수가 높아질수록 밸브 리프트 양이 높은 수록 충전효율이 높아지는 것을 볼 수 있다. 즉 고출력 튜닝 시 고속 영역에서 충전효율이 높이기 위해 밸브 리프트 양을 높일 필요가 있다는 것을 알 수 있다.

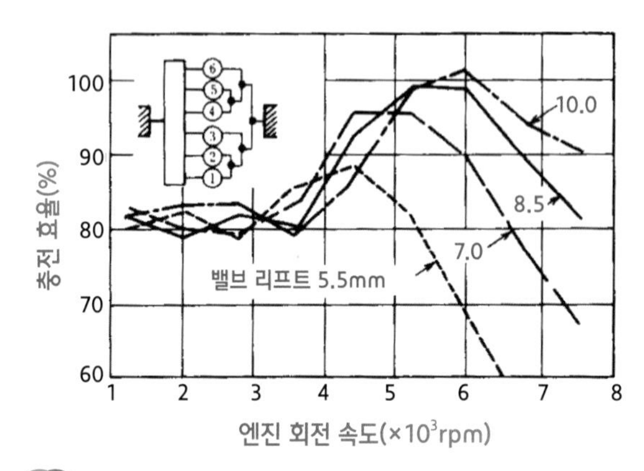

그림 4-13 흡, 배기 밸브의 리프트 양이 충전효율에 미치는 영향

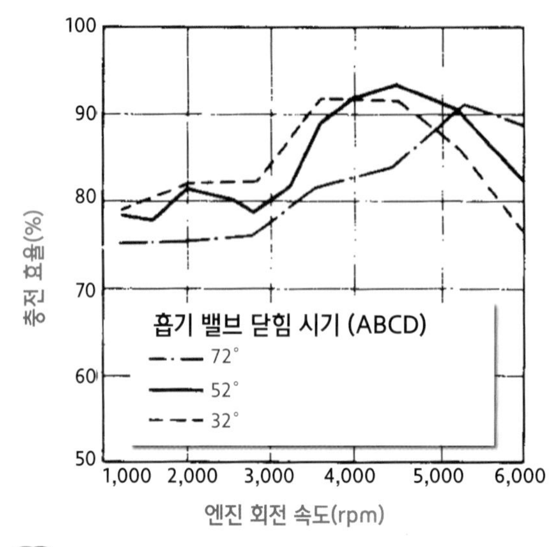

그림 4-14 흡기밸브의 닫힘 시기가 충전효율에 미치는 영향

그림 4-14는 흡기밸브가 닫히는 시기가 충전효율에 미치는 영향을 나타낸 그래프이다. 엔진 회전수 4000rpm을 전, 후로 충전효율의 변화를 살펴봤을 때, 먼저 4000rpm 이전의 회전수 에서는 흡기밸브의 닫힘 시기가 빠를수록 충전효율이 높은 것에 비해, 4000rpm 이후의 회전수에서는 닫힘 시기가 늦을수록 충전효율이 높아지는 것을 볼 수 있다. 즉 흡기밸브의 닫힘 시기는 저속에서는 빠르고 고속에서는 늦추는 것이 바람직하다는 것을 알 수 있다.

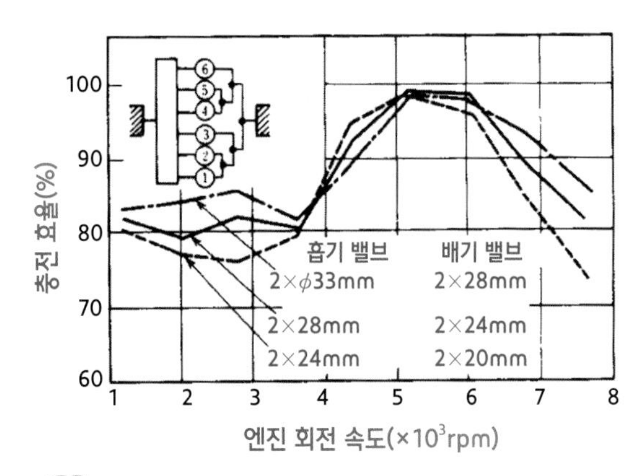

그림 4-15 **흡, 배기밸브 지름이 충전효율에 미치는 영향**

그림 4-15는 흡, 배기밸브의 지름이 충전효율에 미치는 영향을 나타낸 그래프이다. 엔진 회전수 4000rpm을 전, 후로 충전효율의 변화를 살펴봤을 때, 먼저 4000rpm 이전의 회전수일 때 흡, 배기밸브지름이 클수록 충전효율이 가장 높은 것을 볼 수 있다. 하지만 4000rpm 이후의 회전수에서는 작은 차이지만 오히려 밸브지름이 작은 경우에 충전효율이 높거나 비슷한 것을 볼 수 있다.

(6) 가변 밸브 시스템 (가변 밸브 타이밍과 가변 밸브 리프트)

엔진의 회전속도 변화에 따라 흡, 배기 밸브가 열려 있는 시간은 크게 변화 되지만 혼합기에 작용하는 관성은 크게 달라지지 않는다. 저 회전 때에는 밸브를 늦게 열고 빨리 닫히게 하고, 고 회전 때에는 빨리 열고 늦게 닫히도록 한다면, 즉 엔진의 회전속도에 따라 밸브 타이밍을 변환시킬 수 있으면 엔진은 각 운전영역에서 최고 토크를 얻을 수 있게 된다. **그림 4-16**은 밸브 타이밍 변화에 의한 효과의 예를 나타낸 것이다.

일반적으로 혼합기의 흡입 효율을 높이기 위해 밸브 오버랩을 두게 된다. 하지만 이 효과는 엔진회전수에 비례하기 때문에 저속에서는 가스의 흐름이 늦어져 효과가 작다.

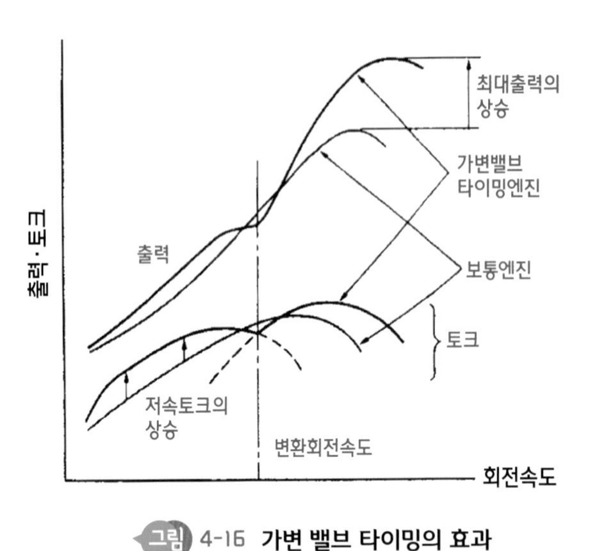

그림 4-16 가변 밸브 타이밍의 효과

또한 고속회전에서 이 효과를 높이기 위해 밸브 오버랩을 크게 설정할 경우 마찬가지로 저속에서 연소가스가 많이 잔류된 상태에서 흡기 밸브가 열리게 되어 연소가스가 흡기 포트로 역류하는 현상이 발생하여 연소가 오히려 불안정해지게 된다. 이렇게 엔진의 회전속도 변화에 따라 최적의 밸브 타이밍이 다르기 때문에 흡기 밸브가 저속에서는 늦게 열리고, 고속에서는 빠르게 열리도록 하는 시스템이 최근 양산차량에 장착된 엔진들이 출시되고 있는데 이것을 **가변 밸브 타이밍**[1] **시스템**Variable Valve Timing system이라고 한다.

가변 밸브 타이밍 시스템은 캠 샤프트 한쪽 끝에서 오일 압력을 이용하여 캠 샤프트의 회전속도를 순간적으로 제어하여 밸브 작동 타이밍을 일정 범위 내에서 제어하는 장치로, CMPS(캠 포지션 센서)를 이용해 캠의 위상을 검출하여 ECU에 보내게 되면 ECU에서 현재의 운전 조건에서 최적의 밸브 타이밍이 되도록 캠 샤프트의 회전을 제어한다. 이렇게 운전 조건별 밸브 타이밍의 최적 제어를 통해 중, 저속 운전 시에서는 밸브 오버랩을 작게 하고, 고속 운전 시에는 밸브 오버랩을 크게 하여 효율을 높일 수 있게 된다. 하지만 가변밸브 타이밍 시스템은 밸브 리프트 양을 바꿀 수 없기 때문에 흡입 공기 유량을 극대화 할 수는 없다.

따라서 엔진의 운전 조건에 따라 캠의 리프트를 가변적으로 작동하여 중, 저속에서는 리프트 양을 줄이고, 고속에서는 리프트 량을 크게 하여 흡기량을 조절하는 **가변 밸브 리프트**[2] **시스템**Variable Valve Lift system을 가변 밸브 타이밍 시스템과 동시에 사용하면 전 부하 운전 조건에서 체적효율 향상에 따른 출력향상을, 저 부하 운전 조건에서 펌핑손실 및 기계적 마찰손실 저감에 따른 연비향상 즉, 가변 밸브 시스템 적용으로 엔진의 성능과 연비를 동시에 향상 시킬 수 있을 것이다.

1 가변 밸브 타이밍(VVT): 엔진의 회전속도와 부하에 따라 캠축 및 밸브의 양정을 제어하여 밸브 타이밍을 최적화

2 가변 밸브 리프트(VVL): 엔진의 회전속도와 부하에 따라 밸브의 열림 량을 조절하는 것으로 펌핑로스를 최소화하여 엔진의 효율 향상

5 밸브 작동계 튜닝

(1) 밸브 경량화

밸브 계통의 경량화에 있어서 가장 큰 효과를 볼 수 있는 부분은 밸브 자체의 경량화이다. 양산차량용 엔진에는 밸브자체의 무게를 경량화하기 위해 나트륨 봉입형태의 중공밸브 적용과 밸브 곡률반경 부분을 가늘게 하여 경량화한 **웨이스트 밸브**waist valve를 사용하기도 한다.

밸브 튜닝 시 경량화 방법으로는 밸브 스템의 직경을 작게 하는 방법과 밸브의 곡률 반경을 연마하여 밸브 자체의 무게를 줄이는 것이 있다. 이와 함께 밸브와 함께 조립되는 코터, 리테이너의 무게도 경량화 할 필요가 있다. 튜닝 시 밸브 경량화와 함께 밸브 표면을 질화 처리해 밸브의 내마모성, 내식성, 내열성, 피로강도 등과 같은 내구성을 향상 시키는 부분도 반드시 고려할 필요가 있다. 또한 고 경량화에 너무 집중한 나머지 무게의 밸런스를 맞추지 않게 될 경우 오히려 역효과가 나타날 수 있으니 주의해야 한다.

그림 4-17 산용 밸브와 질화처리된 강화 밸브

(2) 단조 밸브 스프링으로 교체

일반적으로 캠이 밸브 리프터를 눌러 밸브를 열도록 한다면, 밸브를 닫히게 하는 것을 밸브 스프링이다. 하이 캠을 적용하게 되면 밸브가 열리고 닫히는 가속도는 양산캠이 장착되었을 때 보다 훨씬 높아지게 된다. 이때 밸브 스프링이 적절한 상수를 가지지 못할 경우 높아진 가속도를 따라가지 못해 고 회전 시 밸브가 정확히 닫히지 못하거나, 최대 리프트 구간에서 밸브가 리프트 커버로 부터 이탈하여 점프하거나, 최소 리프트 구간에서 바운스나 서징현상이 발생하여 엔진 출력 저하가 발생과 심할 경우에는 밸브와 피스톤이 부딪혀 밸브 및 피스톤이 파손되는 일이 발생할 수 있다.

따라서 하이 캠 적용 시 스프링 정수가 더 높은 밸브 스프링과 강성을 증대시킴과 동시에 경량화 된 밸브 스프링을 함께 교체 하는 것도 고려해야 한다. 또한 일반 싱글 밸브 스프링을 적용했을 때 보다 점핑, 바운스 그리고 서징현상에 대해 보다 안정적인 효과를 볼 수 있으며 고회전에서 안정된 성능을 유지할 수 있는 이중 스프링을 적용하는 것과 스프링 코일간의 간섭으로 인한 공진현상을 줄일 수 있는 부등 피치 스프링을 적용하는 것을 고려할 필요가 있다.

이때 주의할 사항으로 첫 번째 반발력이 너무 큰 밸브 스프링은 점프 발생과 함께 마찰이 커지고 캠이 리프트 작동 시 큰 힘이 들기 때문에 성능저하가 발생할 수 있다. 두 번째 밸브 관성력을 줄이기 위해 경량화에 집중할 경우 강성이 저하되고 내구성이 나빠지게 된다. 세 번째는 교체할 모든 밸브 스프링의 정수가 균일한지 확인해야 한다. 만약 불규칙하다면 원하는 만큼의 효과를 얻지 못할 것이다.

(A) 양산용 엔진에 적용된 밸브 스프링과 리테이너

(B) 단조 티타늄 소재 강화 이중 밸브 스프링 및 리테이너

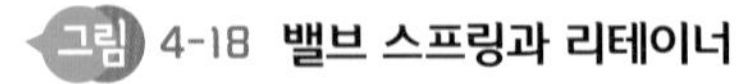

그림 4-18 밸브 스프링과 리테이너

참고자료

- **밸브 스프링 점검 사항**
  - 자유고(높이)가 표준 값보다 3%이상 감소하면 교환
  - 장착 상태에서의 장력이 규정 값보다 15% 감소하면 교환
  - 직각도가 자유 높이 100mm에 대해 3mm이상 기울어지면 교환
  - 밸브 스프링 접촉면 상태가 2/3이상 수평인지 확인

(3) 하이 캠으로 교체

양산 차량의 캠의 프로파일은 연비, 정숙성, 배출가스 저감, 엔진성능 등과 같은 다양한 요구를 만족시키는데 우선 하는데 비해 하이 캠의 적용 목적은 캠의 노우즈 길이를 크게 하여 밸브 리프트를 증가시키고 밸브 오버랩이 커지도록 하여 고회전시 실린더 내 흡입공기량을 증가시켜 출력을 증가시키는데 있다.

하지만 하이 캠 적용으로 고속에서 고출력화와 고회전시 밸브서징 감소 효과는 볼 수 있지만, 밸브 리프트가 커지고, 밸브 오버랩이 커지게 되어 중, 저속 및 공전 시 내부 EGRExhaust Gas Recirculation 증가로 연비가 나빠지고, 토크 저하, 배기가스 증대, 시동성 저하 및 엔진 부조 및 정숙성이 저하 될 뿐만 아니라 고출력 구현으로 엔진 각 부의 내구성도 나빠지게 된다. 따라서 하이 캠 튜닝 시 이러한 부분들을 충분히 고려해야 할 것이다. 그리고 하이 캠 적용 시 캠이 고속회전 하면서 캠 노우즈 부분과 밸브 리프터와 접촉되는 부분의 마찰이 기하급수적으로 증가하게 된다.

따라서 이 접촉부분의 마찰과 면압을 줄여 내구성을 높일 수 있도록 경면처리하는 것도 고려해야 할 것이다.

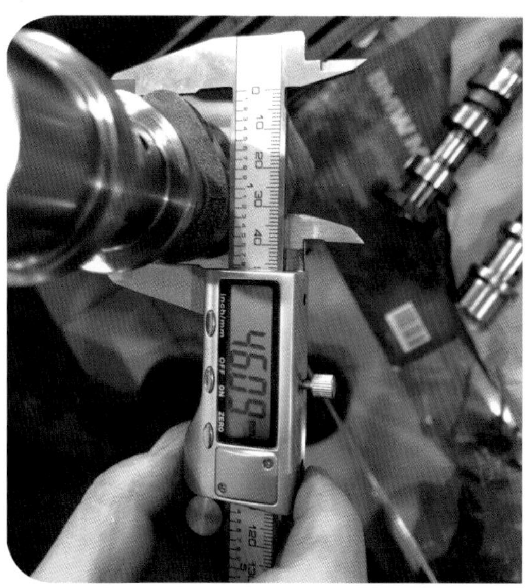

그림 4-19 튜닝용 하이 캠

CHAPTER 5

자동차 흡·배기계 튜닝

5 CHAPTER

흡·배기계 튜닝

흡·배기 시스템은 엔진 패키지의 중요한 부분으로 최상의 성능을 제공하기 위해 적절하게 조정 된 헤더, 공진기, 촉매 변환기 밑 머플러 조립에 대하여 고성능 엔진 어플리케이션을 고려해야 한다. 특히 **기화기**Carburetor 흡입구 및 캠은 엔진에 얼마만큼의 연료를 넣어야 하는지 직접적으로 알려준다. 더욱이 엔진에 투입된 공기/연료 혼합물은 엔진에서 배출되어야 하며, 이때 엔진은 배기가스를 신속하고 효율적으로 배기가스를 배출하여야 한다.

그러나 이는 또한 효과적으로 소기되어 소기 과정 중에 연소실로 미연소 된 상태로 배기가스가 되돌아가는 현상이 발생한다. 따라서 엔진에 부적합한 배기 시스템은 엔진의 성능을 순수하고 단순하게 저하 시킨다. 흡, 배기 시스템을 통해 엔진의 배기 시스템을 이해하고 기능 및 엔진 성능 및 외관과 관련하여 배기 시스템 구성요소를 선택할 수 있다.

배기 헤더 시스템 및 사이징, 배기 파이프 사이징, 배기 파이프 크로스 오버 밴딩, 플랜지 클램핑 및 체결, 머플러 시스템, 촉매 변환기 시스템 등 문제해결을 위한 배기 헤더, 파이프 및 머플러 설계 및 제조 방법, 다양한 엔진 구성요소가 배기 흐름에 미치는 영향, 선택 시스템 조작 및 설계 기능, 기류, 그리고 배기 흐름에 대한 설명을 제공한다.

01 이론, 설계 및 원리

배기 시스템의 기능을 더 잘 이해하기 위해서는 먼저 공기 및 연료 충전이 엔진에 들어가는 방법과 흡기 공기, 기화기 또는 스로틀 바디, 흡기 매니폴드(다기관), 연료 등이 관련된 사항에 대하여 영향을 받는 방법을 이해하는 것이 도움이 된다. 실린더헤드, 캠샤프트, 배기 매니폴드(다기관)와 실린더 헤드 흡입구 볼륨, 캠축 프로파일 및 압축비와 같은 다른 변수를 선택하는 것으로 시작된다. 이러한 요인은 헤더의 기본 튜브 지름 및 배기 파이프 지름의 선택에 영향을 미칠 수 있다. 간단히 말해, 더 많은 실린더 압력과 마력을 생성 할 때 엔진의 호흡 기능을 수용하기 위해 추가 배기량을 늘릴 필요가 있다.

1 흡입 공기

차가운 흡입 공기는 따듯한 공기보다 밀도가 높다. 공기 밀도가 높을수록 더 많은 산소 분자가 발생하기 때문에 더 많은 흡입 공기가 충전 되고 더 많은 전력이 공급된다. 분명, 더 많은 공기를 엔진으로 끌어들이면 더 많은 마력을 낼 수 있다. 차가운 공기 흡입구란, 엔진실 내부의 공기보다 차가운 공기를 공급하는 공기 주입 시스템을 의미한다.

엔진 열이 더 멀리 있거나 멀어지면 공기는 엔진 열에 의해 냉각되어 엔진에 공급 할 수 있게 된다. 자주 무시되는 측면 중 하나는 찬 공기 흡입구를 사용하는 것이다. 이것은 지면 가까이에 위치한 오픈 엘리먼트 에어 필터이지만 엔진의 수압을 발생시킬 위험이 있다. 에어 필터가 과도한 물에 노출 된 경우 발생 할 수 있다. 물이 엔진에 유입되어 연소실로 가는 경우 피스톤이 상사점에 도달하지 못하도록 물이 생성되어 유압 잠금 장치가 만들어진다. 공기를 압축 할 수 있는 동안 냉기 필터는 덕트로 엔진 흡입구에 연결하고 필터 열을 엔진 열원에서 멀리 떨어지게 배치하여 필터를 더 차갑고 신선한 공기 공급원에 가깝게 배치하여야 한다. 차가운 공기 시스템은 차가운 공기 흐름 판과 함께 특정 차량 적용을 위해 제공되어 더 많은 공기를 필터에 직접 포집한다.

드래그 경주용 자동차의 LS7 엔진의 공기 흡입 시스템은 효과적이고 화려하다. 스로틀 바디에 공기를 공급하는 덕트는 탄소 섬유 튜빙을 사용하여 제작된다. 차가운 공기는 자동차의 기수에서 엔진으로 바로 보내지는데, 뜨거운 공기는 흡입 공기 흐름으로 들어가지 않는다.

콘형 또는 배럴 스타일의 에어 필터는 경주용 자동차 엔진 베이와 같은 보편적인 적용을 하여 냉기 흡입구를 설치하기도 한다. 엔진 베이의 경계선 내에 있지만 이 필터는 엔진에서 멀리 떨어져 있다.

그림 5-01 콘형 에어필터의 구조

02 흡기효율

내연기관에서 흡/배기 밸브는 연료의 효율 증대, 배기가스 저감, 엔진의 성능 향상에중요한 역할을 한다. 기존의 흡/배기 밸브는 기계적인 캠축에 의한 캠의 형상에 따라서 고정적인 밸브 움직임을 갖는다. 비록 가변 밸브 타이밍(VVT), 가변 흡기 장치 등기계적 캠축에 변화를 주어서 흡/배기 밸브의 움직임을 조절하는 경우도 있으나 그 변화의 폭은 매우 제한이 된다.

이에 반해 유압 혹은 전자석을 이용한 **EMV**Eletromechanical Valvetrain는 흡/배기밸브의 양정, 위상, 폭 등을 자유자재로 조절함으로써 기존의 밸브의 한계를 뛰어넘었다. 이러한 EMV를 장착한 엔진을 **캠리스 엔진**camless engine이라고 하는데, 캠리스 엔진의 장점은 대단히 많다. 밸브 열림/닫힘 타이밍 조절, 밸브 양정 조절, 밸브 열림 기간 조절, 밸브 개폐 속도 조절, 밸브 디액티베이션, 점화순서 조절, 2행정 엔진으로의 변환 등 각 운전 영역에 최적화되게 밸브 움직임을 조절할 수 있다. 심지어는 **SI 엔진**Spark Ignition engine에서 스로틀을 사용하지 않으면서 공기량을 조절함으로써 펌핑 로스를 줄일 수 있다.

1 체적효율과 충전효율

엔진에 흡입되는 흡기유량은 총 행정체적 $\Sigma V_h(l)$의 크기보다 실린더에 채워지는 양을 좌우하게 되는 **체적효율**(η_v Volumetric efficiency) 또는 **충전효율**(η_c Charging efficiency)에 의해 지배된다.

(1) 체적효율 (η_v Volumetric efficiency)

체적효율은 **그림5-2**에서 보는 바와 같이 피스톤이 상사점에서 하사점까지 움직일 때 실린더 내의 체적은 V_h만큼 변화한다.

1회의 흡입행정으로 그 때의 분위기 온도 T_a와 기압 P_a의 공기를 V_a만큼 흡입하였다고 하면 이때의 체적효율 η_v는 $\eta_v = \frac{V_a}{V_h}$와 같이 나타낼 수 있다.

즉, 피스톤에 의한 체적의 변화와 같은 체적의 공기를 흡입하면 체적효율은 100%가 된다.

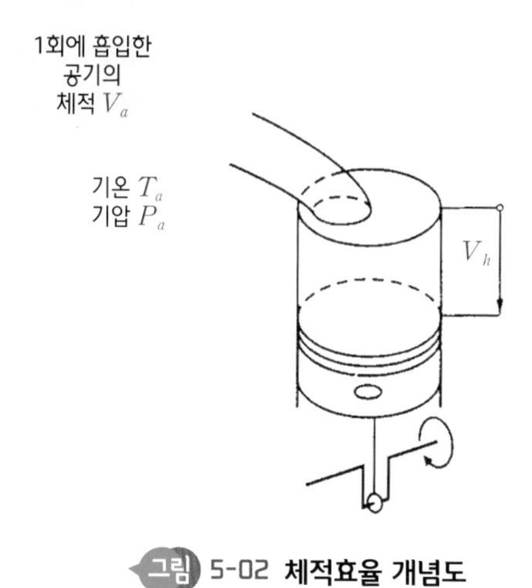

그림 5-02 **체적효율 개념도**

$$\eta_v = \frac{\text{입구상태 } T_aP_a \text{ 하에서 흡입공기의 체적}}{\text{행정체적}(v_h)}$$

$$= \frac{\text{입구상태 } T_aP_a \text{ 하에서 흡입공기의 중량}}{\text{입구상태 } T_aP_a \text{ 하에서 행정체적}(v_h)\text{을 점유하는 흡입공기의 중량}} \quad \text{식1}$$

이때 흡입된 공기의 체적에 비중량을 곱하면 흡입공기의 중량을 구할 수 있다. 이것이 공연비(A/F Air Fuel ratio)의 분자가 되는 값이다.

(2) 충전효율 (η_c Charging efficiency)

체적효율이 같아도 흡입하는 대기의 온도가 높으면 비중량이 작아지기 때문에 흡입된 공기의 중량도 작아진다. 또 기압이 낮아져도 결과는 같아진다. 엔진출력의 근원이 되는 연료를 연소시킬 수 있는 공기의 양이란 그 중량을 말한다. 따라서 입구상태 온도(T_a)와 압력(P_a)의 조건으로 흡입된 공기의 체적을 표준의 상태 온도(T_0)와 압력(P_0)으로 환산하여 를 V_0구하고, V_0/V_h를 충전효율이라고 하며 η_c로 나타낸다.

$$\eta_c = \frac{\text{표준상태 } T_0P_0\text{로 환산한 흡입공기의 체적}}{\text{행정체적}(v_h)}$$

$$= \frac{\text{입구상태 } T_aP_a \text{ 하에서 흡입공기의 중량}}{\text{표준상태 } T_0P_0 \text{ 하에서 행정체적}(v_h)\text{을 점유하는 흡입공기의 중량}} \quad \text{식2}$$

$$= \frac{P_a}{P_0} \times \frac{T_0}{T_a} \times \eta_v$$ 식3

여기서 T_0, P_0(293K, 표준상태 760mmHg)는 흡기의 절대온도와 절대압력이며, **식 2**에서와 같이 표준상태하에서는 체적효율과 충전효율이 동일한 값이 되므로 체적효율이 커지면 충전효율 또한 증대된다.

2 체적효율과 충전효율에 영향을 미치는 정상적인 요인

엔진의 흡입행정 시 뜨거운 엔진룸 내의 공기를 흡입하게 되면 체적효율은 만족되어도 충전효율이 작아지고 출력은 저하된다. 또 흡기 매니폴더(다기관)가 뜨거우면 충전효율이 낮아지게 된다. 그리고 공기청정기의 **필터 엘리먼트**Filter Element가 막히거나 흡기계의 저항이 증대되는 마찬가지로 체적효율과 충전효율 모두 저하된다. 뿐만 아니라 실린더 벽면의 온도가 높으면 흡입된 공기의 팽창으로 실린더내의 압력이 상승되므로 그만큼 공기의 흡입이 어려워지면서 체적효율은 저하됨과 동시에 충전효율도 함께 낮아져 출력손실이 발생하게 된다. 따라서 체적효율의 향상 없이는 높은 충전효율을 얻을 수 없다는 것을 알 수 있다.

(1) 입구온도의 영향

흡기의 입구온도가 높아지게 되면 흡기의 비중량이 작아짐으로써 충전효율은 저하된다. 실험적으로 입구온도가 달라지는데 대해 다음과 같은 관계가 얻어진다.

$$\eta_c = \left[\frac{T_0}{T_a}\right]^m \times \eta_{co}$$

η_c : 입구온도 T_a[K]일 때의 충전효율
η_{co} : 표준상태[T_0=293K]일 때의 충전효율
m : 지수(0.6~0.9)

(2) 입구압력의 영향

일정한 온도에서 흡기의 입구압력이 변화되어도 충전효율은 압력에 거의 비례하여 변화하므로 실험적으로는 다음과 같은 관계가 얻어진다.

$$\eta_c = \left[\frac{P_a}{P_0}\right]^m \times \eta_{co}$$

η_c : 입구압력 P_a[절대압력]일 때의 충전효율　　η_{co} : 표준상태 하에서의 충전효율
m : 지수(1.1~1.2)

과급엔진의 경우 과급기에 의한 흡기의 과급으로 흡기량의 증대와 흡기압을 높게 하여 충전효율 즉 출력을 증대시키고 있다. 이 때 과급기의 압축으로 흡기온도도 동시에 상승하게 된다. 이러한 온도상승을 억제하여 충전효율을 보다 향상시키고 또한 내노크성도 향상시키기 위해 중간냉각기Inter-cooler를 사용한다.

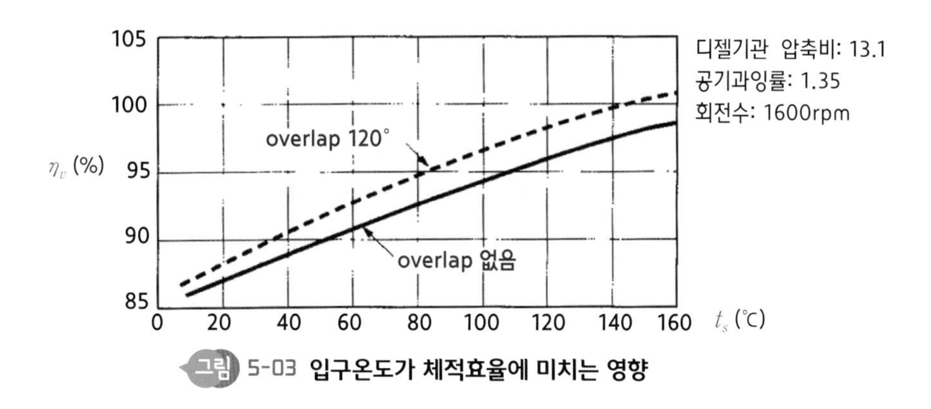

그림 5-03 입구온도가 체적효율에 미치는 영향

(3) 연소실 벽면온도의 영향

엔진의 부하나 냉각수의 온도가 높아지게 되면 연소실벽면의 온도가 상승되어 흡기를 가열하게 되므로 체적효율과 충전효율이 저하된다. **그림 5-4**는 연소실벽면 온도와 체적효율과의 관계를 조사한 실험결과이다.

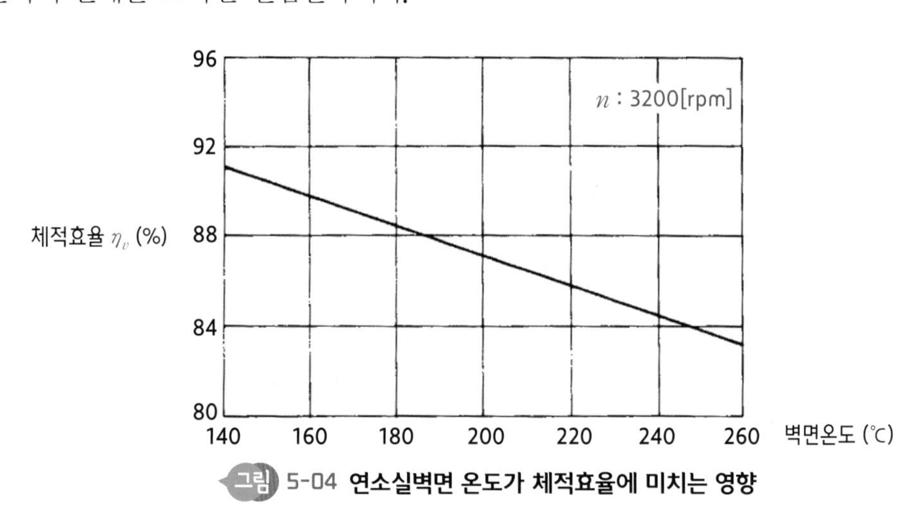

그림 5-04 연소실벽면 온도가 체적효율에 미치는 영향

(4) 흡입저항의 영향

에어클리너, 흡기 매니폴드(다기관), 흡기밸브 등에 의한 흡입 시 압력손실은 각 실린더에서 흡기가 끝나는 시기에 흡입압력(입구 또는 외기압력)과 실린더 내(연소실) 압력과의 차압을 작게 하여 체적효율과 충전효율 모두 저하된다. 따라서 흡기통로는 급한 구부러짐이나 흡기의 유동 중 스로틀링이 적도록 충분한 단면적을 가지게 함으로써 압력손실을 작게 하는 것이 필요하다.

흡기밸브를 **멀티밸브**Multi valve화 하는 것도 그와 같은 이유에서이고, 이렇게 함으로써 압력손실을 저감하여 흡기량 증가로 고속에서의 체적효율이나 충전효율을 향상시킬 수 있다.

(5) 공기과잉률의 영향

디젤엔진에서는 공기과잉률이 낮아지면, 흡기계, 실린더 벽면 온도가 상승하여 **그림 5-4**에 보는바와 같이 체적효율이 감소한다. 가솔린엔진에서는 공기와 함께 연료가 흡입되므로, 실린더 내에서 연료의 기화가 일어나고, 이 기화열 때문에 흡기 온도가 내려간다. 이 때문에 온도상승이 감소하고, 연료가 포함되면 공기뿐인 경우보다 체적효율이 증가한다. 그러나 이러한 영향을 매우 작기 때문에 농후 혼합기의 경우에도 3~4%에 지나지 않으므로 희박 혼합기인 경우에는 실린더 온도의 영향이 현저하다.

그림 5-5는 이러한 경향을 나타낸 것으로 공기과잉률(λ)>0.95에서 체적효율이 약간 증가하고 있는 것은 기화의 영향에 의한 것이다. 알코올과 같이 기화열이 큰 것을 사용할 경우 이 영향은 더욱 현저하게 된다.

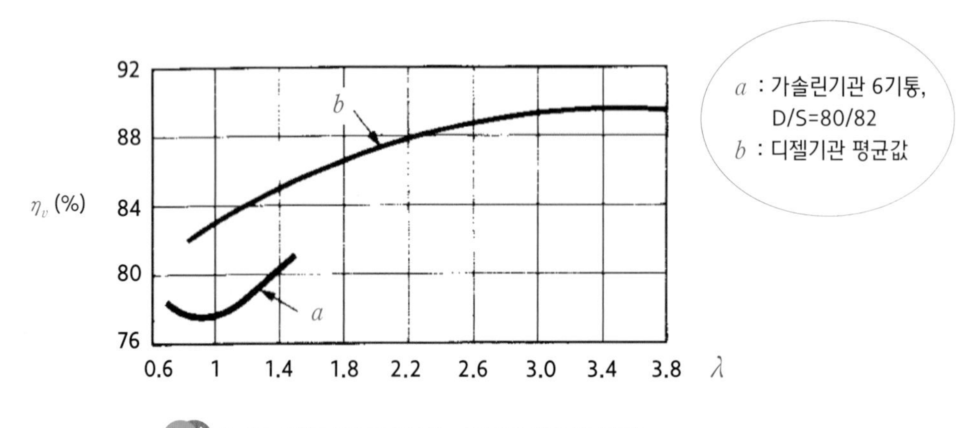

그림 5-05 체적효율에 미치는 공기과잉률의 영향

(6) 흡 · 배기 밸브 개폐시기의 영향

① 흡기 밸브 열림 시기 (IVO Intake valve Open)

충분한 밸브 개구면적 확보를 위해 일반적으로 밸브 열림 시기는 상사점전 5~20° 이다. 이 값을 크게 할 경우 밸브 오버랩 량이 증가되어, 저속에서는 잔류 가스량의 증대에 의해 체적효율이 저하된다. 그리고 고속에서는 역으로 동적효과에 의해 체적 효율은 증가하게 된다.

② 흡기 밸브 닫힘 시기 (IVC Intake valve Close)

흡기행정 초기에는 공기의 통과 면적이 작고, 또 흡기 가속 때문에 급격한 압력 강하가 발생한다. 그러나 밸브의 열림이 점차 커지고 또한 흡입된 공기가 실린더 벽에 의해 가열되기 때문에 실린더 내 압력은 상승되며, 흡기 행정의 끝에서는 흡기의 운동 에너지도 더해져, 거의 대기압에 가까이까지 회복된다.

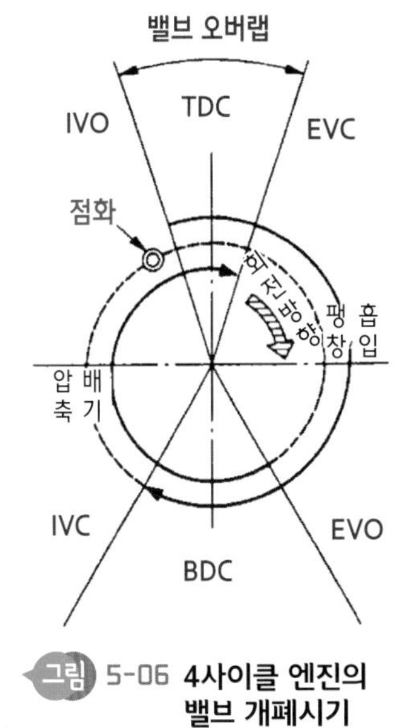

그림 5-06 4사이클 엔진의 밸브 개폐시기

흡기밸브의 닫힘 시기가 빠르면 압력이 회복되지 않기 때문에 닫힘 시기는 하사점후 30~50° 정도로 한다. 이보다 닫힘이 빠르면 체적효율은 저하된다. 역으로 늦으면 일단 실린더 내에 흡입된 신기를 흡기계로 역류시키게 되어 빠른 경우와 마찬가지로 체적효율은 저하된다. 흡기 관성의 영향으로 닫힘 시기의 최적값은 회전 속도에 따라 변화하며, 저속에서는 빠르게, 고속에서는 늦게 된다.

③ 배기 밸브 열림 시기(EVO Exhaust valve Open)

배기밸브 열림 시기가 체적효율에 미치는 영향은 비교적 작지만, 팽창 일을 많게 하고, 배기 압출손실을 저감시키는 점을 고려하여 하사점 50° 전후의 값이 많다.

④ 배기 밸브 닫힘 시기(EVC Exhaust valve Close)

배기 행정 중 실린더 내 압력은 배기밸브의 스로틀에 의해 배기관 압력보다 약간 높다. 잔류 가스량을 줄이기 위해 닫힘 시기는 상사점 후 5~20°의 값으로 한다. 닫힘 시기가 지나치게 빠르면 배기가 충분히 이루어지지 않아 잔류가스량이 증가되어 체적 효율이 저하되며 지나치게 늦어지면 배기가 배기 구멍을 통해 실린더 내로 역류되어 또한 잔류가스량을 증가시키게 된다.

3 체적효율과 충전효율에 영향을 미치는 동적요인

동적 요인이라는 것은 흡기, 배기가 간헐적으로 이루어지는 것에 기인하는 흡·배기계의 압력 진동에 의하는 것이다. 압력 진동이 발생된 해당 사이클의 흡기과정에 직접 영향을 미치는 경우를 **관성효과**inertia effect라고 한다. 고속회전이나 긴 흡기관에서와 같이 압력 진동이 다음 사이클의 흡기과정에 영향을 미치는 것을 **맥동효과**pulsation effect라고 한다.

(1) 흡기관의 영향

흡기 행정에서 피스톤의 흡입 작용에 의해 흡기관의 밸브 쪽 끝에 부압이 발생되면 부압파가 관내에 전달되고, 개방 끝에서 반사된 정현파로 되어 t시간 후에 되돌아온다.

흡기관이 길어 이 시간이 흡입기간 t_s보다 길면($t>t_s$) **그림 5-6(A)**와 같이 흡기 행정에 직접 영향을 미치지 않지만, 관이 짧아($t<t_s$)$t=t_s/2$ 의 경우에는 부압파에 정현파가 겹쳐 **그림 5-7(B)**와 같이 중첩된 부분이 합성되어(점선) 흡기행정의 후반에는 정압으로 된다. 이 때문에 흡기밸브가 닫히기 직전에 정압이 최대로 되도록 t를 선택하면 신기가 실린더 내에 유입하여 체적효율을 증가시킬 수 가 있게 된다. 이것을 흡기의 관성효과라고 한다. 이 관성효과는 관성 특성수(Z), 관내저항계수(μ), 흡기 밸브의 닫힘각(θ_{IC})로 정해진다. Z는 **식(4)**와 같이 주어진다.

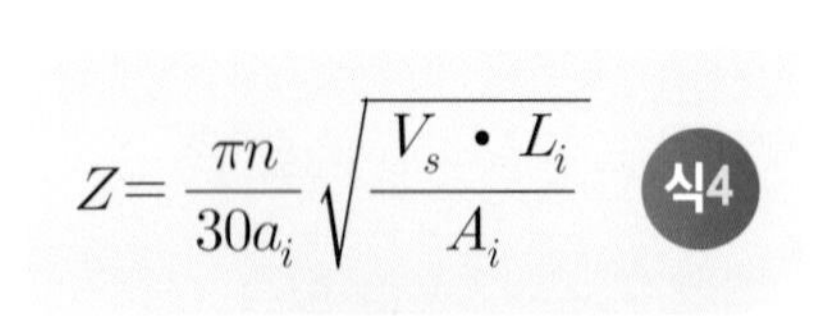

$$Z=\frac{\pi n}{30a_i}\sqrt{\frac{V_s \cdot L_i}{A_i}} \quad \text{식4}$$

a_i : 흡기관계의 음속
L_i : 흡기관의 길이
n : 엔진회전속도
A_i : 흡기관 단면적
V_s : 행정체적

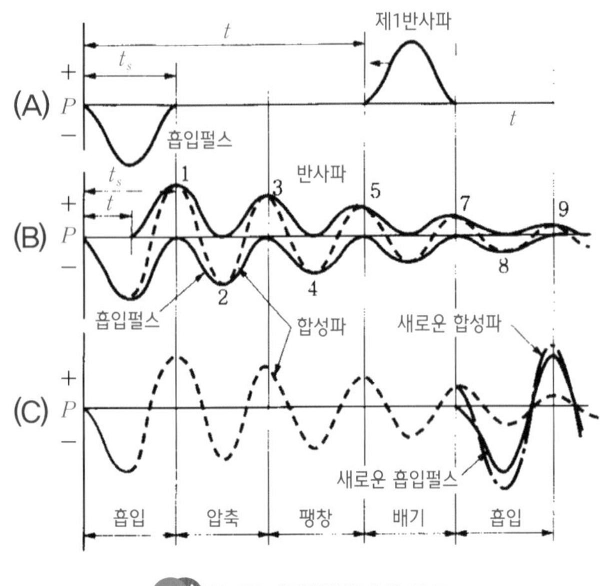

그림 5-07 흡입압력파의 동조

체적효율이 최대로 되는 Z는 θ_{IC}의 함수로 약 0.5전후이다. **식 4**에서 체적효율이 최대(Z는 동일)가 되는 엔진회전수는 $1/L_i$에 비례하여 변화하며, **그림 5-8**에 나타낸 실험결과와 일치하는 것을 볼 수 있다.

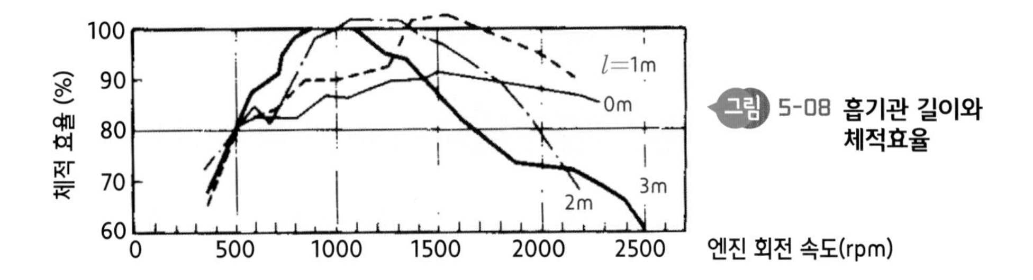

그림 5-08 흡기관 길이와 체적효율

(2) 배기관의 영향

배기 블로다운에 의해 배기관의 초반부에 큰 정압파가 발생하여 이것이 관 끝에서 부압파가 되어 반사되므로 정·부 압력파의 합성에 의해 압력진동이 생긴다. 배기 블로다운 시 많은 에너지가 방출되므로 이 압력진폭은 항상 흡기관 내의 압력진폭보다 크다.

이 압력파에 의해 배기행정의 후반에 부압이 생기면 연소실 내의 잔류가스가 흡출된다. 밸브 오버랩이 클 경우에 이 부압파가 오버랩 기간에 일치하면 소기가 양호한 소기효과가 얻어진다. **그림 5-9**는 배기관에서의 동적효과를 나타내고 있다. 배기밸브가 열린 직후에 "정"의 압력파가 생기는 것을 볼 수 있다. 이 압력의 크기는 흡기밸브 때보다도 대단히 크기 때문에 최대효과를 이용하면 흡기관의 경우보다 한층 큰 출력증대를 얻을 가능성이 있다.

그림 5-9(B)에 표시한 바와 같이 배기행정 후반에 부압이 발생하여 실린더 내의 연소가스를 빨아내는 작용을 할 때가 배기작용을 조장하여 흡기량을 증대시킨다.

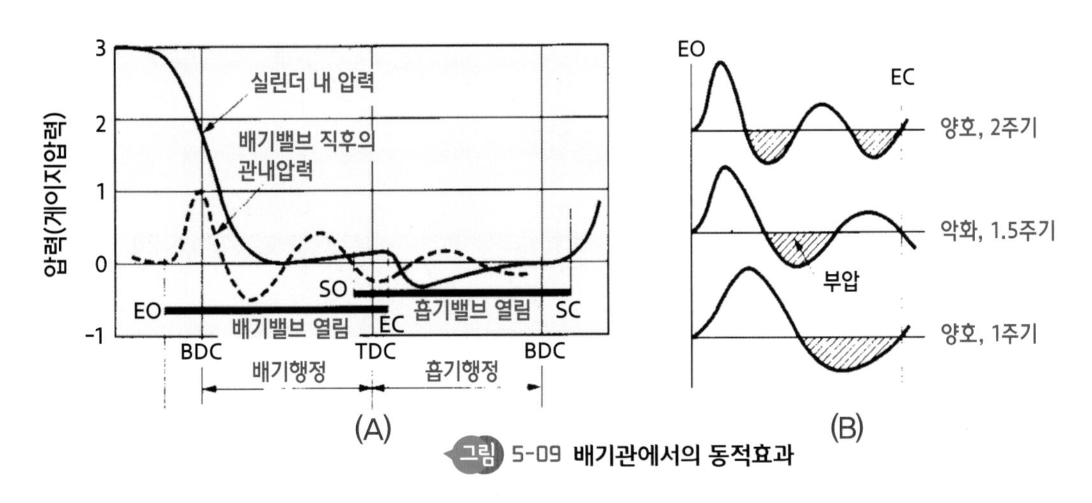

그림 5-09 배기관에서의 동적효과

(3) 다실린더의 흡기 및 배기 간섭

많은 실린더가 공통의 배기관으로 연결되어 있을 경우에는 어느 실린더의 배기 블로다운 실린더의 배기밸브가 닫히기 직전에 시작되는 수가 있다. 이 경우에는 전자에 의해 발생된 압력파가 후자의 배기밸브가 닫히려고 하는 곳에 도달하여 이 때문에 잔류가스 압력이 높게 되어 체적효율이 감소된다. 이것을 배기간섭이라고 한다.

공통의 흡기 매니폴드(다기관)를 가진 다기통 기관에서는 흡기 압력파에 의해 마찬가지 현상이 일어난다. 이것을 흡기간섭이라고 한다. 즉, 하나의 실린더가 흡입을 시작하면 부압파가 일어나 그것이 타 실린더의 흡기밸브가 닫히려고 하는 곳에 도달하여 입구압력을 내리는 효과와 같은 결과가 발생한다. 이와 같은 간섭을 제거하려면 흡·배기관의 길이를 길게 잡을 필요가 있다.

실제 자동차 엔진의 경우 제한적인 엔진 룸 내에서 목표로 하는 토크에 맞게 흡배기관이 길이의 최적화가 이루어지고 있다. 또한 최대 출력의 향상과 저·중속 토크 향상을 위해 엔진의 회전속도에 따라 등가 흡기관의 길이를 변환하는 가변 흡기 시스템이 많이 사용되고 있다. **그림 5-10**은 흡기관의 길이 변화에 따른 충전효율에 대한 시뮬레이션 결과를 나타내고 있다.

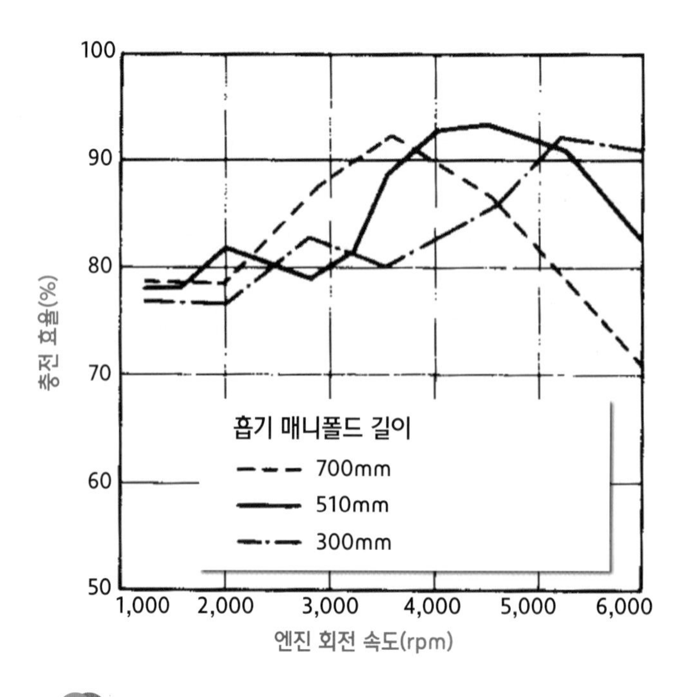

그림 5-10 **흡기 매니폴드(다기관) 길이가 충전효율에 미치는 영향**

03 흡기 매니폴드(다기관) & 서지탱크

흡기 매니폴드(다기관)는 공기를 흡입할 때 벽면의 저항과 충돌저항, 각 실린더와의 간섭 등으로 흡기 압력이 낮아져 실린더의 충전효율이 떨어진다. 이와 같은 저항을 최소화하기 위하여 여러 가지 모양의 흡기다기관을 사용한다. 아래 그림은 MPI 시스템용 흡기 매니폴드(다기관)의 적용 예를 나타내고 있다.

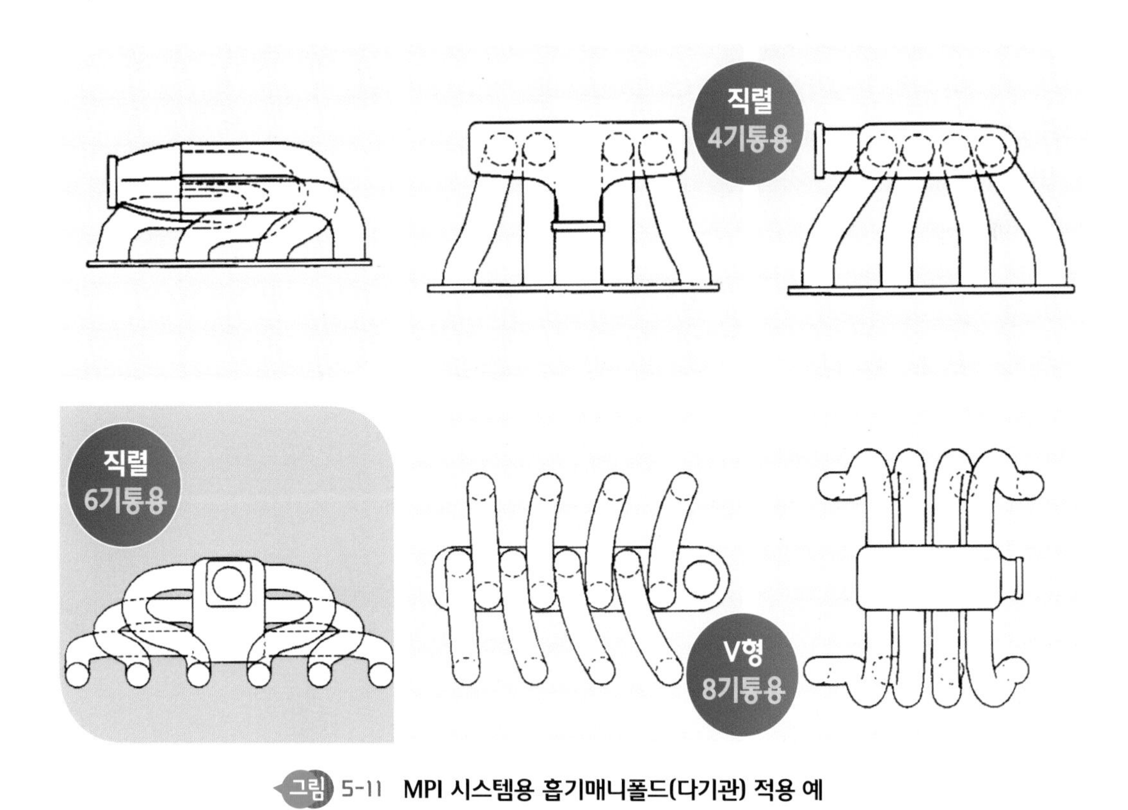

그림 5-11 MPI 시스템용 흡기매니폴드(다기관) 적용 예

1 흡기 매니폴드(다기관)의 튜닝 기초

흡기 매니폴드(다기관)는 **그림 5-12**에서 보는바와 같이 서지탱크(코렉터)부와 흡기 매니폴드(브랜치branch)부로 구성되어 있으며, 밸브 타이밍과의 상승효과로 토크특성을 개선하는 중요한 부품이다. 전자제어엔진에서 각 실린더마다 정확한 연료가 공급되어도 공기의 분배가 균일하지 못하면 실린더 사이의 공연비에도 불균형이 생기게 된다. 따라서 흡기 매니폴드(다기관)에 요구되는 성능 중 정확한 공기의 분배는 대단히 중요하다.

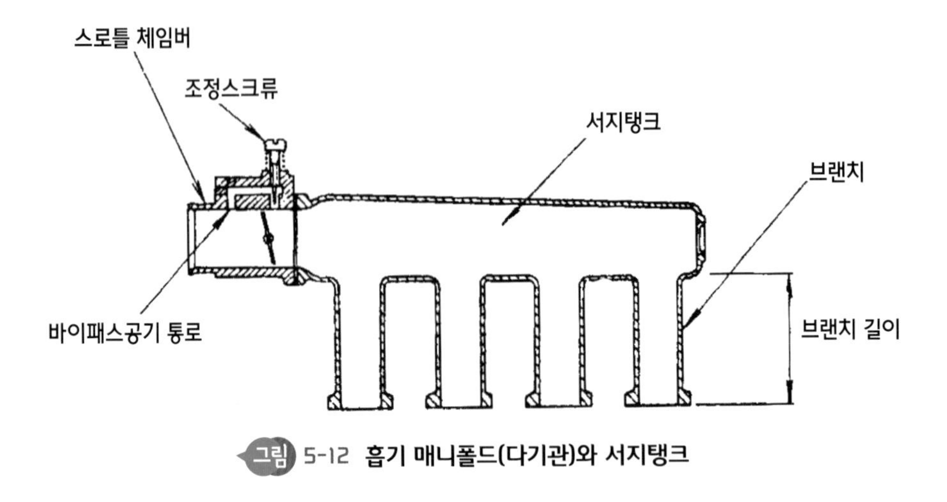

그림 5-12 흡기 매니폴드(다기관)와 서지탱크

그림 5-13는 브랜치부의 길이 확보와 차량 탑재성을 모두 만족시키기 위해 브랜치부를 U턴시킨 흡기 매니폴드(다기관)의 예이다.

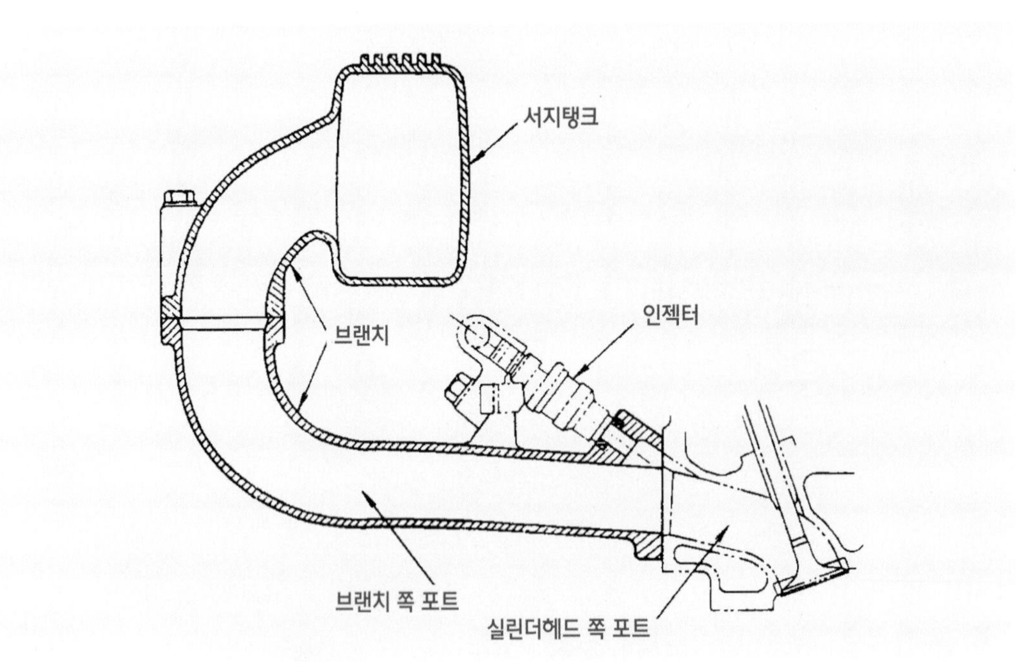

그림 5-13 2분할형 흡기매니폴드(다기관)

그림 5-14는 흡기계가 엔진 토크특성에 미치는 영향에 대해 나타낸 것으로 스로틀 밸브가 전개상태일 경우에도 엔진의 회전속도에 따라서 흡입효율이 변화하는 것을 볼 수 있다. 저속 쪽의 피크는 서지 탱크, 고속 쪽의 피크는 브랜치 및 실린더 헤드 내의 포트에 영향을 받는다.

브랜치의 길이를 길게 하고 흡기밸브의 닫힘각(하사점을 지나서 흡기밸브가 닫힐 때까지의 크랭크각도)을 작게 하면 점선과 같이 관성효과가 나타나는 엔진의 회전속도가 낮아진다. 그리고 이와 동시에 피크의 봉오리는 높아지나 고속에까지 이어지지는 않는다.

한편 서지탱크에 의한 피크는 그림에서와 같이 저속 쪽에 존재한다. 서지탱크의 몸통부분을 가늘게 하거나, 체적을 작게 하면 더욱 저속형이 된다.

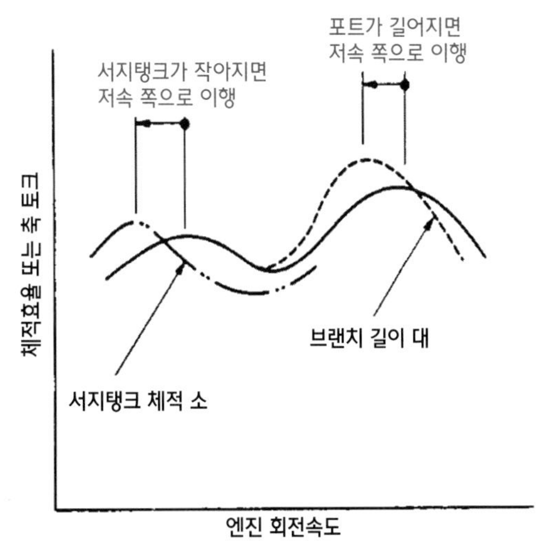

그림 5-14 흡기계가 엔진의 토크특성에 미치는 영향

그림 5-15와 같이 포트의 지름을 상류로부터 하류에 걸쳐서 서서히 작게 하면 중저속 때의 토크특성을 개선할 수 있다. 그리고 서지탱크의 체적이 커지게 되면 가속페달을 급히 밟았을 때의 응답성이 나빠지며, 이것을 서지탱크 내의 절대압력이 상승되기까지는 시간을 요하기 때문이다. 또한 서지탱크의 체적을 크게 하면 공전 시나 극저속 때 엔진의 회전 상태에 **헌팅**hunting을 일으킬 위험성이 있다.

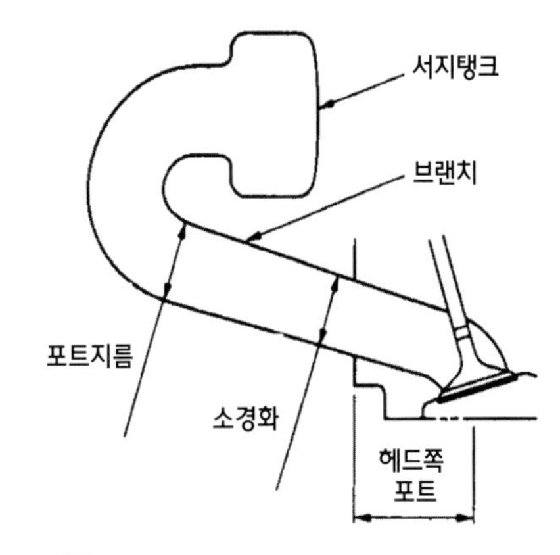

그림 5-15 중저속 토크개선 흡기포트

스로틀밸브의 개도가 작고 서지탱크 내의 부압이 충분히 발달되어 있으면 즉, 스로틀 상류와 하류와의 압력차가 임계압 이상이 되면 스로틀밸브에서 스로틀링 된 공기유속이 음속에 달하게 되고 공기량이 그 이상으로는 증량되지 않는다. 이럴 경우 서지탱크에 유입 가능한 공기의 중량유량을 일정하게 되고 이 때 스로틀밸브의 약간의 움직임이 계기가 되어 회전속도가 약간 상승되면 서지탱크 내의 부압도 증대되고 이때에는 1 사이클당 실린더 내에 흡입되는 공기량이 적어지게 되어 출력이 낮아짐으로써 **그림 5-16**에서 보는바와 같이 엔진의 회전속도가 저하된다. 엔진의 회전속도가 저하되면 서지탱크 내의 절대압력이 증대되어 엔진을 회전시키고자하는 힘이 커져서 회전속도는 상승한다. 이것을 반복하는 것이 헌팅이다. 이때 서지탱크의 체적이 크면 그 주기가 길어지고 헌팅의 폭도 커진다.

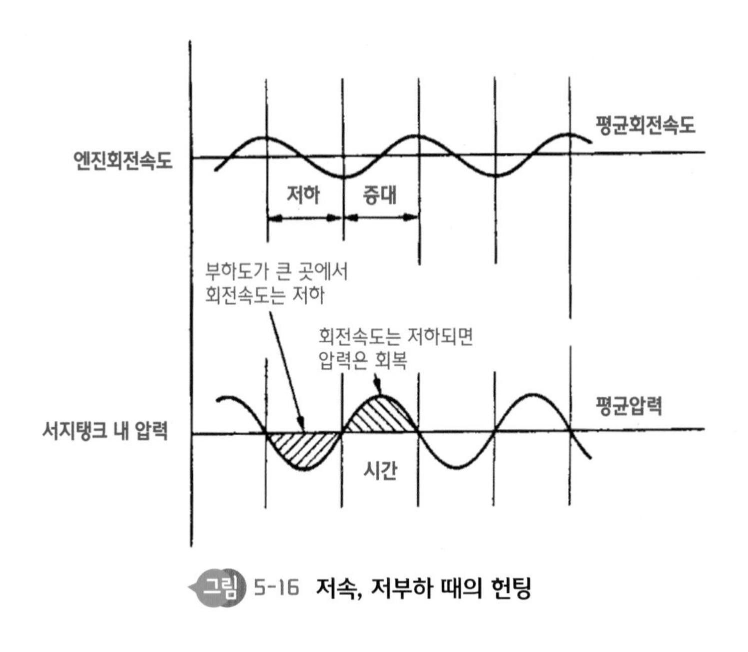

그림 5-16 **저속, 저부하 때의 헌팅**

흡입 공기량의 증대 방법으로는 흡기관의 지름확대나 구부러짐을 완만하게 하는 것, 내면을 매끄럽게 하는 것 등에 의해 통로 저항을 작게 하는 방법(정적효과)과 흡기관내의 압력변동을 유효하게 이용하는 방법(동적효과)이 있다. 동적효과에는 흡기관의 부분에서 일어나는 관성과급효과와 보다 상류의 흡기 덕트 등도 포함되어 일어나는 공명과급효과가 있다. 하지만 이러한 효과를 이용할 수 있는 엔진 회전속도는 한정되어 있고 그 회전속도는 흡기관 및 흡기 덕트의 지름과 길이, 흡기의 밸브 타이밍 등의 영향을 받는다.

관성과급이 발생하는 엔진 회전속도는 흡기관을 길게 그리고 가늘게 할수록 그리고 흡기밸브의 닫힘 시기를 빠르게 할수록 저 회전측으로 옮겨지고 역으로 하면, 고 회전측으로 이동한다(**그림 5-17**). 이 때문에 어느 회전속도에서 관성과급효과가 나타나는 흡기관의 지름과 길이의 조합은 다수 존재하지만, 효과의 크기는 각각 틀려진다. 흡기관의 지름은 통로 저항을 작게 하기 위해 또, 관성과급효과를 유효하게하기 위해서도 실린더 헤드 흡기 포트의 스로틀 지름과 동등하게 하거나 10%정도까지 크게 하는 것이 적당하다. 공명과급이 일어나는 회전속도는 관성과급이 일어나는 회전속도보다 낮아진다.

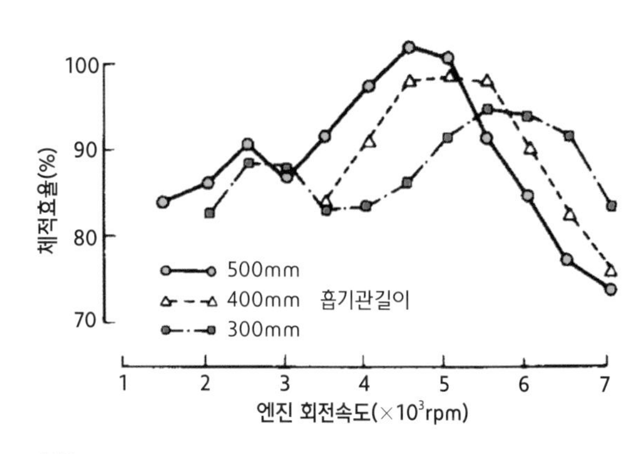

그림 5-17 흡기관 길이와 관성과급 효과의 관계

관성과급 및 공명과급효과의 크기는 서지탱크 내의 맥동의 크기에 영향을 받는다. 서지탱크의 체적이 수록, 연결되는 실린더 수가 많을수록 맥동은 약해지고 관성과급효과가 강해지는데, 보다 상류에 전파하는 압력파는 약하게 되므로 공명과급효과는 작아진다. 이것으로부터 6기통이나 8기통의 엔진에서는 서지탱크를 2개로 나누어 거기에 이어지는 실린더 수를 반으로 함에 따라 동적효과의 특성을 변화시킬 수 가 있다.(그림 5-18)

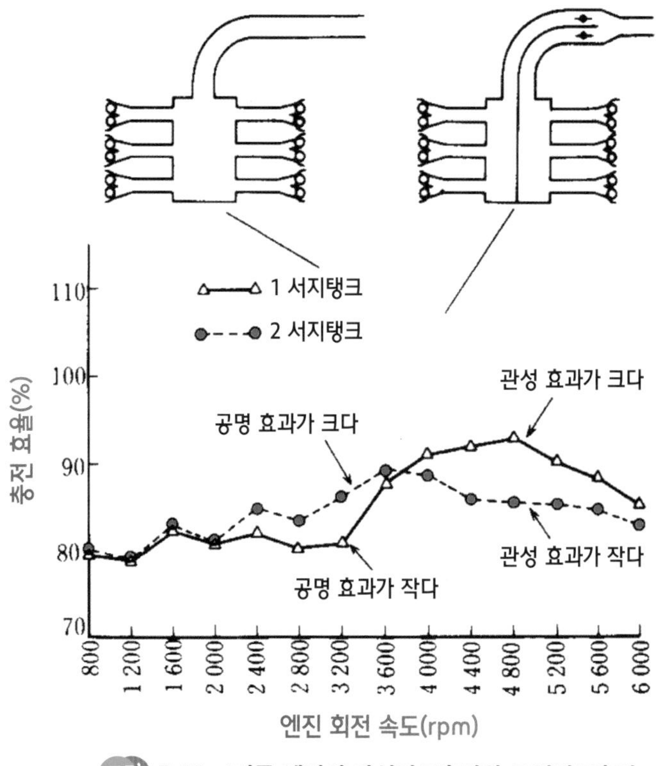

그림 5-18 6기통 엔진의 관성과급효과와 공명과급효과

흡기관의 길이와 지름이 일정하면 관성과급효과, 공명과급효과를 어느 한정된 엔진 회전속도에서만 이용될 수 밖에 없지만, 가변 흡기제어는 광범위의 회전속도에 걸쳐 흡기의 동적 효과를 이용해서 높은 체적효율을 얻기 위해 적용되었다.

방식으로 분류하면 다음과 같다.

① 흡기관의 유효 단면적을 변환하는 방식
② 흡기관의 유효길이를 변환시키는 방식
③ 2개의 서지탱크를 연결하는 공명관의 유효 길이를 변환하는 방식
④ 2개의 서지탱크의 칸막이 벽을 개폐해서 실질적 서지탱크의 수를 2개로부터 1개로 변환하는 방식

①, ②는 관성과급이 일어나는 회전속도를 변환하고, ③은 공명과급이 일어나는 회전속도를 변환하며, ④는 공명과급 효과와 관성과급 효과를 변환하고 있다. **그림 5-19**는 가변흡기의 적용 예로서 모두 제어밸브를 사용하여 관의 길이나, 관 지름 등의 인자를 엔진 회전속도에 따라 변환하고 있다.

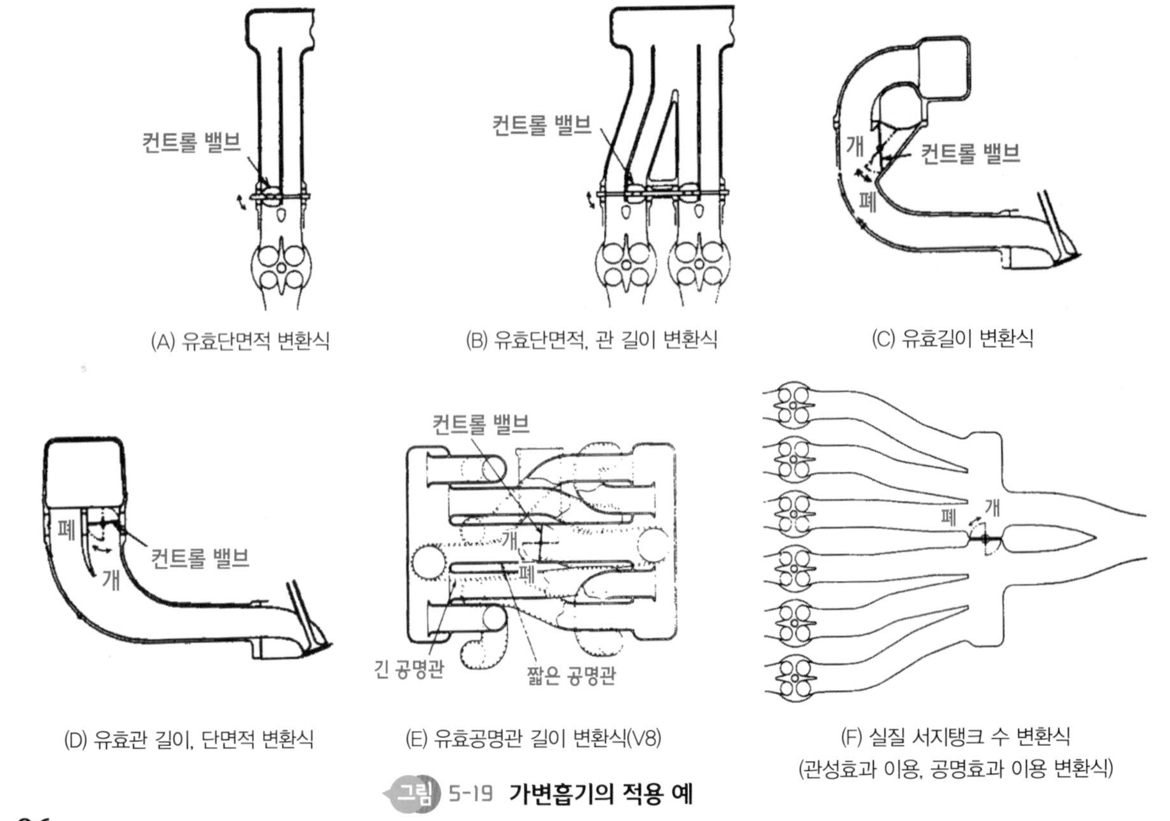

그림 5-19 가변흡기의 적용 예

2 흡기 매니폴드(다기관) 튜닝 시 유의점

흡기 다기관의 형상은 공기의 흐름이 양호하면서 흡기 맥동이나 유체의 관성 등을 충분히 고려하여 엔진의 전체 회전속도 범위에서 높은 충전효율이 얻어질 수 있도록 설계되어야 한다. 따라서 흡기 다기관 내부는 가능한 매끄러워야 하며, 각 실린더까지의 길이는 모두 같아야 각 실린더에 공급되는 공기량 또는 혼합기량이 균등하게 배분될 수 있으므로 튜닝용 흡기다기관의 직경, 단면의 형상, 곡면부의 곡률 반경(가능한 크게) 등을 충분히 고려해야 한다.

일반적으로 엔진의 흡입과정은 정상흐름보다는 간헐 흐름이므로 이에 따른 맥동이나 부가적인 소음도 발생한다. 이 때문에 흐름 관성을 이용한 외기도입 덕트를 길게 하거나, 흡입손실을 적게 하고 소음을 줄일 목적으로 **레조네이터**Resonator를 설치하기도 한다(**그림 5-20**). 이러한 흡기관 내 맥동류의 파장은 매니폴드(다기관)의 길이와 굵기에 의해 결정되는 것으로 매니폴드(다기관)가 짧을 경우 파장도 짧고, 길 경우 긴 파장이 얻어진다. 따라서 일반적으로 양산 차에 탑재한 엔진은 흡기 다기관을 길게 하여 저속회전에서 흡기 관성효과를 얻도록 설계되어 있으며, 스포츠카용 엔진은 흡기 다기관을 짧게 하여 고속회전에서 그 효과를 얻을 수 있도록 하고 있다.

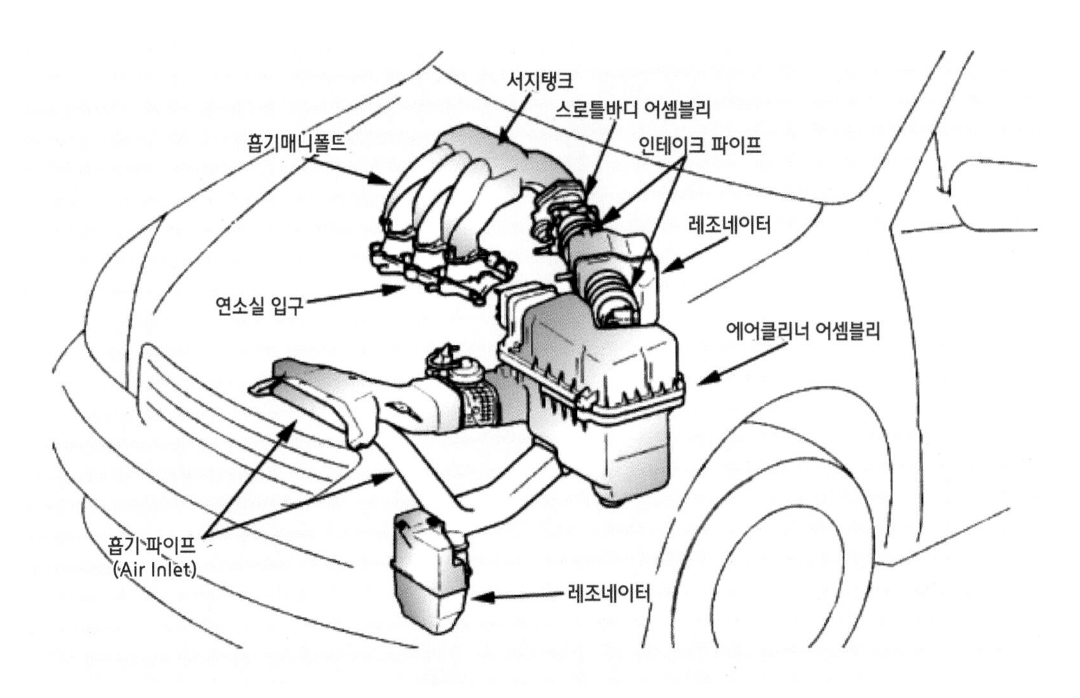

그림 5-20 흡기 시스템 개략도

최근에는 넓은 범위의 엔진회전수에서 흡기 관성효과를 얻을 수 있도록 **가변흡기시스템**(VIS Variable induction system)을 사용한다. 흡기관 내의 맥동류 주기는 엔진의 회전속도가 늦을수록 길고, 빠를수록 짧아진다. 예를 들면, 엔진의 회전속도가 느릴 때에는 흡기관의 길이를 길게 하고, 고속으로 회전할 때에는 짧게 하면 밸브가 닫히려 할 때 넓은 회전범위에서 이 부분의 공기밀도를 높이는 것이 가능하다. 이 흡기관 길이의 변화에 대한 컨트롤은 엔진의 회전속도에 맞추어 자동적으로 이루는 것이 가변 흡기시스템이다.

그림 5-21은 아우디 4.2L V8기통 엔진에 적용한 3단계 가변흡기시스템이다. 시스템 내부에는 두 개의 플랩이 있다. 저속에서 양쪽을 닫으면 신선한 공기가 매니폴드(다기관) 전체 길이를 통과하게 되며, 중속에서 하나의 플랩이 열리면 공기는 짧은 통로로 흐르게 된다. 고속에서 마지막 다른 플랩이 열리면 가장 짧은 경로가 설정된다. **그림 5-22**는 3단계 가변흡기시스템을 적용했을 때 엔진의 토크선도를 나타낸다. 저속에서는 긴 흡기관인 롱 인테이크로 공기 저장량이 많아 공기의 관성으로 토크가 최대값을 나타내고, 고속에서는 짧은 흡기관인 숏 인테이크로 공기가 들어가는 길이가 짧아 흡기저항의 감소로 토크가 최대값을 나타내는 것을 볼 수 있다.

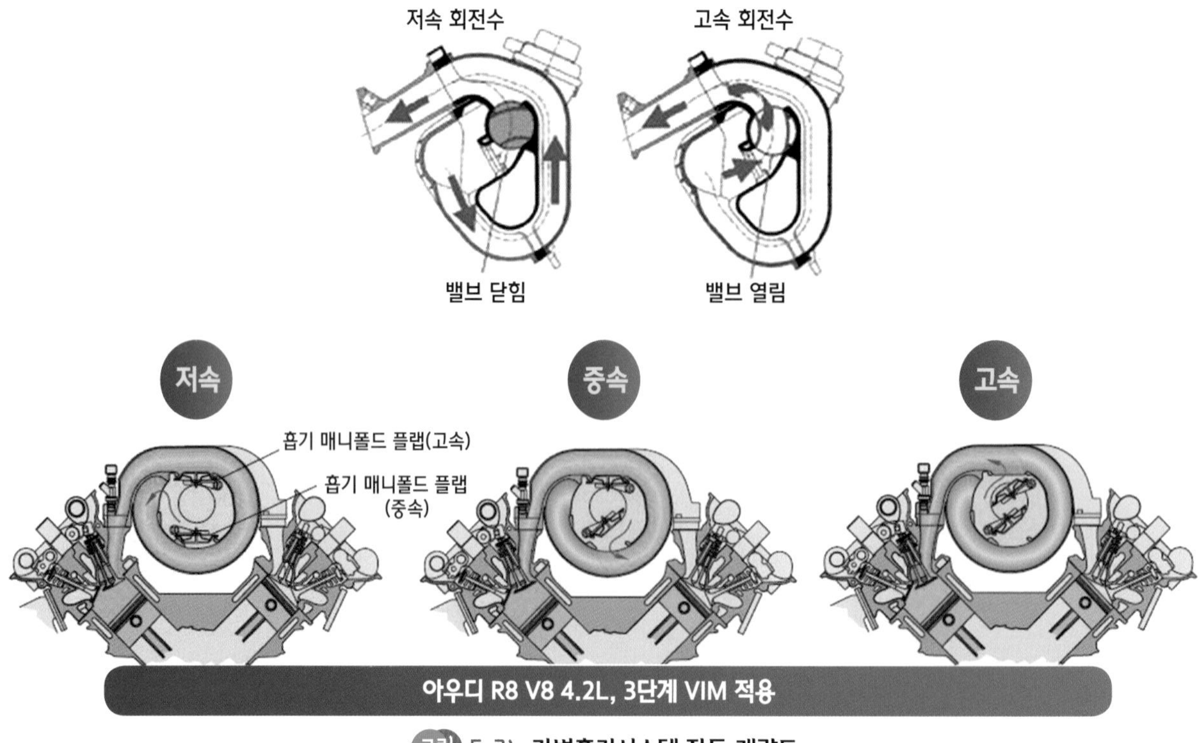

그림 5-21 가변흡기시스템 작동 개략도

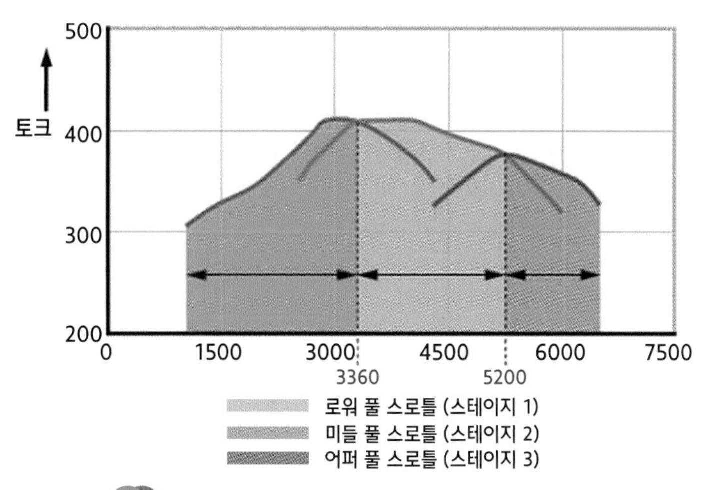

그림 5-22 3단계 가변흡기시스템 적용 엔진의 토크선도

(1) 관성효과를 고려한 흡기 매니폴드(다기관)의 선정

관성효과inertia effect는 흡기행정의 초기에 흡기관계에 생긴 압력펄스가 흡기행정의 후반에 미치는 영향을 말한다. 혼합기가 실린더에 유입되고 있는 상태에서 흡기 밸브가 닫혔다고 가정해보자. 혼합기에는 관성이 있기 때문에 밸브가 닫힌 순간에 흡기 매니폴드(다기관) 내의 혼합기가 일제히 멈추지 않고 그대로 계속 흐르려고 한다. 그러면 뒤따르는 공기에 의해 앞에 있는 공기가 밸브 앞에서 밀려가게 된다. 즉 포트 부분의 공기 밀도가 높아진다는 뜻이다. 그 때 타이밍이 알맞은 상태로 밸브가 열리도록 하면 밀도가 높은 공기가 실린더에 원활한 유입이 가능하다. 이것이 관성효과이다. 관성효과는 흡기 관계내의 유동저항의 영향을 받는데 관의 직경을 크게 하면 관성이 약해지고 작게 하면 저항이 증가한다. 그러므로 기관의 행정체적에 따르는 최적의 관의 직경을 선정하여야 한다. 또한 한 실린더가 흡입을 완료하지 않은 가운데 다른 실린더가 흡입을 시작하면 **흡기 간섭**interference intake manifold에 의하여 충분한 관성효과를 얻을 수 없음도 고려해야 한다.

(2) 맥동효과를 고려한 흡기 매니폴드(다기관)의 선정

맥동효과(pulsation effect)는 흡기밸브가 열렸다가 닫히면 흡기관 내에 남아있는 맥동파가 다음의 흡기행정에 영향을 미치는 현상을 말한다. 포트 부분의 공기 밀도가 높아진다는 것은 그 뒤를 따르는 공기의 밀도가 상대적으로 낮아진다는 뜻이므로 이 부분에 압력진동 즉, 소리가 발생하게 되고 이 진동은 음속(音速)으로 매니폴드(다기관)

를 통과한다. 그리고 매니폴드(다기관) 끝에서 반사되어 다시 포트 쪽으로 되돌아오지만 이 음파의 밀도가 높은 부분이 포트 쪽으로 왔을 때 알맞은 타이밍으로 밸브가 열려 있으면 관성효과와 같은 방법으로 밀도가 높은 공기를 실린더에 유입하는 것이 가능하다. 이러한 맥동효과 또한 충분히 튜닝 시 반영해야 할 것이다.

관성효과와 맥동효과는 분리하는 것이 불가능하지만 그 효과를 최대화하기 위해서는 밸브가 열렸을 때 포트 부분의 공기 밀도가 커지도록 압력진동을 매니폴드(다기관) 속에서 형성하는 것이 좋다. 그것을 결정하는 것은 흡기 매니폴드(다기관)의 굵기와 길이 및 흡기 포트의 형상임을 고려하여 흡기 튜닝을 해야 한다.

3 흡기 매니폴드(다기관) 튜닝 실시 예

(1) 흡기관(Intake) 튜닝

순정제작사의 순정부품 흡기관은 대부분 고무제품이다. 주름관은 소음과 진동에 효과가 있지만 고속 주행에서는 공기가 매우 빠른 속도로 이동하기 때문에 주름진 요철부분은 흡입공기 유동에 방해가 되어 공기의 흐름에 영향을 미치게 된다. 따라서 아무리 좋은 에어필터를 튜닝해도 출력향상 효과는 미미하게 된다. 알루미늄 관으로 제작한 흡기관은 중간에 요철부분의 주름관이 없어 흡입 공기가 연소실로 빠르게 이동할 수 있도록 공기의 이동속도를 높여줄 뿐만 아니라 가볍고 냉각효과가 우수하다. 튜닝 에어크리너와 함께 튜닝 시 빠른 응답성과 고속주행 시 가속성을 더욱 향상시킬 수 있다(**그림 5-23**).

그림 5-24는 실 차량에서 흡기관 튜닝 모습이다. 알루미늄 흡기관 뿐만 아니라 열전도율이 낮은 카본 에어덕트를 흡기관 전단에 설치하여 흡입공기 밀도를 높이는 튜닝과, 카본 흡기관 파이프를 길게 사용하여 에어크리너의 장착위치를 엔진으로부터 멀어지게 해 차가운 공기의 흡입으로 흡입공기 밀도를 높이는 튜닝으로 엔진의 출력상승 효과를 얻을 수 있다.

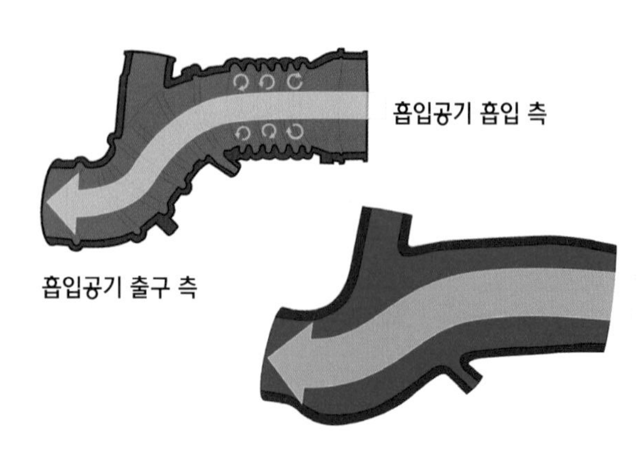

그림 5-23 흡기관 내부 유동 개략도

순정제작사 순정부품 흡기관(튜닝 前)

튜닝용 알루미늄 흡기관(튜닝 後)

롱(long) 흡기관

숏(short) 흡기관

순정 흡기 에어덕트

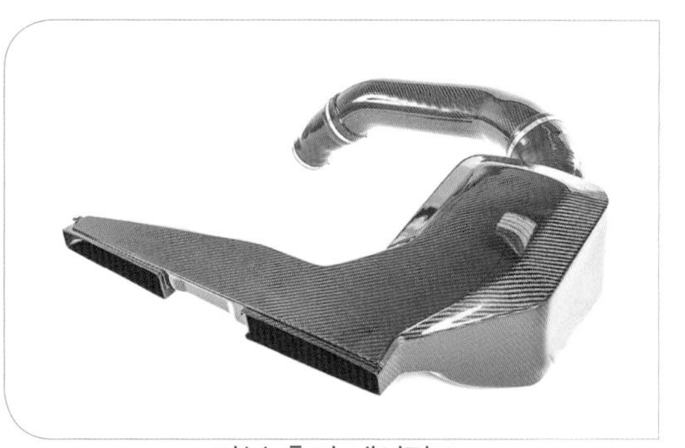

카본 흡기 에어덕트

카본 흡기관 파이프

순정보다 낮은 위치에 에어클리너 장착
(카본 인테이크 파이크 사용)

 5-24 **인테이크(Intake) 튜닝 예**

(2) 흡기 매니폴드(다기관 intake Manifold) 튜닝

다 실린더 기관의 흡기관을 몇 개 실린더마다 하나로 모은 것으로 압력 손실이 적고, 흡기 또는 연료가 각 실린더에 골고루 분배되도록 설계되어 있다.

그림 5-25 **흡기 매니폴드(다기관)의 구조**

순정부품 플랜지를 사용한 알루미늄 서지탱크(에어 램(Air Ram)) 튜닝
⇒ 서지탱크의 체적 증대로 인한 흡입공기 효율 향상

순정 흡기 매니폴드(다기관)(튜닝 前) 튜닝 흡기 매니폴드(다기관)(튜닝 後)

그림 5-26 **흡기 매니폴드(다기관) 튜닝 예**

04 배기 매니폴드(다기관) & 소음기

배기 매니폴드(다기관)는 흡기 매니폴드(다기관)와 기능면에서 다소 유사하다. 흡기 매니폴드는 기화기 또는 스로틀 바디와 관련하여 중앙 지점에서 유입되는 공급 공기를 받아들인다. 공기 충전은 개별 실린더에 분배되며. 배기 매니폴드(다기관exhaust manifold)는 개별 실린더 배기가스가 실린더 헤드를 빠져 나와 즉시 하나의 공동 경로 또는 챔버로 빠져 나가게 된다. 배기 매니폴드(다기관)는 가장 효율적인 설계는 아니지만 엔진의 배기 펄스를 엔진 밖으로 내보내는 가장 간단하고 직접적이며 비용이 적게 드는 방법이다. 대부분의 배기 매니폴드(다기관)는 개별 실린더 가스가 합쳐져 배기 파이프로 들어가기 전에 동일한 길이의 배기흐름을 실린더 - 대 - 실린더로 제공하지 않는다.

그림 5-27 배기 매니폴드(다기관) 의 구조 및 형상

배기 매니폴드(다기관)는 열 차폐가 있을 수도 있고 없을 수도 있다. 방열판이 장착되어 있고 방열판을 없애고 자 할 경우, 일반적으로 볼트로 고정 되거나 리벳으로 고정되어 있다. 오래된 매니폴드(다기관)를 청소하고 세라믹으로 코팅하는 경우 열 차폐를 제거해야 한다. 배기가스의 흐름 관점에서 볼 때, 부드럽고 저항 없이 흐르는 형태로 디자인함이 매우 효율적이다.

배기 매니폴드(다기관) 또는 헤더 플랜지는 실린더 헤드에 적절하게 결합 할 수 있도록 직선형 표면을 제조해야 한다. 짝을 이루는 플랜지의 평탄도에서 0.2mm 정도의 약간의 편차는 배기 플랜지 개스킷으로 해결할 수 있다. 볼트 조임 중에 장착 플랜지의 평탄도에서의 최소 편차가 최소화 될 수 있지만 헤더의 스틸 플랜지는 주철 매니폴드(다기관)보다 적합 할 수 있고. 주철이 부서지기 쉽다.

플랜지 평탄도의 뚜렷한 편차는 볼트 조임 중에 철에 가해지는 응력을 초래하여 응력 균열 가능성을 높일 수 있다. 플랜지의 결합 면이 평면으로 결합되어 있는지 확인 하고 적절하게 체결되어 있지 않으면 플랜지를 적절하게 재조정하여 체결하고 편차가 0.1mm 이상이면 보정해야 한다.

그림 5-28 스테인리스 배기매니폴드(다기관)의 구조 및 형상

일반적으로 사용되는 주철제 배기 매니폴드(다기관)는 무겁지만 무게는 일반적으로 엔진 효율의 고려 사항이 아닌 경쟁 엔진의 요소이다. 강철 또는 스테인리스 스틸 플랜지와 튜브가 있는 배기 헤더와 비교할 때 주철 배기 매니폴드(다기관)는 열 변화 및 기계적 응력으로 인한 응력 균열이 발생할 수 있다. 이러한 균열은 규정 조임 토크 보다 큰 힘을 가함으로서 발생하거나 또는 주조 시스템의 진동으로 인해 발생할 수 있다. 철 주조가 강철보다 취성이 크기 때문이다.

엔진파워를 극대화하는 데 관심이 없다면 주철 배출 매니폴드(다기관)를 사용할 수 있다. 그러나 조정된 (튜브 직경 및 길이) 관형 배출 헤더는 마력 및 토크를 향상시키는 데 바람직하므로 주철 배출 매니폴드(다기관)는 비교적 작고 내구성이 뛰어나 엔진 기능을 제공하지만 엔진 성능을 최대화하는 측면에서는 제한적이다.

1 배기 헤더

주철제 배기 매니폴드(다기관)가 아닌 관 모양의 헤더를 사용하면 두 가지 이점을 얻을 수 있다. 차량 무게를 줄이고 더 중요한 것은 각 실린더에 개별 배기 경로를 제공하여 추가 마력 및 토크를 추출하는 것이다. 개별 기본 튜브는 매니폴드(다기관)에서 발견되는 불균등 한 배기 경로와 달리 덜 제한적이다. 배기 매니폴드(다기관)는 전형적으로 실린더 헤드의 배기 탱크를 하나의 컴팩트한 유닛으로 패킹함으로써 발생하는 매우 날카로운 유동 경로를 특징으로 하기 때문에 튜브형 헤더는 각 실린더에 대해 훨씬 덜 제한적인 흐름의 뚜렷한 이점을 제공한다.

튜브형 헤더는 여러 가지 구성으로 사용할 수 있지만 일부는 길이가 다른 튜브와 길이가 같은 튜브가 있는 튜브가 있다. 동일한 길이의 기본 튜브를 사용하는 옵션은 배기 압력을 보다 효율적으로 조절할 수 있는 이점을 제공한다. 배기의 흐름. 관형 헤더 구조는 또한 실린더 가스가 수집기에서 또는 수집기 결합 전에 주요 튜브 길이를 증가시킬 수 있다. 더 긴 주 배기 튜브는 낮은 엔진회전 영역에서 토크를 증가시키는 경향이 있으며, 주 배기 튜브 길이를 변경하여 튜닝하면 단거리 배기 매니폴드(다기관)를 사용하는 것보다 뚜렷한 이점이 있다. 주철 매니폴드(다기관)는 일반적으로 배출구에 대해 보다 날카롭고 제한적인 경로를 특징으로 하지만 맨드릴 절곡 된 튜브형 헤더인 기본 튜브는 날카롭고 제한적인 굽힘을 제거하여 대폭 향상된 배기흐름을 얻을 수 있다.

길이가 짧은(Shorty) 헤더 또는 **블록 허거** block-hugger 헤더는 마력을 최대화하는 것이 우선순위가 아닌 거리 주행 차량의 경우 공간이 프리미엄인 경우 인기 있는 선택이 될 수 있다.

관형 배출 헤더의 잠재적인 단점은 특히 스테인리스 강 구조물로 제작할 때 일반적으로 더 높은 가격의 제조비용이 추가될 수 있다. 그러나 매니폴드(다기관)에 비해 성능 이점을 고려할 때 증가 된 비용은 완전히 상쇄될 수 있다.

그림 5-29 길이가 짧은 헤더의 구조

특정 차량에 따라 관 모양의 헤더를 설치하는 것은 엔진 베이의 공간 제약으로 인한 추가 과제를 제시하지만 사용 가능한 공간 거리 때문에 단순히 피할 수 없는 경우가 많다. 다시 말하자면 차량 및 엔진에 따라 설치는 쉬운 드롭 인에서 너클 파열 까지 다양하지만 엔진 성능의 극대화를 주장하는 사람들은 이러한 경제적 비용을 고려하여 최상의 헤더를 설치하여 기능을 극대화 하고 있다.

주철 배출 매니폴드(다기관)에 비해 튜브형 헤더는 튜브의 더 얇은 벽 구조 때문에 더 많은 소음을 발생시키는 경향이 있다. 두꺼운 주철 구조는 더 나은 방음 특성을 가지고 있다. 튜브형 헤더가 제공하는 성능 향상을 고려할 때 이러한 잠재적인 문제는 거의 고려되지 않는다.

2 배기 매니폴드(다기관) 및 헤더 코팅

주철 배기 매니폴드(다기관)와 튜브형 헤더 사이의 선택에 관계없이 외형과 수명의 관점에서 두 가지 스타일을 쉽게 설치할 수 있다. 주철 배기 매니폴드(다기관)를 다루는 경우 내열 페인트 또는 세라믹 기반 코팅으로 코팅을 적용 할 수 있다.

열 페인트는 수십 년 동안 사용되어 왔으며, 공식은 수년간 개선되었을 수 있지만, 외관을 유지하려면 유지 관리가 필요할 수 있다. 이것은 매니폴드(다기관)를 제거하고, 베어 메탈로 다시 청소 및 스트리핑하고, 다시 코팅하는 것을 의미한다. 특정 용도에 따라 열 페인트의 코팅은 수년 동안 또는 수 주 동안 짧은 기간 동안 허용 될 수 있는 외관을 유지할 수 있다. 훨씬 선호되는 방법은 Jet Hot, Swain, Polydyn, Calico 및 기타가 제공하는 세라믹 열 차단 코팅을 이용하는 것이다. 오늘날의 세라믹 코팅은 다양한 색상과 마감재 (평면, 새틴, 광택)로 제공되며, 적절하게 적용되면 일반적으로 매니폴드(다기관) 수명도 길어진다.

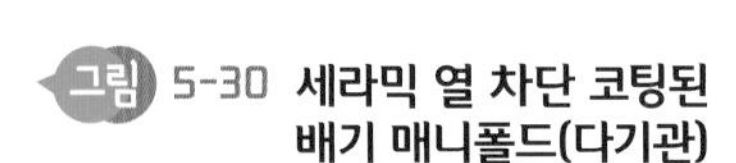

그림 5-30 세라믹 열 차단 코팅된 배기 매니폴드(다기관)

세라믹 고온 코팅은 주철제 배출 매니폴드(다기관), 관 모양 헤더 및 배기 파이프를 포함한 모든 배기 부품에 사용되고 있다. 고열 스프레이 코팅을 사용하는 것과는 대조적으로, 세라믹 코팅은 외관을 유지하고 열효율을 높이는 측면에서 훨씬 내구성이 있다. 스테인리스 스틸 헤더는 연강보다 열효율이 더 높으며, 관형 배기 헤더를 고려하는 경우 세 가지 기본 옵션이 있다. 열 페인트, 세라믹 코팅 또는 스테인리스 강구조이다.

열 페인트는 아무 것도 없는 것보다 낫지만, 단순히 장기적인 관점에서,가장 좋은 솔루션은 아니다. 강철 헤더의 경우 세라믹 코팅이 더 좋은 방법이 될 수 있지만 외부 표면이 코팅되는 동안 튜브의 내부 벽은 코팅되지 않을 가능성이 높고, 일부 코팅 서비스는 내벽에 도료를 도포하려고 시도 할 수 있다.

옵션은 내부와 외부의 부식에 견딜 수 있는 고품질의 스테인리스 스틸로 만들어진 관 모양의 헤더를 선택하는 것이다. 스테인리스 헤더는 천연코팅 마감으로 제공되거나 완전히 광택 처리 될 수 있다. 스테인리스 스틸 헤더가 부식을 방지하기 위해 코팅을 필요로 하지 않더라도, 열차 폐세라믹 코팅을 적용하면 열 관리가 향상되고 언더 시티 온도가 낮아지고 배기 열 소기가 개선된다. 열 차단 세라믹 코팅은 모든 재료 (주철, 강 또는 스테인리스 강)에 동일한 이점을 제공한다.

배기 파이프는 일반적으로 강철 또는 스테인리스 스틸로 제공된다. 강관은 일반적으로 부식에 저항하는 아연 또는 알루미늄 처리 된 표면 처리가 가능하지만 외관 및 장기 내식성에 관심이 있는 경우 파이프는 헤더 코팅에 사용되는 것과 동일한 공정으로 세라믹 코팅이 가능하다. 궁극의 내구성을 위해 고성능 배기 파이프 제조사에서 고급 스테인리스 스틸 배기 파이프를 사용할 수 있다. 과급 시스템의 경우 고온 실리콘 커플러 슬리브는 파이프를 인터 쿨러 또는 굴곡 또는 열팽창이 우려되는 파이프 연결에 연결하는 데 일반적으로 사용된다. 이러한 커플러는 대개 T-bolt 유형의 광대역 클램프가 있는 배출 파이프에 부착된다.

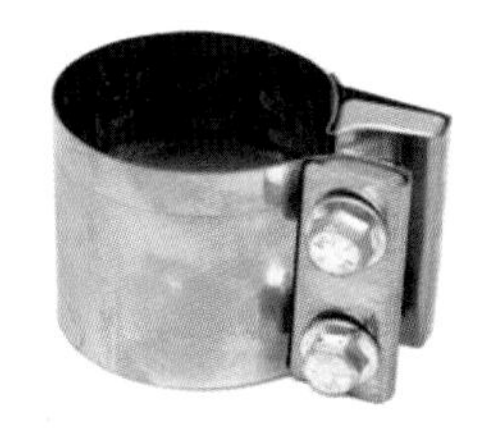

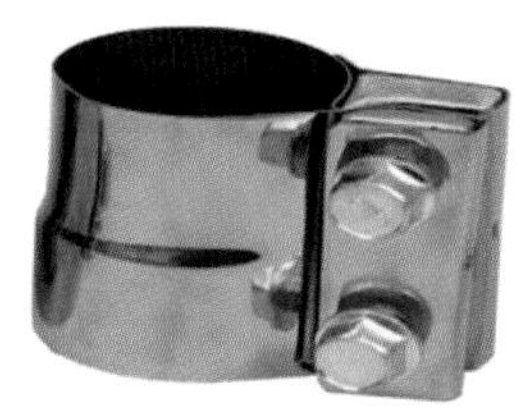

그림 5-31 파이프 연결 클램프의 구조

3 배기 파이프 지지 걸이

열팽창은 많은 사람들이 인식하지 못하는 부분으로 배기 온도가 상승함에 따라 금속은 가열되어 팽창하고 결과적으로 배기관은 길이가 길어지는 경향이 발생하기도 한다.

이것은 육안으로는 알 수 없지만 이 팽창이 어떤 저항을 만날 때 파이프 길이의 작은 변화는 스트레스를 유발할 수 있다, 예를 들어 견고한 지지대 걸이가 섀시에 전체 배기 시스템을 견고하게 고정하면 파이프 연결부, 플랜지, 플랜지 볼트 등에 열팽창 응력이 가해질 수 있다. 극단적인 경우 배기 매니폴드(다기관)에 균열이 생기거나 플랜지가 뒤틀릴 수 있다. 배기 매니폴드(다기관) 또는 헤더를 따르는 배기 시스템은 응력 관련 손상을 방지하고 배기 시스템을 섀시에서 분리하는 데 도움이 되도록 필요에 따라 약간 움직여야 한다. 이것은 실내에서 느껴지거나 들리는 불쾌한 고조파 진동을 최소화하는 데 도움이 된다. 고무 또는 기타 댐핑 재료가 배기 행거에 사용된다.

그림 5-32 후방 배기관 위치 및 지지걸이 형태

후방 배기관 및 팁은 후방 차체 근막을 넘어 설치되어야 하는데, 그렇지 않을 경우, 배기가스가 차체 아래로 쉽게 들어가고, 트렁크 또는 해치 영역을 통해 이동하고, 실내로 들어갈 수 있다. 장시간 (유휴 상태 또는 어떤 차량 속도에서도) 주행 할 차량의 경우 치명적인 일산화탄소가 차량 내부로 이동하지 못하도록 배기가스를 차량 밑면에서 멀리 내보내는 것이 중요하다.

4 관절 및 배기파이프의 직경

배기 파이프를 머플러에 연결할 때 랩과 버트 조인트가 고려해야 할 두 가지 연결 유형이다. 랩 조인트는 상대 파이프에 삽입 된 한 개의 파이프를 특징으로 하며 이 연결은 용접 또는 클램프를 사용하여 고정 할 수 있다. 안장 클램프 (U-볼트 클램프라고도 함)가 랩 조인트를 함께 체결한다. 이것은 단단한 연결을 만들지만 정비 시 연결부를 분해하는 것을 어렵게 만든다. 밴드 클램프는 조인트에 넓은 풋 프린트를 제공하며, 클램프 직경의 한쪽은 배기 파이프를 수용하고 클램프의 다른 쪽은 머플러 네크 측에 끼워 맞춘다. 이를 랩 조인트 밴드 클램프라고 한다. 엉덩이 관절은 배기 파이프와 머플러 넥의 외경이 동일 할 때 사용된다.

참고자료

- **배기 파이프의 계산 직경**

자연 흡입 엔진의 배기 파이프를 사이징 할 때 배기 시스템은 마력의 단위당약 0.06㎥/min을 흐를 수 있어야 한다. 예를 들어 엔진이 425 마력을 생산하는 경우 배기 시스템은 약 26.47㎥/min을 흐를 수 있어야 한다. 단일 배기 시스템의 경우 배출 파이프 직경은 약 82.6~90mm로 한다. 이중 배기 시스템의 경우 파이프 직경은 63.5mm 범위이어야 한다. 배기 파이프의 실제 크기 조정은 엔진이 최고 토크를 낼 것으로 예상되는 엔진 회전영역 범위에 따라 달라질 수 있다.

05 소음기

1 소음기의 정의

소음기에는 음향 흡수제로 두꺼운 층으로 된 미세한 섬유질 유리섬유를 일반적으로 사용한다. 이 유리섬유는 음파에 의해 진동을 일으켜 소리 에너지를 열로 바꾼다. 간섭으로 음파를 제거하는 소음기의 구조는 보통 음파를 두 부분으로 나누어 이것들이 서로 다른 통로로 들어간 뒤 위상이 바뀌어 만나도록 되어 있다. 이런 구조는 각 배기 파이프의 길이를 기통별 점화순서를 고려해 정확히 계산하여 설계한다. 또 한 가지 방법은 레조네이터(공명통)을 이용하는 것으로, 배기가스가 갑자기 확장된 공간인 레조네이터를 만나면 압력이 감소하면서 소리의 반사파가 발생하여 역류한다. 그 반사파가 다음 연소행정에서 발생한 배기음과 만나 제거되는 것이다.

보통 머플러라 하면 **배기 시스템**Exhaust System의 맨 끝에 위치한 최종 소음기를 의미한다. 일반적인 자동차의 배기 시스템은 엔진 실린더헤드의 배기포트에 접속되는 배기 매니폴드(다기관), 촉매장치, 공명 머플러(레조네이터), 앤드 머플러로 이루어지며, 한 가지 방법만으로 소음을 제거하지 않고 흡음재와 간섭구조와 레조네이터를 적절히 조합하여 소음을 효과적으로 제거한다. 또한 배기 시스템 자체가 소음을 유발하지 않도록 진동 제거를 위한 구조(고무 재질의 행거, 댐퍼웨이트)를 채택한다.

2 소음기의 원리

자동차 소음기의 원리는 복잡하지 않으며, 배기음을 더 "아름답게 만든다"는 경지가 되면 거기에는 많은 기술이 요구될 것이다. 대개의 자동차용 가솔린 엔진은 10:1 내외의 압축비를 가진다. 이것은 연소가스가 10기압 정도의 고압을 가지고 있다는 의미이다. 또한 엔진의 연소는 압축 후의 폭발 작용이므로 그것은 아무리 주먹 크기의 작은 연소실에서 이루어지는 현상이라 하여도 폭발이다. 더구나 엔진의 상용 회전수인 3000rpm 정도의 영역에서는 4기통 엔진이며 4행정 기관인 경우 초당 폭발 회수는 3000(1분당 회전수)÷2(1사이클의 회전수)÷60(1분)=25회이다. 4개의 연소실에서 교대교대로 1초당 약 25회의 폭발이 일어나는 것이다.

부드럽고 조용하게 돌아가는 것처럼 보이는 엔진의 내부에서는 이렇듯 격렬한 폭발작용이 빠르게 일어나고 있다. 10기압 가량 되는 연소가스가 초당 25회 정도 방출될 때 그 압력과 흐름의 속도를 점진적으로 완화시켜서 대기(1기압) 속으로 배출시킬 수 있도록 해주는 것이 머플러의 역할이다. 근래에는 공해 방지의 목적으로 배기가스에 포함된 유해성분을 중화시키기 위하여 머플러 내부에 백금으로 만든 촉매를 장착하기도 한다.

3 소음기의 종류

일반적으로 소음기는 쐐기형 소음기, 챔버형 소음기, 터보 스타일 소음기, 직선형 머플러 스타일로 구분할 수 있으며 각각의 특징은 다음과 같다.

(1) 쐐기형 머플러

소음 방지 기술을 사용하여 소음을 줄이면서 원하는 소리 레벨과 배기음의 음조를 생성하는 동시에 재고 대체 또는 고성능 사운드 특성에 어필할 수 있는 다양한 디자인을 사용하는 특징이 있다. 배기 펄스가 머플러로 들어가면 음파가 튀어나와 벽이나 캐비티에서 반사되어 음파가 서로 부딪치게 된다. 이러한 음파는 서로를 상쇄시켜 노이즈를 줄인다. 각 머플러 제조업체는 이를 위해 자체 설계를 한다. 기본적으로, 쐐기형 머플러는 소음 방지 기술을 사용하여 소음을 줄이면서 원하는 소리 레벨과 배기음 음조를 생성하는 동시에 재고 대체 또는 고성능 사운드 특성에 어필할 수 있는 다양한 디자인을 사용한다.

(2) 챔버형 머플러

배기 흐름이 전환되는 내부 챔버 또는 룸을 갖추고 있다. 머플러는 목표 흐름 경로를 통해 소리와 압력을 관리하고 음압 및 역압 성능을 염두에 두고 머플러를 설계한다. 즉, 흐름 경로를 통해 소리와 압력을 관리하고 음압 및 역압 성능을 염두에 두고 머플러 설계를 조정하는 방식이다.

(3) 터보 스타일 머플러

머플러를 통해 배기 흐름을 커브진 다공성 내부 튜브가 장착되어 머플러 내부에 튜브 길이를 더한다. 입구 튜브는 배기관을 개방된 챔버로 유도하고, 두 번째 튜브를 통해 180도 흐름을 회전시킨다. 여기서 배기 흐름은 다시 세 번째 튜브를 통해 180도 전환되고 흐름은 마지막으로 머플러를 빠져나가는 방식이다.

(4) 직선형 머플러 스타일

유입구부터 배출구까지의 직접 경로를 제공하며, 전환이나 파장 반사 벽이 없다. 내부 천공된 파이프는 소음 흡수를 위해 방음재로 감싸며 이 설계는 제한사항이 적고(일반적으로 총탄 모양 또는 원형 용기 모양) 더 작기 때문에 가용 공간 측면에서 직선형 머플러의 구조다.

4 소음기의 기능

소음기(머플러)는 엔진의 소리 수준보다 더 큰 영향을 미친다. 관형 배기 헤더 제조와 마찬가지로 재료에는 연강, 저 등급 합금 및 고품질의 300 또는 400 시리즈 스테인리스강이 포함된다. 강철로 만들어진 경우, 머플러 본체와 목은 일반적으로 아연도금 또는 알루미늄 코팅이다. 많은 저 등급 스테인리스강은 물론 연강보다 오래 지속되지만, 시간이 지남에 따라 차량 소유자가 예상했던 것보다 더 빠르고 녹슬게 된다. 교체 성능 머플러를 지속하고 외관을 유지하려면 304, 321 또는 409급 고밀도 스테인리스강을 사용하는 것이 좋다.

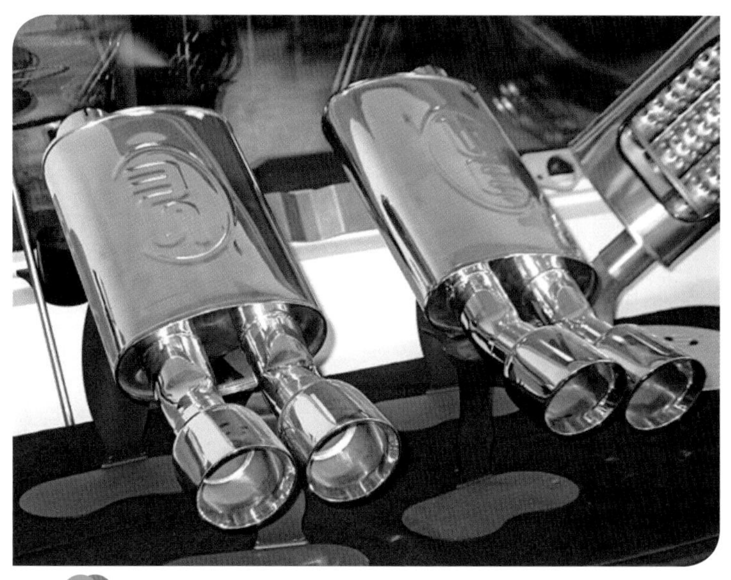

그림 5-33 SUS304로 제작된 소음기(Muffler: 머플러)의 형태

5 소음기의 기능에 따른 분류

(1) Flow-master의 40 시리즈

머플러의 컷어웨이브에는 델타 플로우 2채널 설계가 나와 있다. 배기가스 흐름은 이 사진의 아래쪽 부근 끝에 있다. 이 설계는 눈에 띄는 배기음을 방출하는 동안 차량 실내 소음을 최소화한다고 한다.

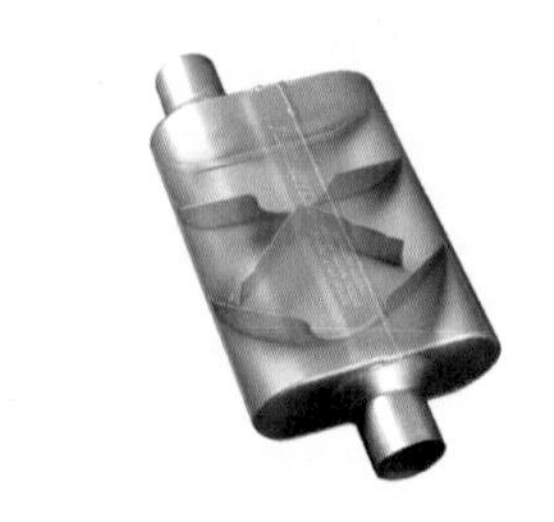

그림 5-34 Flowmaster의 40 시리즈 소음기

(2) Pro Series 소음기

Pro Series 소음기는 층류 흐름과 깊은 배기음을 제공하며 내부 표면의 구멍의 도움을 받아, 흐름 패턴은 가스가 서로 미끄러지는 다소 평행한 층으로 흐른다. 이 설계는 직선형 유리 팩과 유사하지만 흐름 관리 기능이 추가로 포함되어 있다.

그림 5-35 Pro Series 소음기

(3) Courty Corsa 소음기

사운드를 관리하는 일련의 역방향 캐비티와 최소 역압을 제공하는 컷어웨이 뷰이다. 배기가 직립 튜브를 통과하는 동안 배기 소음 펄스가 일련의 음향 튜닝 챔버로 들어간다.

그림 5-36 Courty Corsa 소음기의 구조

(4) 역류 디자인 소음기

배기가 한 튜브를 통해 들어가서 반대 방향으로 중앙 튜브를 통과하여 흐른 후 반대 방향으로 세 번째 튜브를 통해 배출된다. 블리딩 관통 천공과 함께 특정 후방 압력 및 소리 튜닝이 수행된다.

그림 5-37 역류 디자인 소음기

(5) 오프셋 입구/출구 머플러

파이프 위치와 사용 가능한 차량 하부 공간으로 인해 더 적합하다. 타원형 배기 파이프를 사용하기

로 결정하면 타원형 흡입구와 배출구가 있는 머플러를 사용할 수 있으므로 라운드-볼륨 변경이 필요 없다.

타원형 배기 파이프는 지상고가 문제가 되는 인기 품목이다.

그림 5-38 오프셋 입구/출구 머플러

(6) 경주용 샹블러 소음기

이 Extreme 모델의 컴팩트 설계와 자유 흐름 기능은 공간이 부족한 차량에서 적용이 가능한 모델이다. 익스트림 머플러의 흐름 패턴을 보여준다. 빨간색은 배기가스 흐름을 나타내고 파란색은 토탈 또는 소음 감소를 나타낸다.

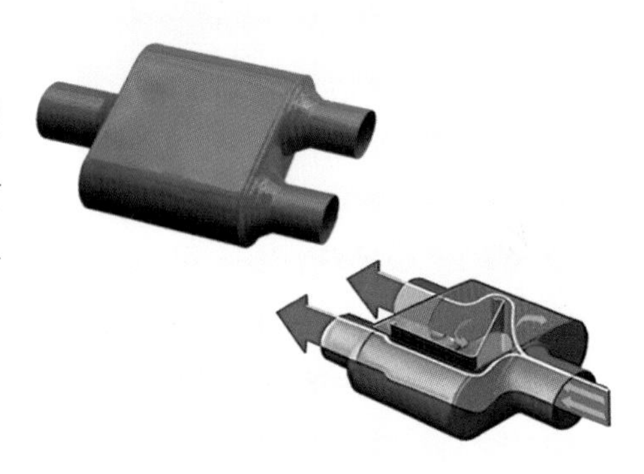

그림 5-39 경주용 샹블러 소음기

(7) Corsa RSC 소음기

Mustang V-6 볼트를 장착하고 OEM 고무 행거 위치로 미끄러지는 OEM 벤드와 용접된 행거 팩을 갖추고 있다. Corsa RSC 머플러는 소음 방지 설계를 명확히 이해할 수 있다.

배기 소음이 메인 튜브로 들어오면 음파가 저주파 채널로 블리딩 되어 반사된 위상 이탈 펄스가 발생하여 배기 압력의 무제한 흐름을 허용하면서 노이즈를 줄인다.

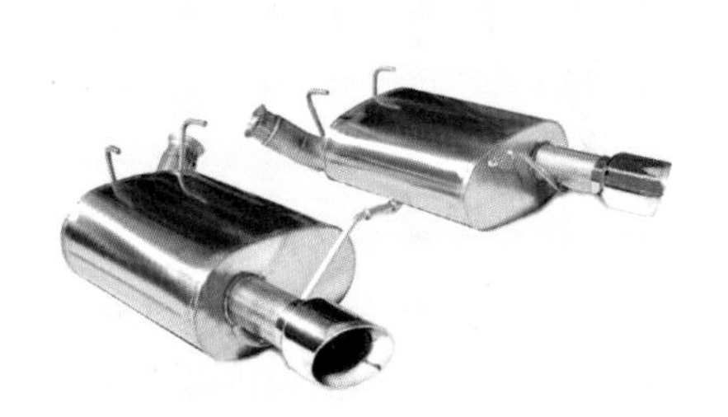

그림 5-40 Corsa RSC 소음기

(8) 수집기 머플러

추가적인 배기 파이프가 사용되지 않는 차량에 적용하는 것이 이상적이며, 따라서 흡음 수집기 머플러는 스캐빙에 도움을 주고 최소한의 톤 관리 기능을 제공한다.

그림 5-41 수집기 머플러

(9) 서브 머플러

배기 압력조절이 가능한 선회날개가 부착된 머플러 삽입형 서브 머플러로 스테인리스 스틸로 제작되어 반 영구적이며 연비 향상과 가속 응답성이 우수한 것이 특징이다.

그림 5-42 서브 머플러

(10) 사운드 인식 팩

흡음재를 흔히 패킹이라고 한다. 다양한 머플러 디자인에 사용되며 제조업체 및 머플러 모델에 따라 달라질 수 있다. 재료에는 섬유 유리 매트, 강철 울, 스테인리스 스틸 메시 및 기타 독점적인 고온 방음재가 포함된다.

패킹 흡음재를 사용하는 머플러에는 주 하우징 안에 하나 이상의 천공 튜브가 있다. 배기가스는 천공된 튜브로 들어가 구멍을 통해 피복되어 사운드를 흡수하는 패킹 재료로 들어간다. 이 이론은 일부 총기류에 사용되는 초기 세대의 소음기와 유사하다. 배기 압력은 포장 재료로 인해 음 펄스가 축축 되거나 필터링된 상태에서 내부 파이프를 통해 이동할 수 있다.

일부 머플러 디자인은 흡음재(섬유 유리 또는 기타 재료)의 단일 레이어를 특징으로 한다. 다른 설계에서는 두 개의 레이어를 사용한다. 강철 모직 또는 스테인리스 스틸 메시는 천공된 튜브에 감싼 첫 번째 레이어로, 섬유 유리 또는 기타 소재의 두 번째 외부 레이어로 사용된다. 강철 모직이나 얼룩이 없는 강철 메시를 사용하는 이유는 배기 소음에 영향을 주고 재료의 더 연성 외부 층이 "파손"되지 않도록 방지하는 보호 경계층을 제공하기 위함이다.

이 듀얼 레이어 접근 방식은 어셈블리의 내구성을 높여준다.

6 배기 파이프의 사이즈

(1) 배기 파이프 직경 사이즈

표 5-1 배기 파이프 직경 사이즈

지름 (mm)	분당 세제곱 미터 (㎥)	파이프당 최대 마력 (HP)	듀얼 시스템의 최대 마력 (HP)
50.0	90.0	144	289
58.0	115.5	185	371
63.5	144.0	232	463
70.0	176.0	283	566
76.2	211.5	339	679
82.6	259.6	401	802
90.0	291.3	468	935

배기 파이프 지름 = RPM ÷ 1,000 × 엔진 변위 ÷ 2

약간 더 작은 직경은 토크를 더 낮은 RPM으로 이동하고 약간 더 큰 직경은 더 높은 RPM 범위로 토크를 이동시킬 수 있다. 시스템을 지나치게 확장하면 배기가스 속도가 저하되고 가스 청소에 악영향을 미칠 수 있다. 다음은 배기 파이프 직경의 대략적인 추정치를 제공하는 간단한 공식이다.

(2) 머플러 주입구/방출구의 사이즈

표 5-2 엔진 변위를 기준으로 한 머플러 사이즈의 대략적인 추정 차트

엔진 변위 (cc)	마력 (HP)	이중배출 직경 (mm)
2457 to 3276	100 to 150	50.8
3276 to 4095	100 to 200	50.8 to 57.2
4095 to 4914	150 to 250	50.8 to 63.5
4914 to 5733	200 to 350	57.2 to 63.5
5733 to 6552	250 to 550	63.5 to 76.2
6552 to 7370	350 to 650	76.2 to 88.9

06 연료 분사 사이징

배기 시스템 설계에 직접적인 영향을 미치지는 않지만 엔진에 맞는 연료 분사량의 크기를 적절히 정하는 것이 전력 및 효율 최적화의 한 단계이다. 주입된 시스템에서, 배기 가스 스트림의 산소 및 공기/연료 센서로 부터 얻은 정보는 ECU에 의해 필요한 공기/연료를 확립하는데 사용된다. 연료 분사량의 크기가 엔진에 알맞게 맞지 않으면 배기 시스템 설계에 관계없이 효율과 동력이 최대화되지 않는다. 고려해야 할 요인 중 하나는 제동연료소비율(BSFC Brake Specific Fuel Consumption)이다. 이것은 엔진의 연료 사용과 엔진 출력 사이의 비율로서 엔진이 공회전 상태 때 스로틀이 닫히기 때문에 비율이 높다. 피크 토크에서, 최대 연료 효율성의 시점에서 BSFC는 낮게 된다.

제동연료소비율은 최대 마력을 향해 피크 토크 이상으로 엔진이 회전함에 따라 증가한다. 엔진이 낮은 텐션 피스톤 링, 개선 된 오일 소기 시스템 및/ 또는 드레인 백 코딩티 크랭크샤프트 및 커넥팅 로드에 적용될 때와 같이 마찰이 적고 항력이 적어 엔진 효율이 높아짐에 따라 제동연료소비율은 감소한다. 크랭크샤프트축 및 커넥팅 로드는 크랭크샤프트축 드래그를 줄이기 위해 전기 워터 펌프를 사용한다. 연료분사량의 크기를 계산하는 또 다른 요소는 인젝터 듀티 사이클이다. 가장 일반적으로 약 80%이다.

인젝터 등급 = (엔진 HP × BSFC) ÷ (인젝터 수 × 인젝터 듀티 사이클)

예를 들어, 500마력을 생산하는 터보차저를 갖춘 8기통 엔진의 공식을 사용하면

500 × 0.5 = 250
8인젝터 × 0.8 = 6.4
250 ÷ 6.4 = 39.06lbs/hr = 17.71kg/hr

이 예에서 약 17.71kg/hr 의 정격을 가진 연료 분사 장치가 적합해야 하며, BSFC가 0.6인 경우, 제안된 인젝터 크기는 20.86kg/hr.

500 × 0.6 ÷ 6.4 = 46.875 이다.

흡기 매니폴드(다기관)는 기화기/스로틀 바디에서 실린더 헤드 흡입 포트로 공기흐름을 유도한다. 흡기 매니폴드(다기관) 스타일과 러너의 크기는 단면적과 러너길이와 같은

요인에 영향을 받는 마력 및 토크 범위에 영향을 준다. 일반적으로 단일 평면 흡기 매니폴드(다기관)는 높은 RPM(엔진회전영역) 출력에 가장 적합하지만 이 중 평면 설계는 저 RPM(엔진회전영역)에서 가장 적합하다. 들어오는 공기/연료는 엔진에서 빠져 나올 수 있어야 하므로 이 요소에 따라 배기 시스템을 선택해야 한다. 보다 짧은 배기가스는 엔진 RPM을 회전영역에서 더 빠르게 하여 방출하여 더 높은 RPM을 엔진회전영역에서 더 잘 수용할 수 있게 하며, 헤더의 주 튜브 직경과 길이는 배기가스를 청소하면 배기 효과를 향상시킬 수 있으므로 배기가스가 실린더 헤드 배출 포트에서 어떻게 끌어내는지에 영향을 미친다.

1 RPM 엔진회전의 범위

대부분의 엔진 흡기 매니폴드(다기관)는 의도적인 적용 및 운전 조건을 충족시키기 위해 엔진 출력과 저 RPM 토크 사이의 균형, 설계상의 타협점이며, 횡단면 영역이 적용 분야에 비해 너무 큰 경우, **피크 토크**Pick Torque의 감소가 발생할 수 있으며 피크 토크가 생성되는 RPM 범위가 증가할 수 있다. 엔진성능곡선 그래프에서 최대 토크는 일반적으로 RPM 엔진회전 범위에서 **VE**Volumetric Efficiency(용적효율)가 가장 큰 위치를 나타낸다. 이러한 일반화는 자연 흡기 엔진에 적용된다. AI가 강제 유도에 의해 엔진으로 공급되는 것을 고려할 때, 터보차저 또는 슈퍼 차져와 관련이 있더라도 흡기 매니폴드(다기관) 러너 설계는 큰 차이가 없다. 그 이유는 공기 충전이 실린더 내부로 밀려들어가기 때문이다. 흡기 매니폴드(다기관) 러너와 선택된 실린더 헤드의 일치는 공기 흐름의 효율성을 극대화하기 위해 다른 영역의 포트 단면적 측면에서의 목표이다.

흡기 매니폴드(다기관)의 공기 배출구의 위치, 모양 및 크기를 실린더 헤드 흡기포트 입구에 정확하게 맞추어야 하며 포트가 일치하지 않을 경우 유입되는 공기가 노출 된 벽에 부딪쳐 원치 않는 난기류를 생성하게 된다. 가장 적합하지 않은 흡기 매니폴드(다기관)를 최고의 실린더 헤드 세트에 장착하면 동력을 줄이고 엔진의 최대 동력을 이용하는 것을 방해 할 수 있다. 흡기 매니폴드(다기관) 러너는 통풍 속도를 높이기 위해 약간의 테이퍼를 가지고 일반적으로 설계되어 실린더 헤드로 가는 도중에 공기 흐름 속도를 향상시킨다.

많은 단일 흡기식 흡기 매니폴드(다기관)는 길이가 다른 흡기 러너가 특징이므로, 전방 및 후방 러너는 센터 주자를 더 짧고 넓게 할 수 있다.

07 촉매 변환기

배기가스 흐름에 촉매 변환기가 설치되어 유해한 가스 배출을 저감시킨다. 이들은 3가지 유해 오염 물질 인 탄화수소 (HC), 일산화탄소 (CO) 및 질소산화물 (NOx)을 수증기 (H_2O), 이산화탄소(CO_2) 및 질소산화물 수준을 줄이기 위해 고안되었다. 탄화수소와 일산화탄소는 연료의 불완전 연소 결과로 형성된다. 공기&연료 혼합의 일부로서 엔진에 유입되는 주변 공기 (우리가 호흡하는 공기)는 높은 수준의 질소를 포함하고 있다. 질소가 연소실내에서 고온의 상태에서 연소되면 질소산화물이 생성된다. 탄화수소와 질소산화물은 모두 오염 물질로 간주되어 스모그에 기여한다. 일산화탄소는 신체의 혈류를 오염시켜 필수 장기로의 산소 전달을 감소시킨다.

우리가 호흡하는 공기는 0.94% 아르곤, 0.01% 수소, 0.00005% 수소, 0.78% 질소, 20.99% 산소 그리고 0.03%의 이산화탄소의 혼합 등 으로 구성되어 있다.

1 작동방식

촉매변환기는 질소산화물 수준을 낮추고 탄화수소와 일산화탄소를 무해한 배출물로 변환하기 위해 이러한 유해한 배출물을 변화시키는 화학적 변환 단위역할을 한다. 오늘날의 촉매변환기에는 기판이라고 하는 세라믹 또는 금속코어가 있으며, 이 기질에는 유해한 배기가스를 변환하기 위한 화학 반응을 제공하는 귀금속 촉매가 첨가되어 있다.

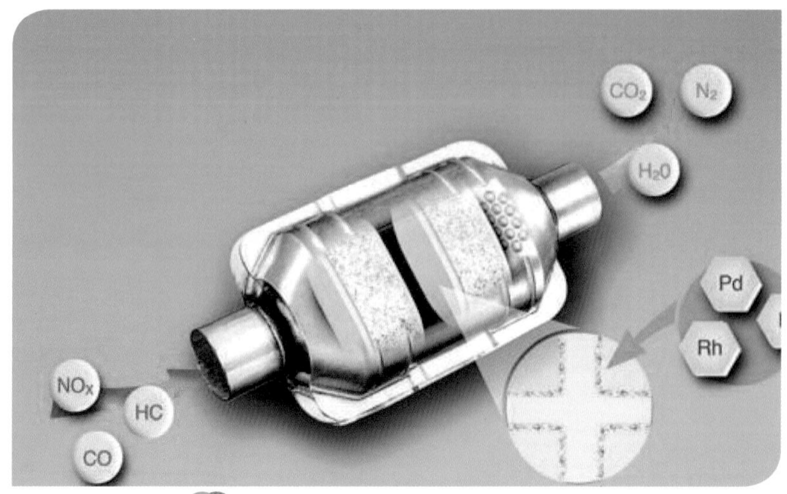

그림 5-43 촉매 변환장치의 제어 시스템

최고의 배기가스 변환 성능을 달성하기 위해 오늘날의 촉매변환기에는 로듐과 팔라듐이 혼합되어 있다. 촉매변환기 내부에서 발생하는 화학반응은 고온에서 이루어진다. 화학 반응 과정과 배기가스 열 때에 컨버터 내부 온도가 약 690℃로 상승한다. 결과적으로, 컨버터는 매우 뜨거워지는 경향이 있다. 이러한 이유로 차량 장착 시 주변 패널, 유체 라인 및 와이어링 하니스를 보호하고 고온 변환기가 노면에서 인화성 물질을 점화시킬 가능성을 줄이기 위해 히트 실드가 필요한 경우가 많다.

변환기가 작동하는지 여부를 확인하는 빠르고 쉬운 방법은 변환기 출구에서 열의 수준이 더 높아야 하므로 변환기 전과 후의 표면 열을 측정하는 것이다.

2 성능 촉매 변환기

촉매변환기는 원래 이러한 배기가스 제어 장치를 장착한 도로 주행 차량의 경우 법률에 따라 필요하다. 차량에 컨버터 촉매 변환기가 하나 이상 필요할 수도 있지만, 그렇다고 해서 공장 설계로 인해 바람직하지 않은 배기가스 흐름 제한이 있는 것은 아니다. 일부 부품제조업체는 빠른 인체에 보다 나은 버저링 컨버터를 제공하기 위해 OEM 변환기에 비해 역압력이 감소되는 촉매변환기를 완벽하게 작동한다. 감소된 역압 변환기는 흐름 저항을 낮추기 위해 더 큰 셀(벌집 구멍) 또는 더 많은 수의 셀을 특징으로 한다.

Tru Performance 모델은 304 스테인리스강 또는 새틴 409 스테인리스강 본체와 300셀/인치 세라믹 촉매 및 강철 메시 V-링 리테이너를 사용하여 단단한 스로틀 상태에서 송출을 방지한다. Bullet Cat 컨버터에는 튜브형 스테인리스강 구조(실제로 짧은 유리 팩처럼 보임)가 적용되며 200셀 금속 호일 또는 400셀 세라믹 기질로 사용할 수 있다. 두 모델 모두 최대 8.0L의 변위를 가진 엔진을 수용한다.

고강도 내열성 골판지 호일을 원통형 모양으로 감싼 다음 실린더에 납땜된 비골재 호일로 감싼다. 포일 구조는 OBD-II 요구사항을 충족하는 독점 NANO 코팅으로 세척된다. 포일 구조물은 세라믹 기질에 비해 극한의 압력과 진동을 견딜 수 있어 강제 흡기 및 고단력 용도에 이상적이다.

그림 5-44 성능 촉매 변환기

(1) 3방향 촉매 변환기

3방향 촉매변환기에는 화학적 산화 반응 프로세스를 개선하기 위해 추가 산소를 공급하는 공기 분사 튜브 및 2개의 기판 챔버 섹션이 있다. 프론트 챔버는 질소산화물을 처리하도록 설계되었으며, 2번째 챔버는 탄화수소 감소 및 일산화탄소 배출량을 처리한다.

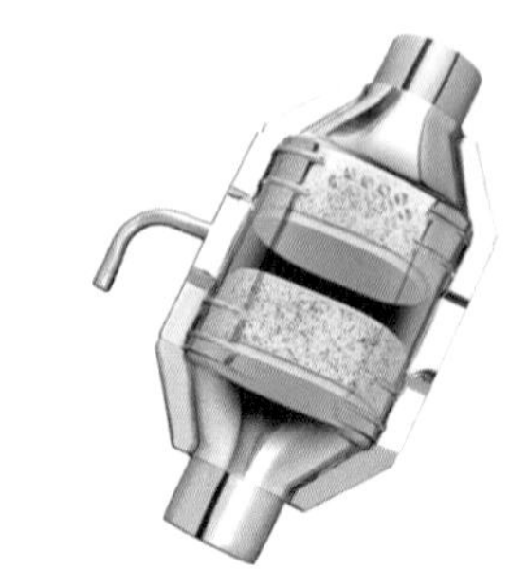

그림 5-45 3방향 촉매변환기

(2) 둥근형 / 관형 탄환 스타일 촉매 변환기

둥근형 / 관형 탄환 스타일 촉매 컨버터도 사용할 수 있어 배기 시스템에 공간을 절약하고 합리적인 추가를 제공한다.

그림 5-46 관형 촉매 변환기

(3) 탄환형 변환기

탄환형 변환기 내부에는 개선된 유량에 대한 제한 없이 벌집형 기판을 포함하고 있는 강철 호일이 있다. 한 예로, 동부의 Bullet Cat은 200셀의 금속 호일 또는 400셀 세라믹 기판을 사용할 수 있다. 액티브 워시코트는 극한의 압력과 진동을 견딜 수 있도록 설계되었으므로 강제 흡기 애플리케이션에 이상적이다.

그림 5-47 탄환형 변환기

08 에어클리너

1 에어클리너(필터) 튜닝 기초

(1) 에어클리너의 기능

에어클리너의 첫 번째 기능은 공기정화능력이다. 흡입공기 중의 먼지(규사, 알루미나 등이 경물질 포함)가 엔진내부에 유입되어 마멸을 촉진하는 것을 막아야 한다. 두 번째는 공기 흐름의 최대화이다. 공기 흡입 시 최소한의 통기저항으로 큰 압력차 없이 공기의 흐름이 원활해야 한다. 세 번째는 먼지를 견뎌내는 능력이다. 일정 주행거리동안 많은 양의 먼지가 필터에 흡착되었어도 원활한 공기의 흐름을 계속 유지할 수 있어야 한다. 최근에는 높아지는 소음 저감의 요구로 **흡기덕트**와 **레조네이터**resonator를 일체형으로 제작하기도 하며, 또한 출력 성능 향상을 위해 통기 저항을 작게 하는 것도 요구되고, 체적효율을 높이기 위해 공명과급의 제어에도 사용되기도 한다.

(2) 에어클리너의 설계요건

에어필터의 메쉬 거칠기나 여과 면적은 사용 환경이나 지정 교환 시기 및 통기저항 저감 요구 등으로부터 결정되며, 한정된 스페이스에서 요구 여과면적을 확보하기 위해 **그림 5-48**과 같이 여러 종류로 접어 굽혀서 사용한다. 필터의 형상을 결정하는 데에는 흡기 소음 저감효과 및 공명과급효과를 위핸 체적을 확보하고, 흡기가 필터 전면을

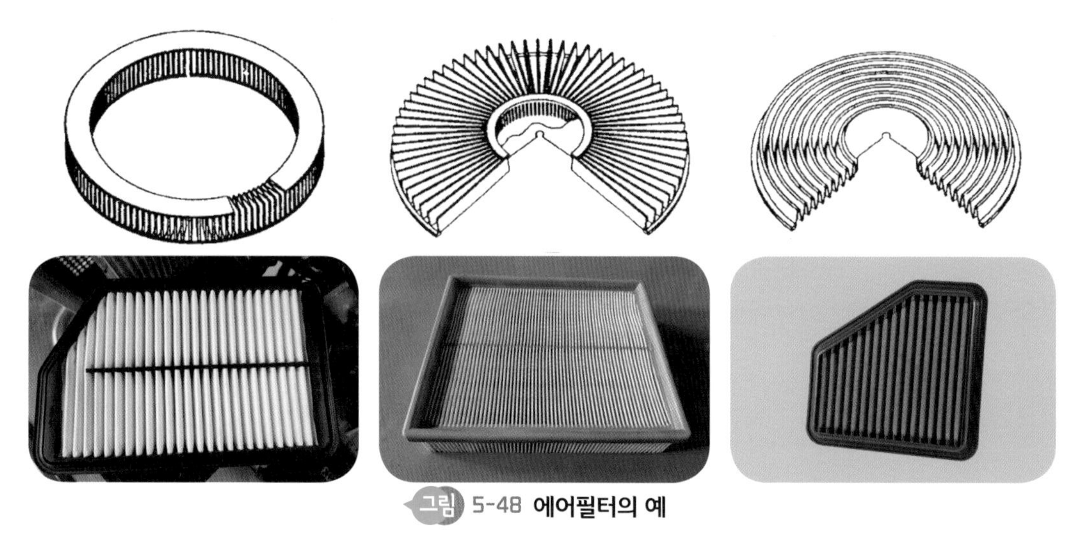

그림 5-48 에어필터의 예

치우치지 않게 하면서도 케이스 내부를 부드럽게 통과하도록 해야 한다. 단, 소음 저감과 통기저항 저감이 상반된 관계로 되는 것에 주의가 필요하다. 에어덕트의 지름과 길이에 대해서도 같은 관계가 있다.

에어클리너의 체적에 의한 소음 효과만으로 흡기 소음을 개선할 수 없을 때는 흡기덕트의 중간이나 에어클리너에 레조네이터를 설치하기도 한다. 레조네이터에는 저주파 전역에 효과가 있는 확장형(에어클리너도 확장형 레조네이터라고 할 수 있음) 공명 주파수에 효과가 있는 헬무호르쓰형, 통형, 사이드 브랜치형 등이 있으며, 고주파에 대해서는 에어클리너 내면이나 확장형 레조네이터 내면에 흡음재를 붙이는 것이 효과적이다(**그림 5-49**). 레조네이터의 부착위치는 소음효과와 함께 공명효과에도 영향을 미치므로 고려가 필요하다.

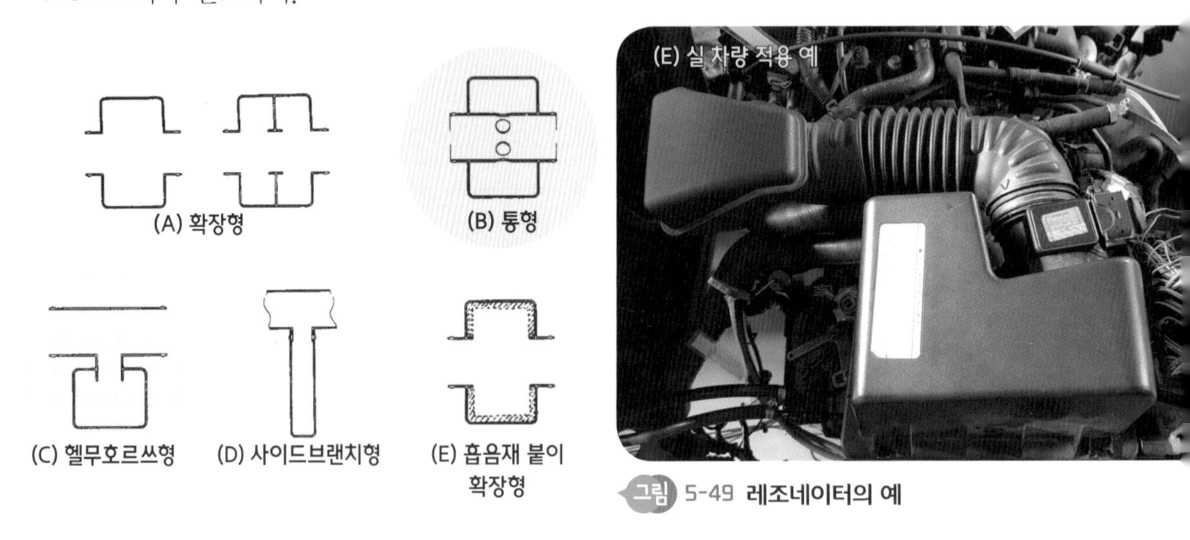

그림 5-49 레조네이터의 예

(3) 에어클리너의 구조와 분류

에어클리너는 에어필터와 **더스트**dust 사이드와 **클린**clean 사이드를 분리하는 케이스로 이루어지고 필터를 꺼내서 청소하거나 교환이 가능한 구조로 되어 있다. 필터에는 습윤식과 건식이 있다. 습윤식은 여과지에 오일을 함침 시킨 것으로 부착한 먼지에 오일이 침투되어 이것이 새로운 여과 층을 형성하기 때문에 메쉬의 막힘 현상이 발생하기 어렵고 청소는 필요하지 않다. 건식은 크게 여과지식과 부직포식이 있다. 여과지식은 매우 미세한 먼지를 제거할 수 있으나 정기적인 청소와 교환이 필요하며, 부직포식은 먼지의 크기에 따라 각각의 층에서 포집하므로 먼지 포집 량이 많고 여과 면적을 작게 할 수 있다.

현재 에어필터로 사용되는 소재로는 종이paper, 면cotton, 폼foam이 있다. 종이나 면의 경우 표면 필터링 방식으로 신품일 때에는 공기의 흐름이 좋지만 표면에 먼지가 쌓이게 되면 흡입효율이 떨어져 엔진의 성능이 떨어지게 되므로 자주 교환 또는 세척이 필요하다. 하지만 세척을 할 경우 표면이 손상되어 필터링 효과가 저하될 뿐만 아니라 흡입효율의 저하를 동반하게 된다. 이에 반해 폼 방식의 필터는 폼 내부에 먼지가 쌓이게 되므로 많은 먼지를 흡수해도 원활한 공기의 흐름을 유지하여 일정한 흡입효율을 유지할 수 있다.

2 에어클리너 튜닝 시 유의점

에어필터 케이스(그림 5-50)는 필터를 고정시키는 역할 뿐만 아니라 흡입 소음을 감소시키는 소음기 역할도 하므로 케이스 내부에 작은 칸막이가 있다. 이는 흡입 소음 감소에는 도움이 되지만 흡입 공기가 매우 빠른 속도로 이동할 때에는 오히려 걸림돌이 되어 공기의 흐름을 방해한다. 따라서 에어필터 튜닝 시 필터 케이스를 없애고 흡기관에 직접 연결하는 오픈형 에어필터로 교체 하는 경우가 많다.

그림 5-50 에어필터 케이스 내부모습

일반적으로 오픈형 에어필터 튜닝 시 금속 또는 카본소재의 흡기관(인테이크)과 함께 교체하므로 공기의 흡입경로 단축, 흡입저항 감소, 흡입 면적의 확장으로 흡기계통의 저항을 줄여 주는 효과로 가속 시 순정상태보다 엔진의 응답성이 빠르고 민감해진다. 하지만 다음과 같은 문제를 동반할 수 있으므로 튜닝 시 고려해야 할 것이다.

(1) 희박한 공연비 보정을 위한 ECU 맵핑

오픈형 에어필터로 튜닝 후 희박한 공연비 때문에 엔진 트러블이 발생하는 사례가 있다. 특히 무더운 여름철과 추운 겨울철에는 온도 편차가 심한 공기가 연소실로 흡입되므로 출력저하의 원인이 되기도 한다. 따라서 흡입공기 증가 및 흡기 온도에 따른 연료 분사량 보정을 위한 ECU 맵핑도 동시에 수행해야 한다. 또한 오픈형 에어필터 교환으로 고속에서는 향상된 흡입효율의 효과를 볼 수 있지만, 저속에서는 에어덕트와 레조네이터가 없기 때문에 맥동류로 인해 오히려 출력저하 및 소음증가 등이 발생 할 수 있으므로 내부가 매끄러운 흡기관(인테이크)로 동시에 교체하여 공기의 유효 단면적을 높여줄 필요가 있다.

(2) 격벽 설치와 정기적인 관리

오픈형 필터는 흡입저항의 최소화로 보다 빠르고 많은 공기를 흡입하기 위해 튜닝 시 필터 케이스를 제거한다. 이때 필터가 외부에 직접 노출되기 때문에 이물질의 흡착이 상대적으로 심할 뿐만 아니라 엔진 룸 내부의 뜨거운 공기를 흡입하게 되므로 흡입공기 밀도의 저하로 엔진 출력 손실이 발생하게 된다. 따라서 필터의 정기적인 관리와 엔진 룸 내부의 열을 차단해 줄 수 있는 별도의 격벽을 설치(**그림 5-51**), 외부의 공기를 유입해주는 통로 확보 그리고 롱 흡기관(인테이크) 파이프를 사용하여 에어필터의 장착 위치를 엔진으로부터 멀어지게 해(**그림 5-52**) 차가운 공기의 흡입으로 흡입공기 밀도를 높일 수 있도록 할 필요가 있다.

그림 5-51 **에어필터 설치 위치에 격벽 설치 모습**

그림 5-52 **엔진으로부터 먼 위치에 에어필터 설치 모습**

(3) 에어필터의 선정 기준 고려

에어필터의 경우 필터마다 유효여과 용량이 있으므로 지나치게 큰 에어필터 튜닝으로 흡기 면적 증가 시 오히려 역효과가 발생할 수 있으므로, 엔진의 배기량, 고 회전 엔진, 터보장착 여부 등을 고려하여 에어필터를 선정해야 한다. 일반적으로 오픈형 에어필터 제조사들의 권장 사양에 따라 선정하는 것도 방법 중의 하나이다.

3 에어클리너 튜닝 실시 예

(1) 에어필터 튜닝 사례

순정 에어필터(튜닝 前)

오픈형 에어필터(튜닝 後)

오픈형 필터 종류

오픈형 필터 종류

그림 5-53 에어필터 튜닝 예

(2) 에어클리너 튜닝 과정

순정 상태

순정 흡기라인 탈착

3 단계 격벽 설치

알루미늄 인테이크 단열 테이핑 작업

5 단계 오픈형 에어필터 튜닝 완료 모습

그림 5-54 에어클리너 튜닝 예

09 스로틀바디

1 스로틀바디 튜닝 기초

스로틀바디Throttle body는 에어플로미터(AFS)와 엔진 사이에 부착되어 있으며, 내부에는 스로틀 밸브가 장착되어 있다. 가속페달과 연동하여 개폐되는 스로틀 밸브의 작동에 따라 흡기 통로의 면적이 변화되어 엔진의 운전 상태를 결정하게 된다. 전자제어엔진에서 ECU는 흡입공기량과 엔진회전수를 기준으로 기본 연료 분사량을 결정 하지만 차량의 주행상태, 부하상태, 급가속 상태 등을 판단하기 위해서는 별도의 정보가 필요한데 이 중 운전자의 가속의지를 검출하기 위해 스로틀바디[**그림 5-55**]의 스로틀밸브 중심축에 연결되어 있는 **TPS**Throttle Position Sensor 출력 정보로 연료 분사량을 보정한다.

그림 5-55 스로틀바디 종류

스로틀밸브의 지름은 엔진 출력의 제어 용이성에 있어서 지름이 작은 쪽이 유리하며, 출력 성능 면에서는 지름이 큰 편이 유리하다. 따라서 가속페달을 조금만 밟아도 토크의 변화가 크게 일어나면 운전성이 나빠지게 되므로 엔진의 배기량과 용도에 맞춰 필요로 하는 스로틀밸브의 지름을 최소한의 크기로 선정하는 것이 유리하다.

스로틀밸브의 지름과 함께 스로틀밸브의 전폐각 또한 중요하다. **그림 5-56**에서 보는 바와 같이 전폐각이 작으면 스로틀밸브가 열리기 시작하는 시점에서 흡입공기 통로면적의 변화가 작아 가속페달의 조작이 쉬어진다. 그러나 전폐각이 클 경우 스로틀밸브의 개도(그림의)일 때에도 흡입공기의 통로면적이 커지게 되어 토크가 급격히 증대된다.

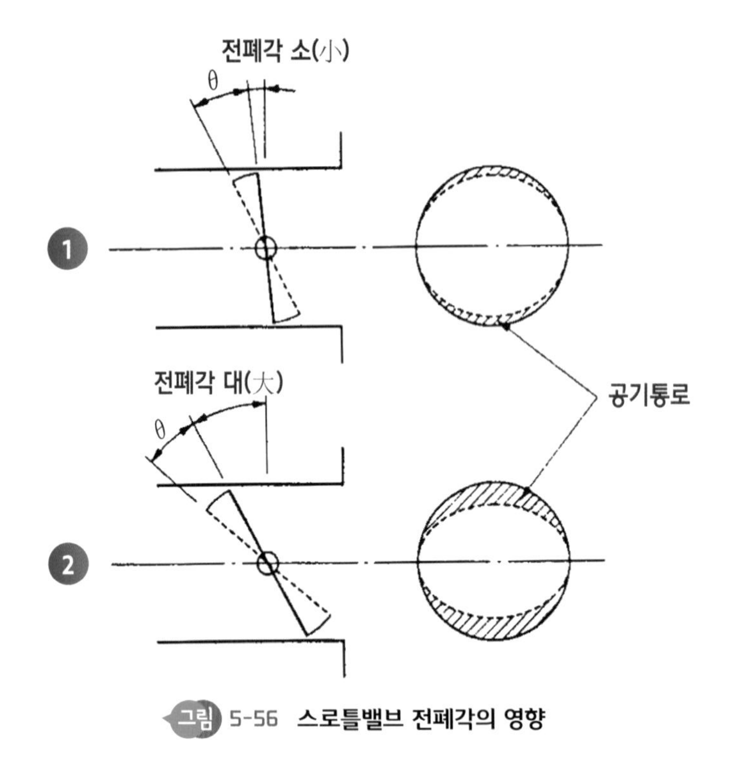

그림 5-56 스로틀밸브 전폐각의 영향

그러므로 스로틀바디의 크기는 보통 엔진의 출력에 대응하여 결정된다. 즉 엔진의 최대 출력 때(WOTWide Open Throttle) 엔진의 출력을 저하시키지 않을 정도의 통로면적이 요구된다. **그림 5-57**은 스로틀 통로면적과 엔진출력과의 관계를 나타내고 있다. 스로틀 통로면적이 증가할수록 비례해서 엔진 출력이 증가하는 것을 볼 수 있다.

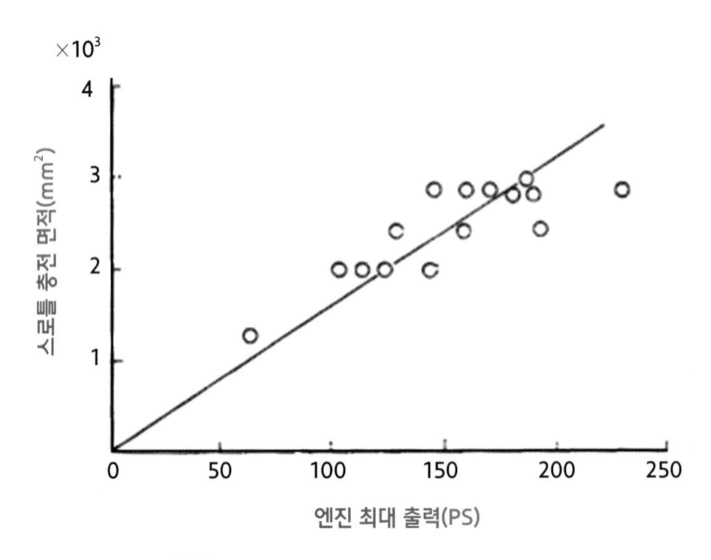

그림 5-57 스로틀 통로면적과 출력과의 관계

2 스로틀바디 튜닝 실시 예

양산용 스로틀바디의 경우 보통 흡입구 지름이 작은 경우가 대부분이다. 이것은 엔진의 정숙성, 연비, 승차감, 저속에서의 토크 등을 고려하여 제작되었다. 반면 튜닝용 스로틀바디의 경우 흡기구의 직경을 확대하게 된다. 이는 엔진의 성능향상에 목적을 두고 순간의 흡입공기량을 최대한 증가시켜 고출력을 얻기 위함이다.

흡입구의 직경이 큰 스로틀바디로 튜닝 후 보다 높은 흡입효율을 얻기 위해서는 흡기 매니폴드(다기관)와 연결되는 부분의 직경 또한 반드시 고려해야 한다. 아래 그림은 스로틀바디 튜닝 예를 나타내고 있다.

싱글 스로틀바디

트윈 스로틀바디로 튜닝

빅 보어(Big bore) 스로틀바디

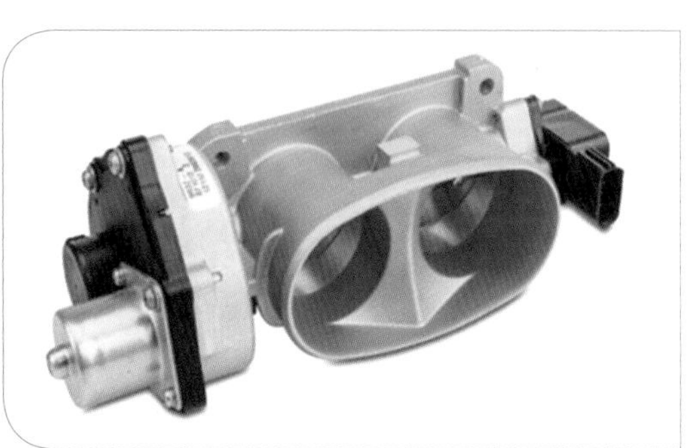
트윈(Twin) 스로틀바디

그림 5-58 스로틀바디 튜닝 예

10 흡기관 및 배기관 제작시공

1 TIG 용접 시공 준비

(1) 홈의 가공

TIG 용접에서 사용되는 홈의 형상은 맞대기 이음, T이음, 겹치기 이음, 모서리 이음 있으며, **표5-3**은 맞대기 이음, T이음의 여러 가지 표준 홈의 형상을 나타내고 있다.

TIG 용접은 피복 아크 용접이 곤란한 재료나 전 자세 용접, 후판의 1층 이면 용접 및 박판 용접 등에 적용하므로 이음의 형상을 선택할 때에 여러 가지 사항을 고려해야 한다.

판 두께가 두꺼울 경우에는 작업성이나 용접 품질을 향상시키기 위하여 홈 가공을 한다. 홈의 형상으로는 이음의 종류나 판 두께, 덧 댐판의 사용 유무와 작업장의 조건 등을 고려하여 선택한다.

TIG 용접에는 고 정밀 또는 고품질의 용접부가 요구되므로 정확한 홈 가공이 필요하며, 일반적으로 홈의 가공은 선반, 밀링 등에 의한 기계 가공을 한다. 가공이 끝난 후에는 가공 정도를 확인하는 것이 중요하다. 이것이 불충분하면 용접부에 여러 가지 결함이 발생하거나 때로는 용접시공 자체에 문제가 발생한다. 따라서 용접 작업 전에는 반드시 홈의 형상을 점검하고 잘못되었을 경우에는 수정을 하는 것이 좋다. 예를 들어 맞대기 이음을 할 때에는 홈의 각도나 루트면의 엇갈림도 문제가 되며, 루트 간격을 정하는 것이 중요하다. 이것이 클 때에는 **그림5-59**와 같이 용락이 발생하거나 용착금속 부족이 발생되므로 용락 방지 용접을 해줄 필요가 있다. 또한 루트 간격이 밀착되어 있을 경우에는 용입 불량이 발생하므로 사전에 그라인더 등으로 가공한 후 용접을 해야 한다.

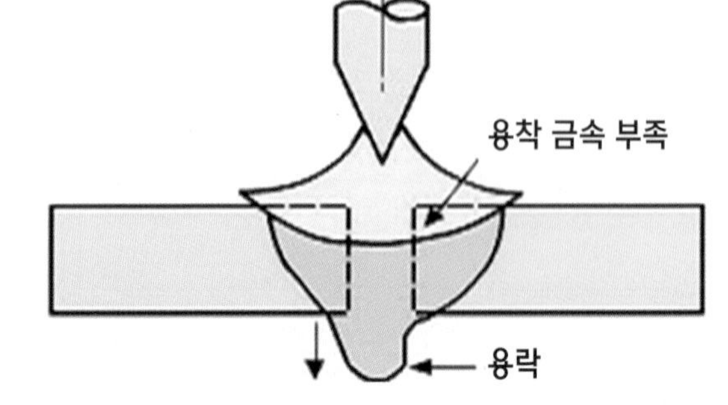

그림 5-59 맞대기 이음의 과대한 루트 간격에서 용락 현상

(2) 이음부의 청소

표 5-3 TIG 용접에 사용되는 표준 홈의 형상

이용종류	홈의 형상		모재두께	층 수	비고
맞대기 이음	I형		박판	1	
	I형		박판~중판	1~2	내면깎기
	V형		중판	1~4	홈의 깊이가 틀린 것도 있다.
	V형(뒷받침 사용)		중판이상	1이상	
	X형		후판	2이상	
	플레어 용접		박판	1	
	U형		중판	2이상	
	H형		후판	2이상	내면깎기
겹치기 이음	깊은 한면 휨		박판~중판	1~2	
	필릿 용접		박판~중판	1이상 2이상	
T 이음	구석 용접		박판~중판	2이상	판두께가 다를 때 박판을 기준으로
	베벨형		중판	1~3	
	베벨형(뒷받침 사용)		중판~후판	2이상	
	K형		후판	2이상	
	J형		중판~후판	2이상	
모서리 이음	구석 용접		박판~중판	1이상	T홈과 같은 홈을 사용할 때도 있음
	I형		박판~중판	1	
	베벨형		중판~후판	1이상	

TIG 용접은 고품질을 요구하므로 용접 전 홈 부분의 청소를 철저히 해야 한다. 산화피막, 먼지, 기름 등을 용접 전에 완전히 제거하지 않으면 용접부에 기공, 균열이 발생하거나 비드 표면이 불량하게 될 염려가 있다. 표면 처리법으로는 용제로 탈지한 후 가는 와이어 브러시를 사용하거나, 혹은 **샌드 블라스트**sand blast하여 표면의 산화피막을 제거하는 기계적인 처리 방법이 있다. 또는 화학적인 처리방법으로 불소초산 가성소다 등의 용액으로 산화피막을 제거하는 산 또는 알카리 세척이 있다. 대량생산의 경우에는 증기 또는 탱크 내에 세척이 경제적이다.

TIG 용접의 홈 가공은 거의 기계 가공으로 이루어지므로 홈의 면에 남아 있는 가공유 제거에 특히 주의를 해야 하며, 1층 이면 용접 위주로 사용되는 용접물은 홈의 이면측도 청소하는 것을 잊어서는 안 된다.

이물질은 용접 주위의 열이나 아크에 의해 타거나 불려 나가는 경우가 있으나, 저 전류로 용접할 경우나 고속 자동용접과 같이 제거될 여유가 없을 때는 결함의 발생을 방지할 수 없다. **그림5-60**과 같은 이음에서 루트 면이나 맞대기 면에 발생하여 제거하기 어려운 이물질 등은 용접 결과에 나쁜 영향을 줄 수 있다.

불순물로 인하여 용접에 나쁜 영향을 미치는 것은 모재뿐만 아니라 용가재도 결함 발생의 원인이 되므로 충분히 청정한 재료를 사용해야 한다. 특히, 알루미늄 합금의 용가재는 표면 광택 처리한 것을 사용해야 하며 하얗게 산화된 것은 좋지 않다.

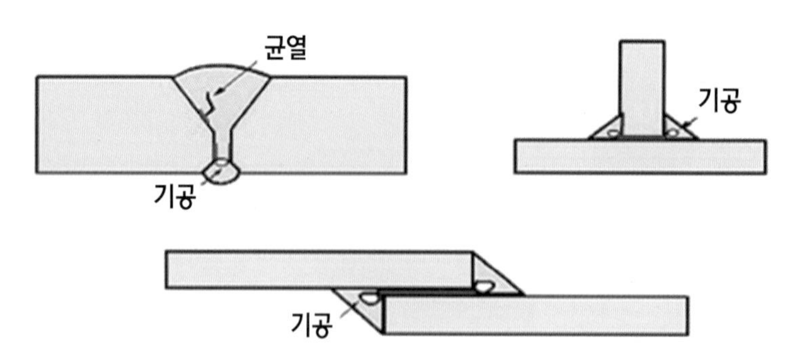

그림 5-60 용접 부 홈 안에서 발생되기 쉬운 용접 결함과 발생위치

(3) 전극봉의 가공

전극봉을 가공하기 위해서는 먼저 사용재료에 따라서 전극봉을 선택을 해야 하며, 선택 후에는 극성에 따라서 전극봉의 가공 방법이 달라 질 수 있다.

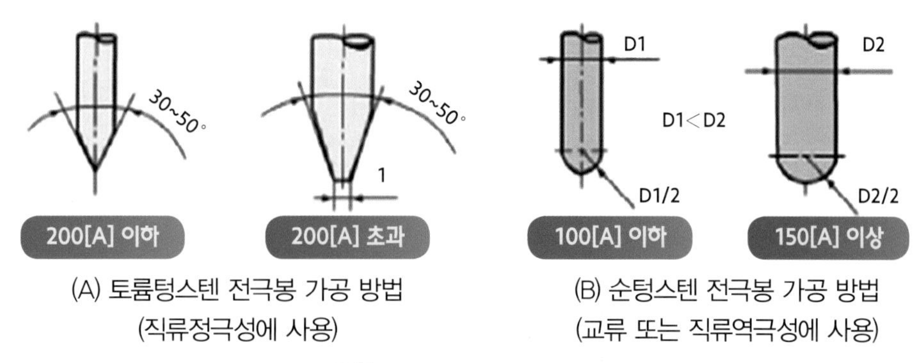

그림 5-61 전극봉의 가공 방법

그림5-61과 같이 직류 정극성 용접에서는 아크열의 집중성이 좋아 용입이 깊어지므로 보통 용접 전류가 200[A] 이하에서는 전극 선단의 각도가 30~50℃ 되게 하고, 가공면의 길이는 텅스텐 전극봉 지름의 2배 반 정도로 가공을 하여 사용하는 것이 좋으며, 전자 방사 능력이 높은 경우에 사용한다. 용접 전류가 200[A] 초과 시에는 고 전류로 인하여 전극 선단의 끝부분이 용융 되어 손실되거나 용융 풀에 들어가 용접 결함의 원인이 될 수 있으므로 최 선단 부분을 그라인더로 약간 가공을 하는 것이 좋다. 이것은 약 1[mm]정도 가공을 한다.

교류에서는 직류 정극성에서 보다 전극의 입열이 크므로, 둥글게 해야 하며, 직류 역극성에서도 전극 쪽에 열이 집중되어 전극봉의 선단을 뾰족하게 가공을 하면 텅스텐 전극봉이 용융 풀에 들어가 용접 결함이 발생 할 수 있어 전극봉을 둥글게 가공을 한다. **표5-4**는 전극봉 지름에 따른 사용 전류를 나타내고 있다.

표 5-4 전극봉 지름에 따른 사용 전류

전극봉 지름[mm]	사용전류[A]	
	순텅스텐	토륨텅스텐
1.0	10~60	15~80
1.6	40~110	60~150
2.4	100~160	140~250
3.2	140~210	225~325
4.0	190~275	300~425
5.0	250~350	400~500
6.4	300~450	–

그림5-62와 같이 전극봉의 가공 방법은 그라인더나 **그림5-63**과 같이 전극봉 연마기를 사용하고, 전극봉 가공 면은 가공 면이 전극봉 길이 방향으로 가공을 하여야 안정된 전류를 얻을 수 있다.

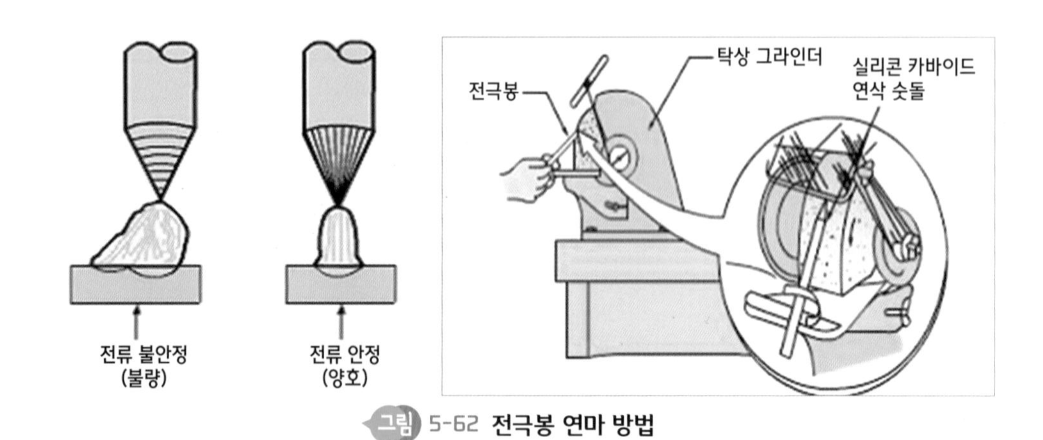

그림 5-62 **전극봉 연마 방법**

(4) 가용접 및 조립

가공된 홈의 정도나 청소 상태가 용접작업이나 용접결과에 지장이 없을 정도로 면, 가용접 및 조립 작업을 한다. TIG 용접에서 박판의 단순한 맞대기 이음은 공정을 생략하고 지그에 의해 직접 이음을 할 때가 있다. **가용접**tack weld은 작은 용착부가 형성됨으로써 급랭하기 쉽고, 응력에 의해 균열이 생기는 경우도 있다. 또한 가 용접 부분이 본 용접의 일부로 되어 용접 결함을 발생시키는 원인이 되므로 신중을 기해야 한다.

가용접을 할 때 용접 순서에 유의하며, 위치는 본 용접에 지장을 주지 않는 곳에 가용접해야 한다.

즉, 가 용접 위치, 길이, 크기 또는 용접 피치 등이 적절하지 못하면 본 용접에서 치수 변형, 기타의 결함을 일으켜 작업 능률을 저하시키기 때문에 주의해야 한다.

홈 내의 가 용접 부위에 균열이 발생되었을 때에는 그라인더 또는 정으로 충분히 깎아낸 후 용접해야 한다. 가 용접용 지그류를 이용하여 용접할 때에는, 언더컷 및 홈이 발생되었을 때에는 즉시 보수하여야 한다. TIG 용접에서 가 용접은 홈의 내부나 표면 또는

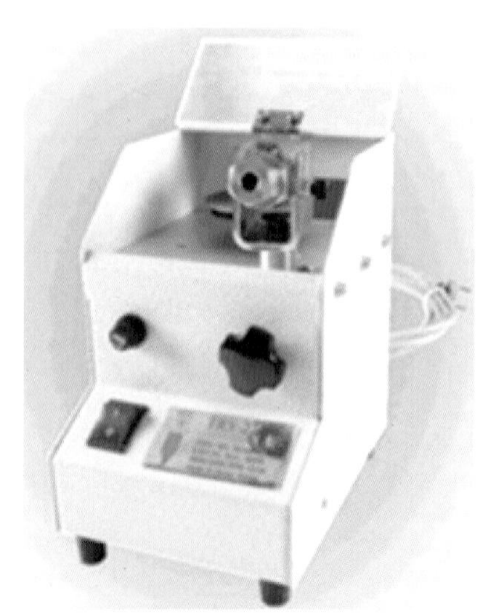

그림 5-63 **전극봉 연마기**

구석 내부에 직접 하는 일이 많지만, 이같이 본 용접에 일부분이 되는 것을 피하고 분리용 피스를 쓰거나, 스트롱 백을 사용하여 가 용접한다. **그림5-64**는 아크용접에 사용하는 가 용접용 각종 지그의 예를 그림으로 나타내었다.

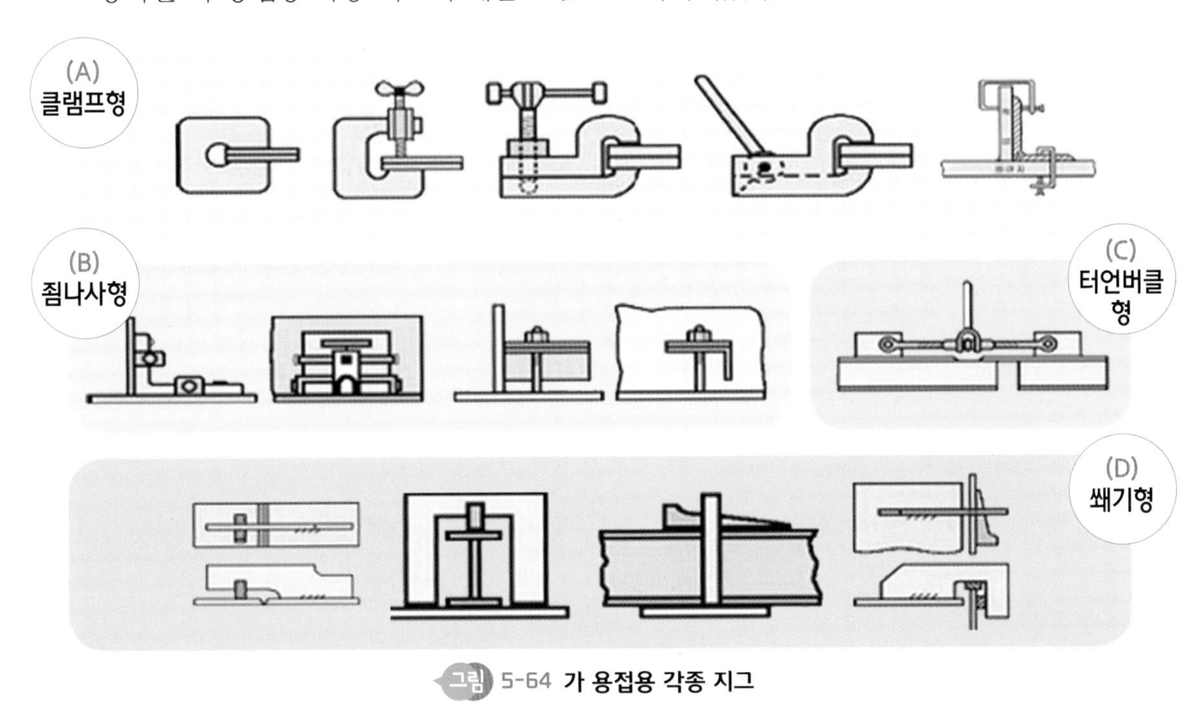

그림 5-64 가 용접용 각종 지그

(5) 회전 지그

TIG 용접은 다른 용접에서 곤란한 각종 자세의 용접이 가능하므로 작업 능률을 향상시키고 용접 품질을 높이기 위해서는 가능한 **그림5-65**와 같이 회전 지그를 사용하여 아래보기 자세로 용접하는 것이 좋고, 또한 회전 지그를 이용하여 자유로운 자세를 선택하여 용접할 수 있다.

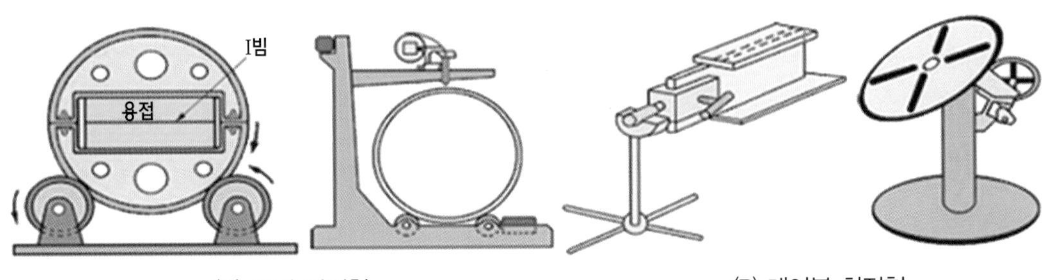

(A) 롤러 회전형　　(B) 테이블 회전형

그림 5-65 회전 지그의 종류

(6) 이음 조립 지그

TIG 용접은 박판 용접에 많이 이용되기 때문에 용접 열에 의한 변형이 생겨 제품을 못쓰게 되는 경우가 있으므로 지그나 고정구를 사용해서 피 용접물을 고정시켜 용접하는 것이 좋다. 따라서 이음이 정확한 맞춤이 되어야 하므로 변형 방지 뒷댐판을 사용하여 용착부의 용락 방지나 용접 이면부의 시일딩 효과를 높이기 위해 지그를 사용한다. **그림5-66**은 누름 받침 지그 사용의 예를 나타내었다. 예를 들면 두께 1.2[mm]의 판을 누르는 지그의 압력은 길이 1[cm]당 60~100[kg]이 필요하다. 누름 지그는 박판 용접의 용락 방지에도 중요한 역할을 하므로 양쪽 지그 간격은 용접토치 조작에 방해가 되지 않을 정도로 가능한 한 좁게 하는 것이 유리하다.

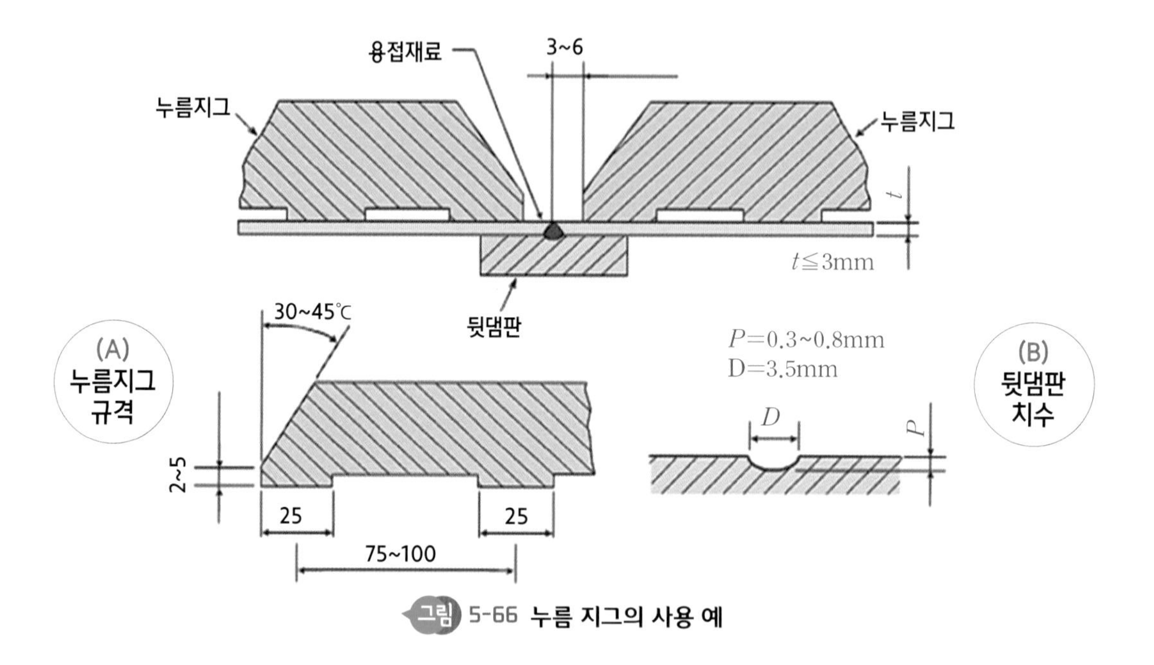

그림 5-66 누름 지그의 사용 예

지그는 일반적으로 열전도성이 좋은 경질강이 적합하며, TIG 용접에서는 대부분의 경우 박판에서는 용착부의 뒷면이 대기에 노출되어 용착금속 내에 기공이 생기거나 산화에 의해 외관이 거칠어지는 것을 방지하기 위해서 뒷받침이 필요하며 용착금속의 용락을 방지하는데 유효하다. 뒷받침 방법에는 **금속 뒷댐판**metal backing, **불활성 가스 뒷댐판**inert gas backing, **용제 뒷받침**fulx backing 등이 있다.

뒷받침은 **그림5-67**과 같이 금속 뒷받침이 많이 사용된다. 맞대기 이음에서는 그림 (A)와 (B) 또는 (C) 같은 것을 사용하며 (D)는 모서리 이음에서 많이 사용된다.

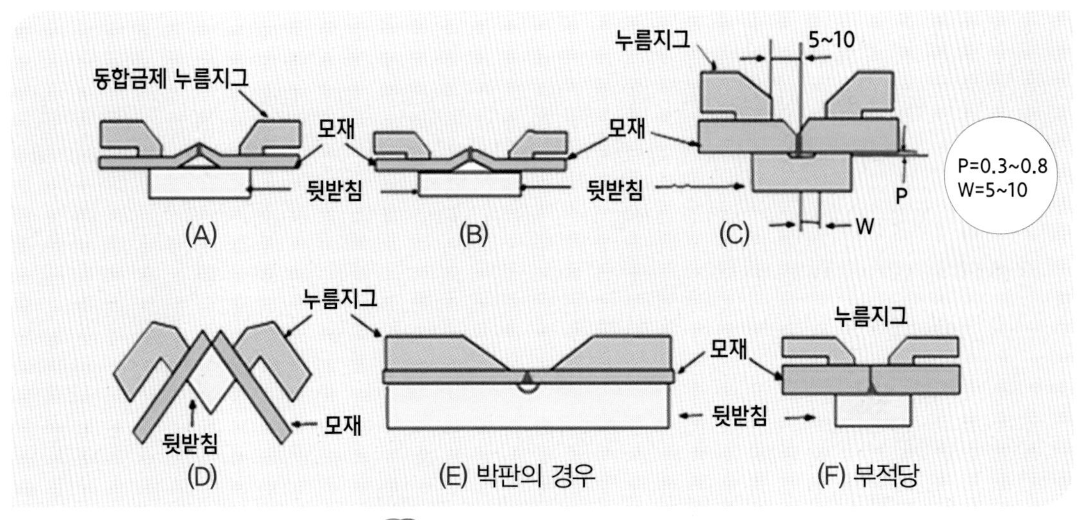

그림 5-67 각종 뒷받침 지그의 현상

(7) 용접 조건의 선택 방법

TIG 용접 조건으로는 용접전류, 아크전압, 용접속도 등이 기본 조건이다. 다만 TIG 용접의 경우 품질이 높은 용접 결과를 요구하므로 가스 보호 효과를 최대한 높이는 것이 중요하다.

① 용접 전류

용접전류는 원격조정 전류 조정기 또는 용접기 본체의 조정기에 의해 전류를 조정한다. 용접기에는 전류 값을 표시하는 전류계가 부착되어 있어 본 용접에 들어가기 전에 아크를 발생시켜 확인하는 것이 반드시 필요하다.

모재에 적합한 용접조건이 결정되면 보호 가스의 유량을 용접 조건에 맞게 조정한 뒤 아크를 발생시켜 본다. 아크가 발생하고 있는 동안 전류계를 읽으면서 전류 조정기를 조정한다. 토치를 손으로 잡고 있는 경우 아크가 발생되는 동안에는 전류계를 읽는 것이 곤란하므로 토치를 고정하거나 다른 사람이 전류계를 읽도록 하는 것이 좋다.

② 아크 전압

아크 전압은 아크 길이나 보호 가스의 종류에 따라 변화되고 용접 결과에 대해서는 용입이나 비드 형상 등에 영향을 미친다. 아크길이에 따른 전압의 변동은 **그림5-68**에서 나타낸 바와 같이 아크 길이를 길게 하면 아크는 크게 되며, 이 때 긴 아크 속으로 전류의 흐름이 유지되기 위해 아크전압을 높게 할 필요가 있다.

아울러 아크의 공급 전력(전류×전압)은 크게 된다. 실제로는 **그림5-68의 (B)**와 같이 비드 폭은 넓게 되나 깊이는 커지지 않고 경우에 따라서는 낮아지는 수도 있다. 전극과 모재간의 거리를 너무 길게 하면 아크길이가 길어져 가스보호 작용이 불량하여 전극의 소모가 심해지거나 용접비드에 기공이 많이 발생될 염려가 있으므로 주의가 필요하다.

반대로 전극을 모재에 가까이 하여 아크 길이가 너무 짧을 경우에는 전극선단이 용융지에 접촉하여 용접 비드 내에 텅스텐 전극봉의 일부가 용접부에 혼입되어 결함을 발생시킨다.

그림 5-68 아크 길이에 따른 용입 현상

③ 용접 속도

TIG 용접은 아크 특성을 근거로 해서 용접 전류 및 아크 전압 조건을 설정하면 보통 5~50[cm/min] 정도의 범위에서 다른 용접에 비해 안정된 아크 상태를 유지할 수 있다. 이 장점을 이용하여 TIG 용접은 점차 고속 자동 용접으로 발전되어가는 추세이다. 일반적으로 고속 아크 용접에서는 **그림5-69**와 같은 언더컷이나 경우에 따라서 불균일한 비드가 발생되는 경향이 많다.

그림5-70은 TIG 용접에서 나타나는 언더컷이나 불균일 비드 등의 불량 비드형성에 미치는 용접조건을 나타낸 것이다. 예를 들어 200[A]로 일정한 용접 전류를 사용했을 때 용접속도를 50[cm/min] 정도에서는 정상적인 비드가 얻어지는 반면, 100[cm/min]으로 고속 용접하면 언더컷이 발생되는 것을 알 수 있다. 그러므로 고속 용접에서는 용접 전류와 용접 속도를 균형 있게 결정하여야 한다. 또 수동 TIG 용접의 경우에 토치 이동속도가 고르지 못하므로 인해 부분적으로 용입 불량이 발생되므로 주의가 필요하다.

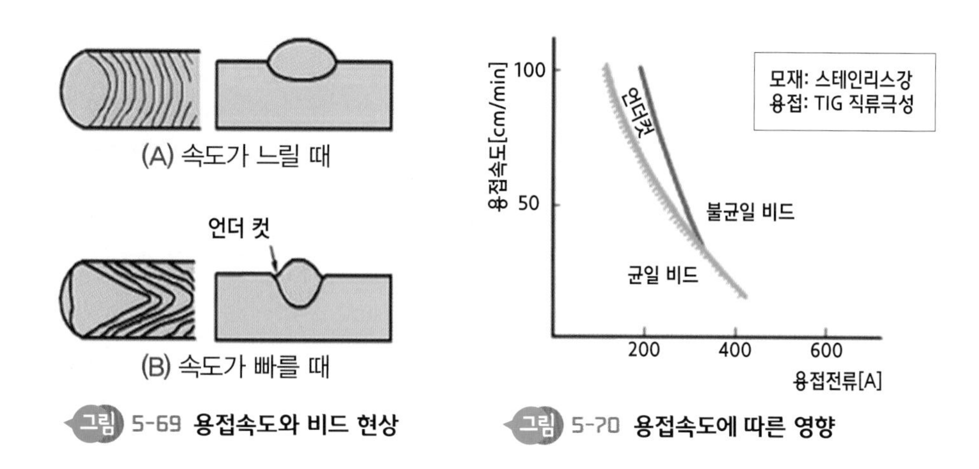

그림 5-69 용접속도와 비드 현상

그림 5-70 용접속도에 따른 영향

④ 보호 가스 공급량

보호 가스는 대기로부터 용접부와 텅스텐 전극봉을 보호하기 위하여 사용되지만 정확하게 가스량을 조절하기에는 어려운 점이 있다. 그렇지만 용융지와 전극봉을 충분히 보호할 정도는 공급되어야 한다.

가스 공급량이 너무 많으면 가스의 손실이 많고, 오히려 용착 금속의 냉각을 돕는 역할을 해 금속이 급속도로 냉각되어 용착금속내의 가스가 외부로 탈출하지 못해 기공이 발생한다. 반대로 공급량이 적으면 용융지와 텅스텐 전극봉을 보호하지 못해 용접부가 공기로부터 오염이 되어 기공 등 결함이 발생하거나 텅스텐 전극봉이 보호 받지 못해 산화되기도 한다.

가스 공급량의 적정성 여부를 알 수 있는 방법은 용접 후 텅스텐 전극봉 끝을 세밀히 관찰을 하여 전극봉의 표면이 매끈하면 공급량이 적당한 것이고, 부적당하면 전극봉이 타거나 산화되고 끝이 변형 된다. TIG용접에서 적당한 가스를 공급하기 위해서는 아래와 같은 요인에 의해 공급량이 달라질 수 있다.

가) 보호가스의 종류
나) 용접이음부의 형태와 설계
다) 모재에서 노즐까지의 거리
라) 노즐이 형상과 크기에 따라
마) 용접전류의 크기와 극성에 따라
바) 용접 속도와 용접 자세
사) 시공 조건에 따른 모재와 토치의 위치
아) 용융지의 크기
자) 용접 장소의 바람의 세기에 따라

⑤ 퍼징

용접에서 **퍼징**purging을 하는 것은 이면 비드를 보호하여 산화를 방지할 목적으로 사용되며 퍼징하는 방법은 작업 여건에 따라 용접을 하면서 이면에서 바로 공급하여 주는 방법과 **그림5-71**과 같이 금속재의 뒷받침을 사용하여 이면에 가스를 공급하여 산화를 방지하는 방법과, **그림5-72**와 같이 파이프인 경우에는 양쪽을 코르크나 고무 등으로 막고 보호가스를 별도로 연속 적으로 공급하여 이면을 보호하는 방법 등 여러 가지 방법이 있다. **그림5-73**은 파이프의 여러 형태 별 퍼징 방법을 나타내고 있다.

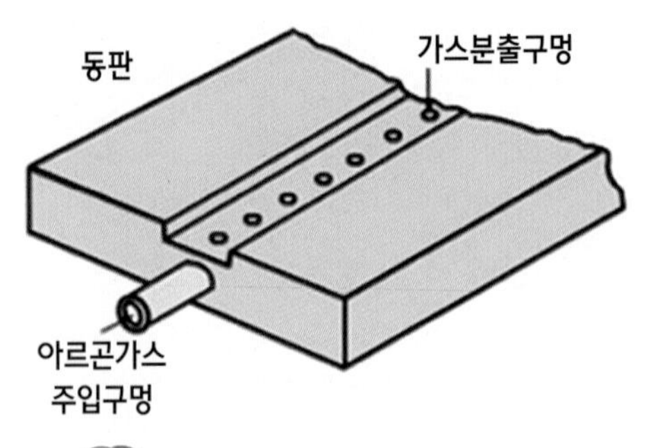

그림 5-71 뒷받침 가스 공급 장치

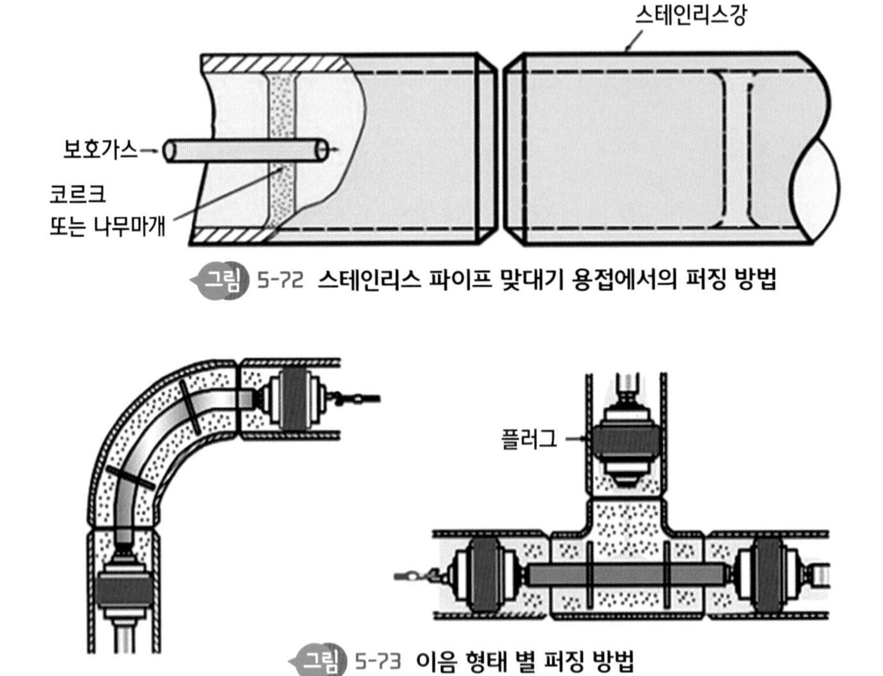

그림 5-72 스테인리스 파이프 맞대기 용접에서의 퍼징 방법

그림 5-73 이음 형태 별 퍼징 방법

일반적으로 탄소강에서는 내식보다는 내열에 많이 사용되고 있고, Cr 함유량이 4[%] 이하이므로 이면 비드에 산화에 문제가 없어 사용하지 않고, 스테인리스강은 Cr 함유량이 4[%] 이상이기 때문에 퍼징을 하지 않으면 이면 비드가 산화가 되어 반드시 퍼징을 해야 하고, 티타늄과 알루미늄도 퍼징을 한다. **그림5-74**는 스테인리스 파이프 용접 시 퍼징한 장면이다.

퍼징을 하지 않으면, **백 가우징**back gouging, **백킹**backing재를 사용한다. 파이프 용접에서는 이면이 깨끗하고 산화가 되지 않은 용접부를 얻고자 할 때 아르곤 가스나 헬륨가스를 사용하여 퍼징을 한다. 퍼징은 용접 중 대기중의 산소, 질소가 용접부의 이면비드에 접촉되어 산화, 질화가 되는 것을 막아 용접부의 기계적 성질이 저하되는 것을 방지하기 위한 목적으로 이용된다.

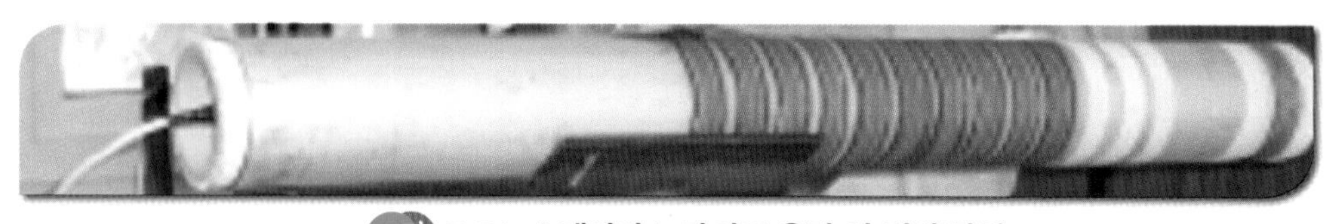

그림 5-74 **스테인리스 파이프 용접 시 퍼징 장면**

2 각종 금속의 용접

(1) 연강 및 저합금강의 용접

① 용접의 준비

가) 공구 확인

용접을 하기 전 작업에 필요한 공구 등을 미리 준비하여 작업 중 공구 등을 준비하기 위해 용접을 중단하는 일이 없도록 한다. 용접 중 공구 등을 준비하게 되면, 작업에 리듬을 잃게 되어 용접에 방해가 되는 요인이 되기도 한다.

나) 가스 확인

용접을 하기 전 준비할 것은 불활성 가스인 알곤 가스의 잔량을 확인하게 되는데 이것은 작업 중 가스가 없는 경우가 발생을 하게 되면, 용접 중 중대한 영향을 미치게 되어 용접결함의 원인이 발생하게 된다.

다) 텅스텐 전극봉 확인

재료의 종류와 용접 조건에 따라 텅스텐 전극봉을 가공하게 되는데, **그림5-75**는 전극봉의 오염 상태를 나타내고 있으며, **그림5-76**은 전극봉 연마기를 이용한 텅스텐 전극봉 가공 방법이며, **그림5-77**은 그라인더에서 텅스텐 전극봉 가공방법을 보여주는 장면이다. 보통 연강용인 2%토륨 텅스텐 전극봉은 가공길이가 전극봉 지름의 2~2.5배 정도로 가공을 하여 사용하게 된다.

라) 용접 재료 확인

용접하고자 하는 재료에서 용접할 부분에 오염 원인이 있는지 확인 하고, 오염된 반드시 제거한다. 따라서 용접하고자 하는 부위는 반드시 청결을 유지함은 물론, 직접 용접되는 부위보다 5[mm]정도 더 산화 피막을 제거하여 용접에 영향이 오지 않도록 하고 맞대기 용접에서는 이면에도 똑같이 가공을 해야 한다.

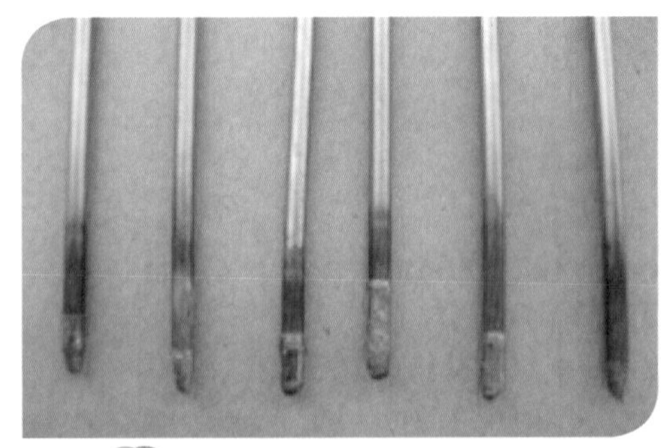

그림 5-75 오염된 텅스텐 전극봉

그림 5-76 텅스텐 전극봉 연마기

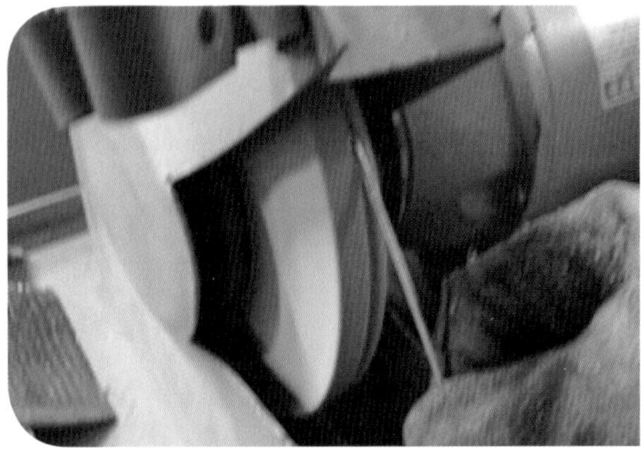

그림 5-77 그라인더 텅스텐 전극봉 연마 방법

그림5-78은 용접 표면 부분의 모재 표면 가공 상태를 나타낸 것이며, 그림5-79는 이면 비드 부분의 모재 가공 상태를 나타내고 있다. 연강에서 산화 피막을 제거하지 않으면 용접 중 표면의 산화철이 혼입되어 기공 등 원인이 발생하게 된다.

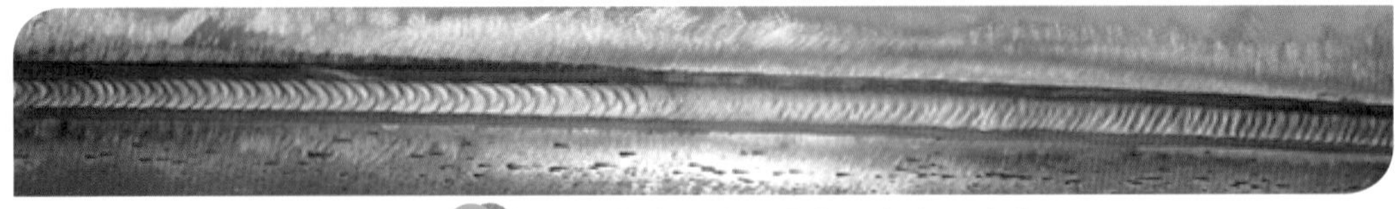

그림 5-78 용접 표면 부위의 표면 가공 상태

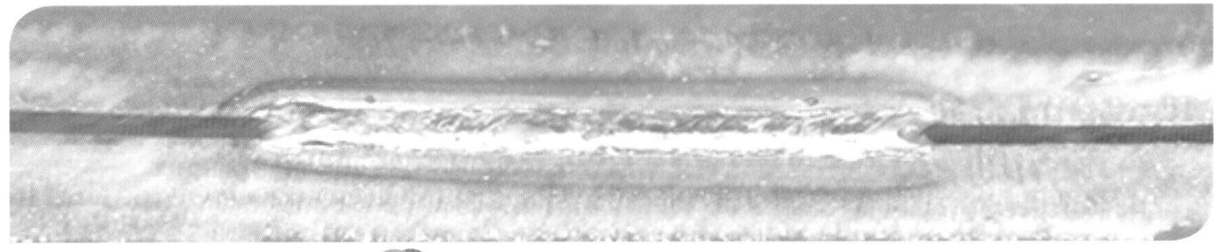

그림 5-79 용접 이면 부위의 표면 가공 상태

마) 토치에 텅스텐 전극봉 조립

그림5-80은 토치의 텅스텐 전극봉 연결 구조로 가공된 전극봉을 토치에 조립을 하게 되는데, 전극봉은 콜릿척에 끼워 캡으로 단단히 조여 고정을 하게 된다. 고정 후 텅스텐 끝을 모재 표면에 살짝 접촉 후 토치에 약간 힘을 주어서 텅스텐 전극봉이 안으로 들어가는 일이 없나 확인해야 한다. 만약 안으로 들어가면 텅스텐 전극봉이 고정되도록 캡을 더 조이거나, 콜릿척을 새것으로 교환하여 고정을 한다.

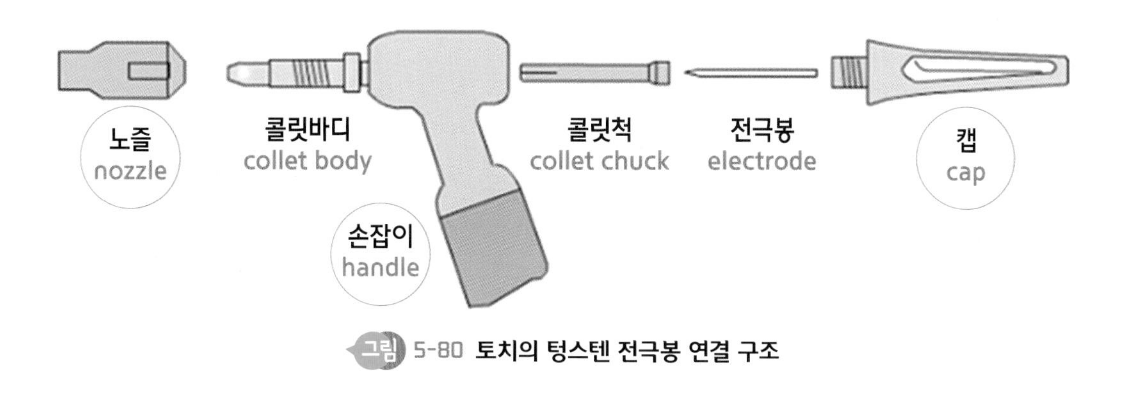

그림 5-80 **토치의 텅스텐 전극봉 연결 구조**

그림5-81은 콜릿척이 용접열로 인하여 과열되어 변형이 된 것으로, 역할을 하지 못하므로, 새것으로 교환하여 텅스텐 전극봉을 고정해야 한다.

콜릿 척을 새것으로 교환을 하는 것은 콜릿척이 용접 중 열로 인하여 콜릿척 안 지름이 커지게 되면 텅스텐 전극봉을 고정하는 역할을 하지 못하게 된다. 그러면 전극봉이 전류의 전달이 불량하여 아크가 작업 중 단락 되거나 입열량에 변화가 일어나 용접에 열향을 미치게 된다.

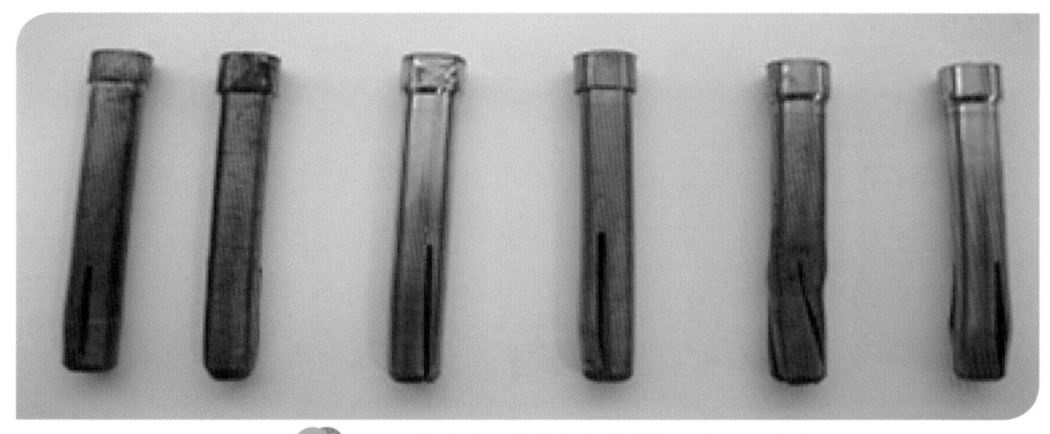

그림 5-81 **용접열로 과열되어 사용을 못하는 콜릿척**

② 용접 전원

그림 5-82 파이프 1차 용접의 개선각 부분의 용접

연강의 용접 전원은 인버터형 펄스 직류용접기로 직류 정극성을 사용하게 되는데 텅스텐 전극봉과 모재의 형상 등에 의해 용접 전류를 결정하게 된다. 연강 및 저합금강의 용접에는 용접 입열이 작은 낮은 전류를 이용하는 박판 용접에 사용되고 있으며, 후판에서는 이면 비드가 필요한 용접일 경우와 파이프 용접에서 이면 비드에 사용되고 있다. **그림5-82**는 파이프 1차 용접의 개선각 부분의 용접을 나타내고 있다.

연강의 반자동 TIG 용접은 연강이나 스테인리스강에서 가장 좋은 용접 결과가 얻어지고 두께는 1~3[mm]가 적당하다. 연강에 대한 용접 조건은 **표5-5**와 같다.

표 5-5 연강의 반자동 TIG 용접 조건 (I형 맞대기 이음)

관두께 (mm)	용접전류 A	아르곤 유량 (ℓ/min)	용접속도 (mm/min)	용접봉직경 (mm)	루트간격 (mm)
0.8	80~400	5~10	200~2,500	0.8~1.6	0~1.6
1.6	100~400	5~10	150~1,250	1.2~1.6	0~1.6
2.4	125~400	6~10	100~1,000	1.6~2.4	0~1.6
3.2	150~400	7~10	100~750	1.6~2.4	0~1.6

〈비고〉 전극은 전류에 따라 선정, DCSP(직류적극성), 등받침쇠 사용, 용접전류는 100~200[A]가 좋다.

③ 전극봉과 보호가스

전극봉은 일반적으로 토륨 2[%]의 텅스텐 전극봉으로 지름은 2.4[mm]를 많이 사용하고 있으며, 가공방법은 그라인더나 전극봉 연마기를 사용하여 가공을 하게 되며, 보호가스는 공급량은 사용 전류 등 여러 가지 조건에 맞추어 사용하게 된다.

④ 용접방법

가) 용접 자세

용접을 하기 전 가장 기본이 되는 용접 자세는 작업자의 숙련기능을 발휘하기에 앞서 준비의 자세로 자세가 안정되어야 좋은 용접부를 얻을 수 있으므로 될 수 있으면 고정된 자세를 유지할 수 있도록 하고 고소작업에서는 반드시 안전띠를 착용하여 안정된 자세를 유지해야 한다.

나) 텅스텐 전극봉 조립

용접을 하기 위해서는 텅스텐 전극봉을 토치에 조립을 해야 하는데 용접 조건에 따라 **그림5-83**과 같이 텅스텐 전극봉의 돌출 길이를 조절해야 한다.

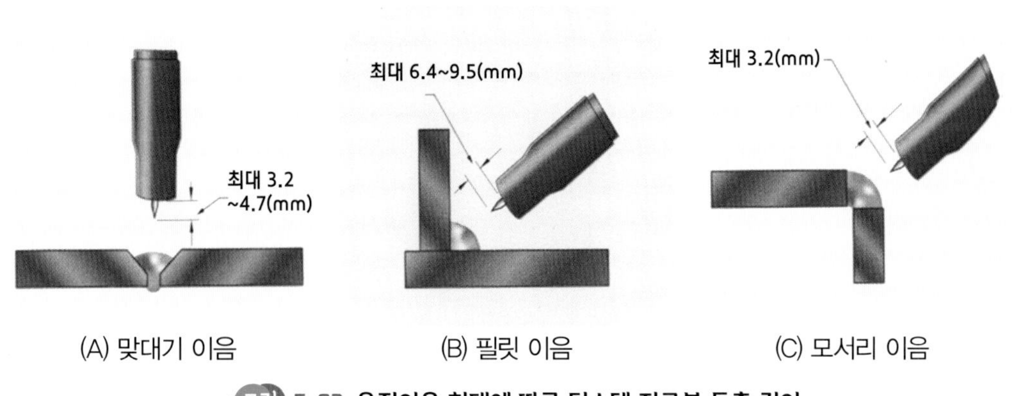

그림 5-83 용접이음 형태에 따른 텅스텐 전극봉 돌출 길이

다) 용접기 판넬 조작

그림5-84는 TIG 용접기의 전원으로 용접에 필요한 전류와 크레이터 처리 기능 선택, 펄스 전류, 후기 가스공급시간 등 필요한 조건을 선택한다.

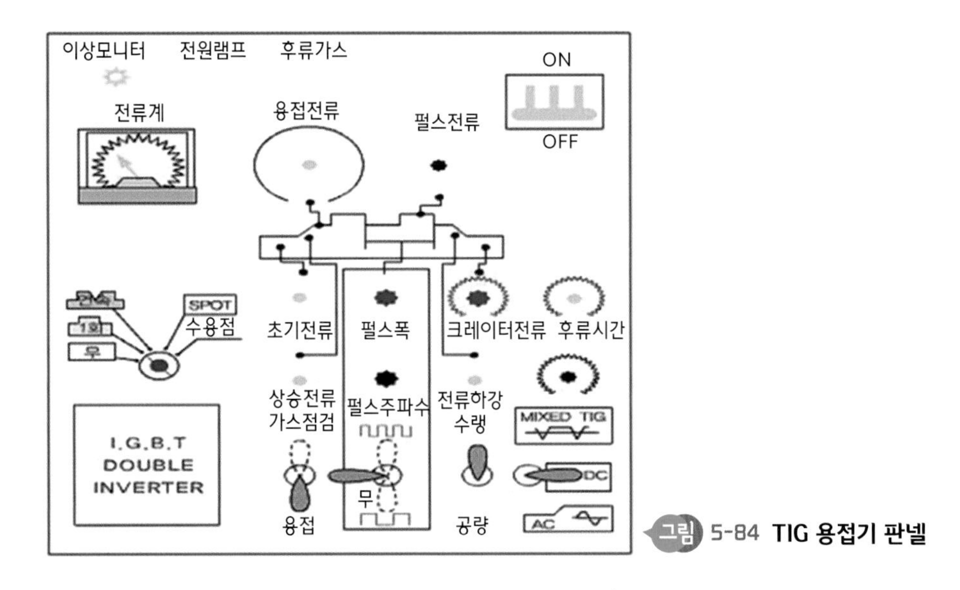

그림 5-84 TIG 용접기 판넬

라) 가스 점검

가스를 점검위치에 놓고 가스를 점검하게 되는데 점검 순서는 **그림5-85**와 같은 순서로 가스를 열고 점검을 하게 된다.

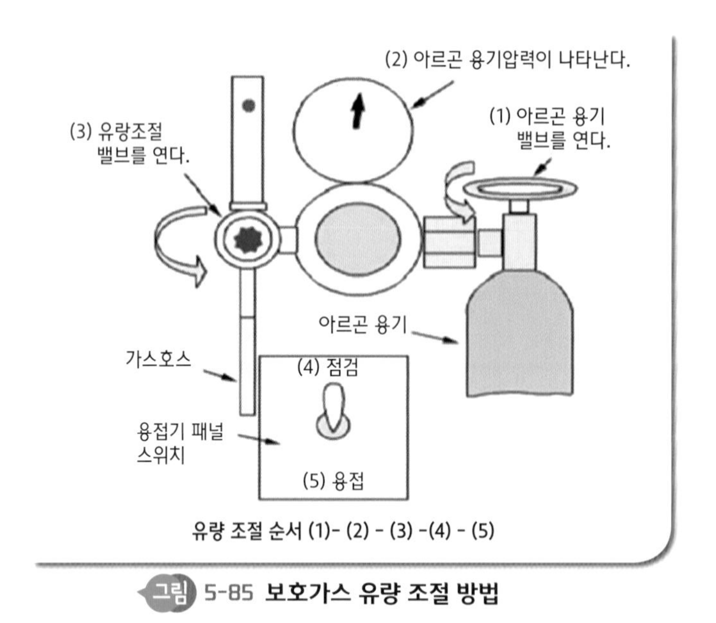

그림 5-85 보호가스 유량 조절 방법

마) 아크 발생과 용접

준비된 연강판에 아크를 발생하기 위해서는 **그림5-86**과 같이 모재에 가스 노즐을 가볍게 접촉을 한 후 아크를 발생하여 용접을 하고자 하는 진행방향으로 용융풀을 형성하면서 용접을 하게 된다.

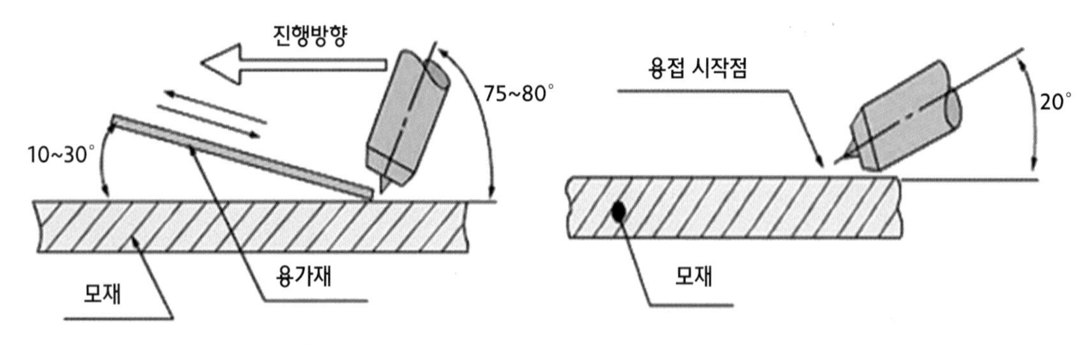

그림 5-86 TIG 용접에서 아크 스타트 방법과 용접 시 토치의 각도

바) 이음 종류별 용접 자세

- **각종 자세별 비드 용접**

기초적인 단계의 비드 용접이지만 용접에서 가장 중요한 단계이므로 숙련이 되도록 꾸준하게 연습을 해야 한다. **그림5-87**은 각종 자세별 비드 용접에서 토치각도와 용가재 공급 각도를 나타내고 있다.

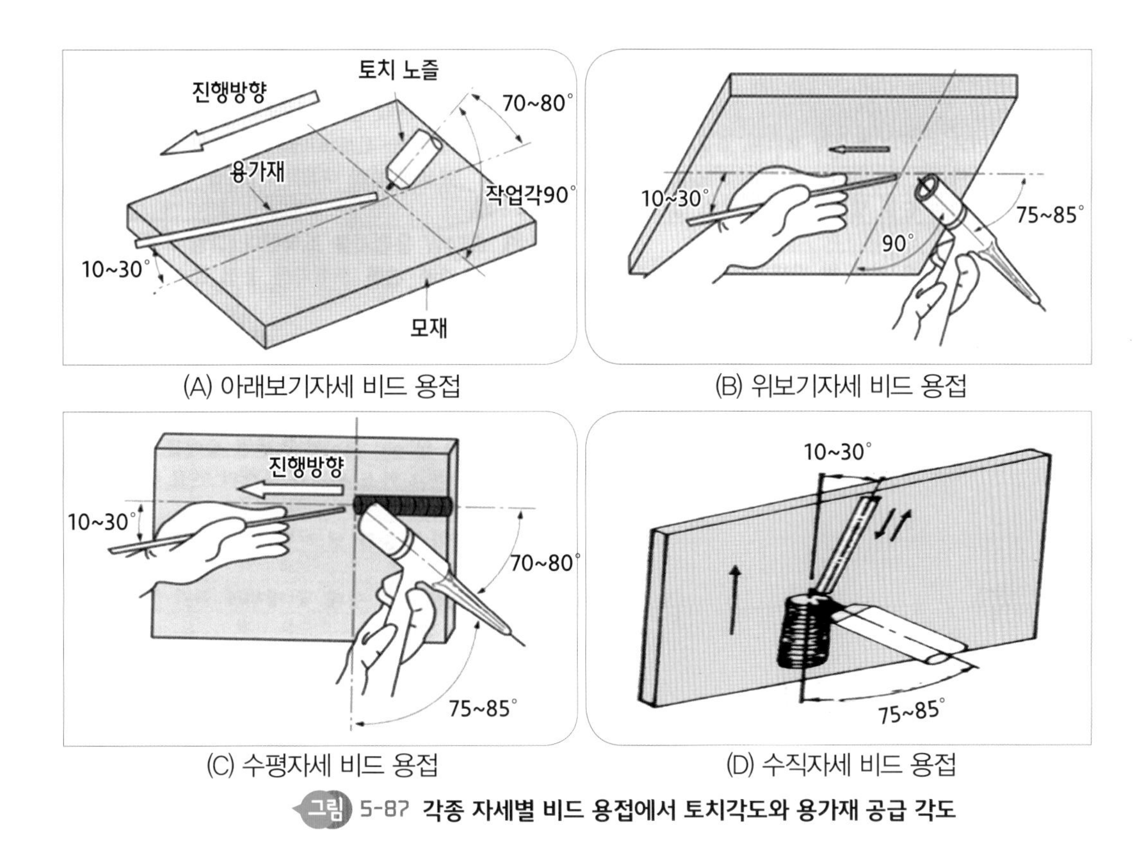

(A) 아래보기자세 비드 용접

(B) 위보기자세 비드 용접

(C) 수평자세 비드 용접

(D) 수직자세 비드 용접

그림 5-87 각종 자세별 비드 용접에서 토치각도와 용가재 공급 각도

● 필릿 이음의 용접

필릿 이음의 용접에서는 진행각은 일반적으로 **그림5-88**과 같이 아래보기 자세에서는 작업각은 45~46°정도이며, 진행각은 70~80°로 한다. **그림5-89**의 수평에서는 용접봉 공급은 10~30°로 기울여 공급을 하면서 필릿 용접을 하며 수직 자세와 위보기 자세에서도 거의 동일한 조건으로 한다.

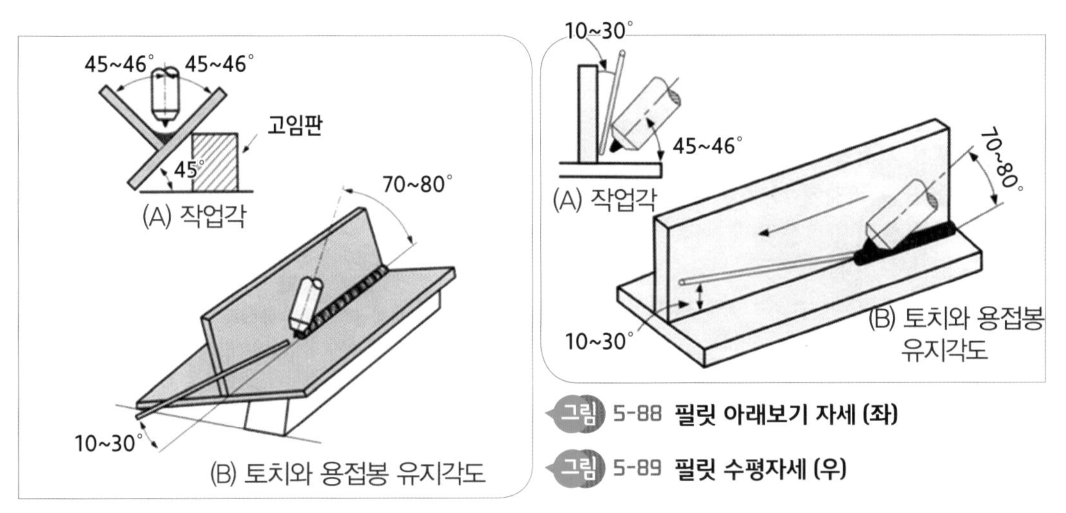

그림 5-88 필릿 아래보기 자세 (좌)

그림 5-89 필릿 수평자세 (우)

- **맞대기 이음의 용접**

그림5-90과 **그림5-91**은 아래보기 자세에서의 토치의 각도와 용접봉의 공급 각도를 나타내고 있다.

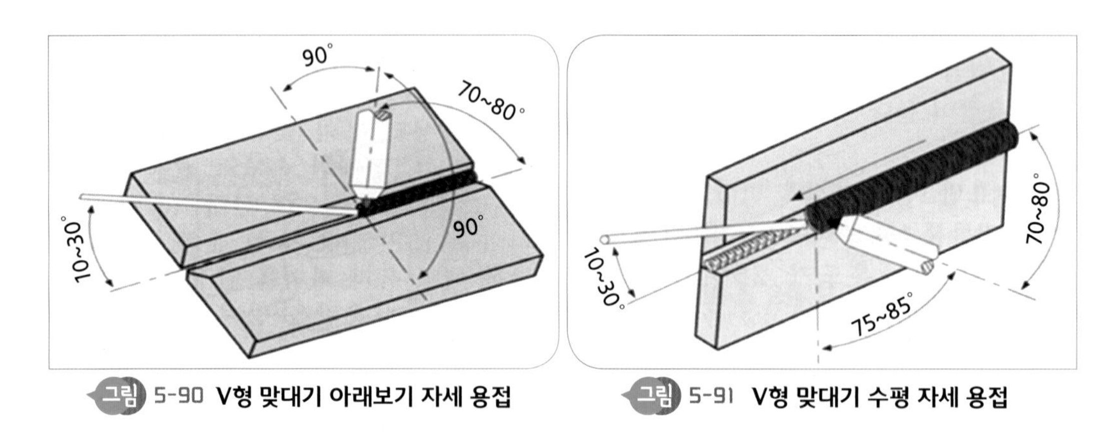

그림 5-90 **V형 맞대기 아래보기 자세 용접**

그림 5-91 **V형 맞대기 수평 자세 용접**

- **파이프 이음의 용접**

그림5-92와 같이 파이프 맞대기 용접에서의 이음은 맞대기 용접의 아래보기 자세와 수직 자세, 위보기 자세를 복합적으로 응용하는 용접을 해야 하는 것으로 위치에 따라서 토치의 각도와 용접봉의 각도가 변하게 된다. 용접순서는 위보기 자세에서 시작하여 상단의 아래보기 자세에서 끝나고 다시 위보기 자세에서 아래보기 자세로 이어진다.

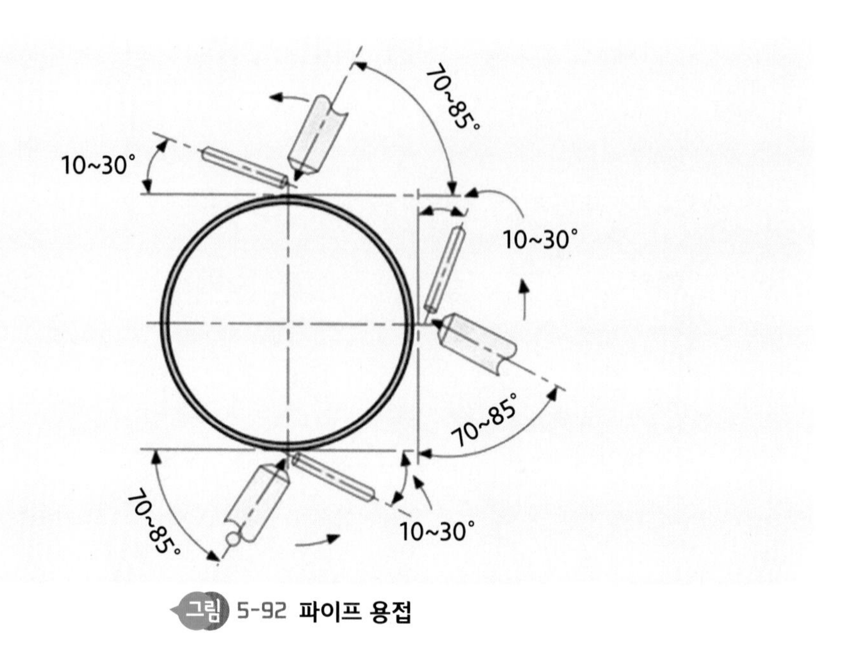

그림 5-92 **파이프 용접**

사) 용접 시 운봉방법은 직선과 운봉 등 여러 방법을 사용하게 된다.

아) 용접이 끝나면 크레이터 처리를 하고 용접기 스위치를 "OFF"하고, 보호가스 밸브를 잠근다.

자) 용접부를 점검한다. **그림5-93**과 아래보기 용접 장면이고 **그림5-94**는 발전설비 튜브 용접 장면이다.

그림 5-93 TIG 아래보기 용접 장면

그림 5-94 발전설비 튜브 용접

(2) 스테인리스강 용접

녹 발생에 저항하는 성질을 가진 것을 **내식성이 강하다**라고 말을 하는데, 이 내식성이 강한 스테인리스강은 두 가지 또는 그 이상으로 된 합금으로 크롬을 함유하게 되어 일반 강에 비하여 빛나는 광택을 가지고 녹이 발생하지 않는 금속이다. 발전설비는 물론, 플랜트 분야, 건설 등 많은 부분에서 사용되고 있으며, 바다에서의 구조물, 가정용품 등에서도 많이 사용되고 있다. 용접에서는 TIG 용접, MIG용접, 피복아크 용접이 사용되고 있지만 일반적으로 TIG 용접을 많이 하고 있다. 스테인리스강의 열전도는 탄소강 보다 50% 정도 작고 열팽창은 50% 정도 크기 때문에 변형에 주의를 해야 한다.

① 용접 전원

전원은 연강에서와 마찬가지로 직류 정극성 전원을 사용하고 있으며, 수하특성과 고주파 전원 장치와 펄스가 가능하고, 크레이터 처리 기능이 있는 용접기를 사용하고 있다. 깊은 용입과 빠른 용접속도를 얻기 위해서는 아크 발생 시에만 고주파가 발생하는 장치를 사용하여 용접을 한다. **표5-6**은 스테인리스강의 펄스 용접 조건을 나타내었으며 **표5-7**은 TIG 수동 용접 조건으로 판 두께와 용접 전류와 이음 형상에 따른 조건에 대하여 나타내고 있고, **표5-8**은 용가재 없이 용접하는 자동 용접 조건과 수동 용접 조건을 받침쇠를 사용할 때, 극성은 직류 정극성을 사용할 때의 여러 가지 조건들에 대하여 나타내고 있다.

표 5-6 스테인리스강 펄스 용접 조건

모재 재질	형상	용접전류 (A)	펄스 선택	용접속도 (mm/min)
스테인 레스강 (SUS304)	0.3	20	HIGH	700
		25	HIGH	800
	0.5	40	HIGH	700
	2.0	105	HIGH	300

표 5-7 TIG 수동 용접 조건표

재료	판 두께 (mm)	전극지름 (mm)	용접봉지름 (mm)	전류 (A)	아르곤유량 (ℓ/min)	층수	홈형상
스테인 레스강 (DCSP)	0.6	1.0, 1.6	0~1.6	20~40	4	1	A, B
	1.0	1.0, 1.6	0~1.6	30~60	4	1	A, B
	1.6	1.6, 2.4	0~1.6	60~90	4	1	B
	2.4	1.6, 2.4	1.6~2.4	80~120	4	1	B
	3.2	2.4, 3.2	2.4~3.2	110~150	5	1	B
	4.0	2.4, 3.2	2.4~3.2	130~180	5	1	D, C
	4.8	2.4, 3.2, 4.0	2.4~4.0	150~220	5	1	D, C
	6.4	3.2, 4.0, 4.8	3.2~4.8	180~250	5	1~2	D, C

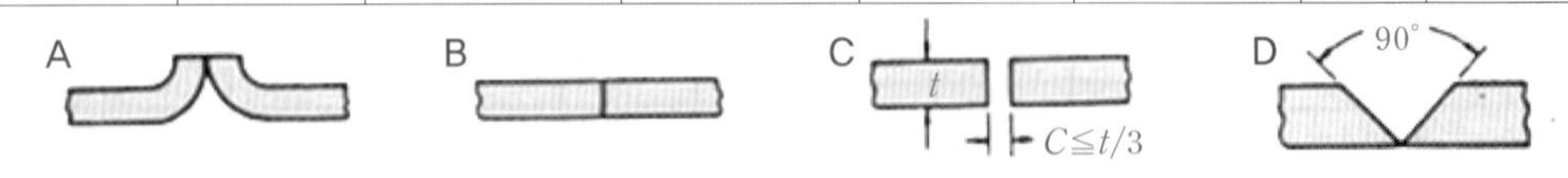

표 5-8 TIG 자동과 수동 용접 조건의 비교(용가재 사용 없음)

재료	판 두께 (mm)	자동수동 구별	전극직경 (mm)	용접전류 (A)*	용접속도 (mm/min)	아르곤유량 (ℓ/min)	극성**
스테인 레스 강판	0.8	자 수	1.6 1~1.6	90~140 30~50	1,000 300	7 3	DCSP
	1.2	자 수	1.6~2.4 1.6~2.4	120~180 40~70	750 250	8 4	DCSP
	1.6	자 수	2.4	140~200	620	8 4	DCSP
	2.4	자 수	2.4	160~250	380	9 5	DCSP

* 받침대 사용의 경우 ** DCSP:직류적극성, ACHF: 고주파 겸용교류

② 전극봉

전극봉의 연마 조건은 탄소강에서의 연마방법과 거의 같으며, **표5-9**는 텅스텐 전극봉 지름에 따른 사용 전류 범위와 스테인리스강에서 아르곤 가스 유량을 나타낸 것이다.

표 5-9 토륨텅스텐 전극봉 지름과 스테인리스강의 아르곤 가스 유량과의 관계

토륨 텅스텐 전극봉 지름(mm)	용접전류(A)	아르곤가스 유량(ℓ/min)
1.6	50~150	4~7
2.4	140~250	5~8
3.2	220~350	5~8
4.0	300~450	6~9
5.0	400~550	9~11
6.4	500~650	11~13

③ 보호 가스

보호 가스로는 아르곤과 헬륨이 사용되고 있으나 헬륨은 가격이 비싸 대부분 아르곤 가스를 사용하고 있다. 아르곤 가스는 아크를 안정시키고, 아크 발생 열이 적기 때문에 박판 용접에 좋은 결과를 가져온다. 오스테나이트 스테인리스강의 용접에서 아르곤에 15~20%의 수소를 첨가한 혼합 보호가스를 사용하면 헬륨일 때와 비슷한 용접효과를 가져온다.

퍼징용 보호 가스는 아르곤과 질소 등의 보호가스를 사용하여 스테인리스강의 용접으로 인한 산화를 방지하는 역할을 한다. 퍼지 댐은 수용성 종이, 일반 배관용 스펀지, 루버rubber댐이나 테이프 등으로 한다. **그림5-95**참조 퍼징 가스 인입선 쪽에는 퍼징 가스의 량을 확인할 수 있는 게이지를 부착하여야 한다. 퍼지 댐은 오염 및 연소 방지를 위해 용접부에서 최소 6인치 이상 떨어져 설치한다.

용접 시 퍼징의 유지는 2차 용접까지 유지를 하고, 아르곤 가스의 주입은 낮은 곳에서 주입하여 높은 곳으로 배출, 질소 가스는 높은 곳에서 주입하여 낮은 곳으로 배출을 한다. 용접 후 퍼지막을 반드시 제거를 하고, 퍼징 가스를 완전히 제거를 시키고 배관이 긴 경우에는 송풍기 등을 이용하여 잔류 퍼징 가스를 배출한다.

퍼징 후 잔류 퍼징 가스가 아르곤에서는 배관 아랫부분에 모이게 되므로, 아래로 구부러진(∪형상)에 주의를 하고, 헬륨 가스나 질소 가스는 배관 윗부분에 모이게 되므로, 위로 구불러진(∩형상)에 주의를 하여 배출한다. **표5-10**은 아르곤과 질소의 퍼징 가스량을 표시하고 있다. 텅스텐 전극봉이 산화되는 일이 없도록 하기위해 후기가스를 10[A]당 1초가량 조절한다.

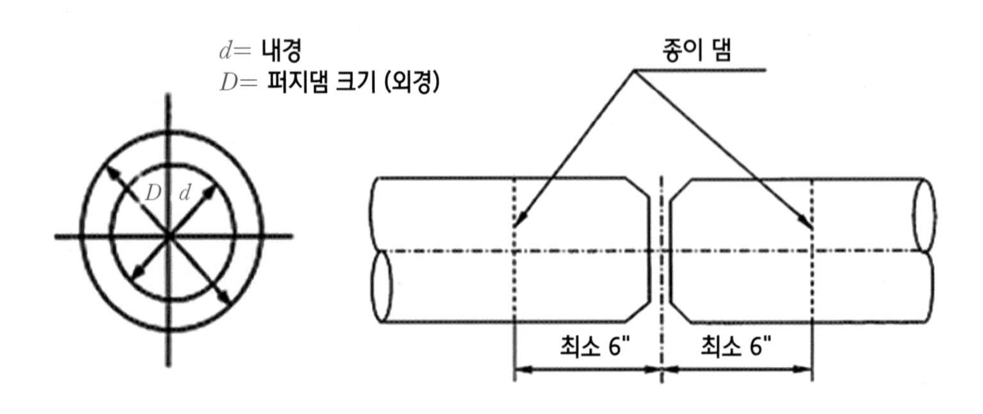

그림 5-95 퍼지 댐 설치 방법

표 5-10 파이프 지름에 따른 아르곤과 질소 퍼징 가스량

스테인리스 파이프 안지름(inch)	최소 퍼징량(ℓ/min)	
	용접 전	용접 중
1~3	5	3~5
4~14	14	7~10
16~28	24	10~12
30~36	33	14~19

④ 용접시공

안정화 처리된 강들은 크롬 탄화물 및 질화물의 형성을 억제하는 강력한 탄화물 및 질화물 형성 원소(일반적으로 Ti 또는 Nb)를 함유하고 있다. 이 원소들은 스테인리스강의 내식성, 특히 입계 주위의 내식성을 유지시켜 준다. 용접 지그, 접지 클램프는 스테인리스강을 오염시키지 않는 재료로 만들거나 피복되어 있어야 한다.

Cu를 배킹재로 사용할 경우 Cu가 혼입될 위험이 있는 경우가 있는데, Cu의 혼입은 백킹재 표면에 Ni나 Cr을 코팅하면 감소시킬 수 있다. 대입열 용접을 하는 경우에는 Cu 백킹을 수냉할 수 있다. 용접부 뒷면의 산화를 방지할 필요가 있는 경우 가스를 공급하여 모재와 용접 금속에 적합한 고순도 가스나 그 혼합 가스를 용접 루트면에 통과시키는 것이다. 이 가스 **퍼징**purging은 용접부의 결함과 내식성 저하 등을 유발할 수 있는 대기, 특히 산소에 의한 오염을 방지하는 것이다.

변형은 불균일한 팽창과 수축에 의해 발생하며, 오스테나이트계 스테인리스강의 높은 열팽창 계수와 낮은 열전도도 때문이다. 변형을 최소화하기 위해서는 용착 금속 체적의 최소화, 균형있는 용접(양면 용접), 입열량 저감, 용접 층수의 감소, 후진용접, 지그와 기계적 구속, 가 용접, 열흡수 등이 있다.

⑤ 용접방법

가) TIG 용접기의 판넬에서 직류정극성 전원을 선택한다.

나) 판넬에서 가스를 점검위치에 놓고 가스를 점검한다.

다) 후기시간, 크레이터와 펄스 등을 선택하여 조절한다.

라) 가공된 모재를 준비하면서 퍼징에 대한 방법을 결정하여 맞대기 용접 시 반드시 퍼징을 하여 이면 비드가 산화되는 일이 없도록 한다.

마) 아크의 스타트는 고주파 발생 장치를 이용하여 스타트를 하게 되는데, 모재와 텅스텐 전극봉 사이를 1~3[mm] 정도 가까이 하고 토치 스위치를 누르게 되면 고주파가 발생되면서 아크가 발생된다. 연강 용접에서와 같은 방법으로 아크를 일으킨다.

바) 용접은 시작점에서 모재를 용융시키고 용접봉을 공급하면서 용접을 하게 되는데, 전류를 높게 설정하고 용접속도를 너무 느리게 하면 용락의 위험이 있으므로 용접전류 조정을 적절히 하여 용락되는 일이 없도록 각별히 주의를 요한다.

사-1) 용접 시 운봉방법은 직선과 운봉 등 여러 방법을 사용하게 된다. **그림5-96**은 스테인리스강을 맞대기 용접한 사진과 파이프 용접을 하는 장면이다.

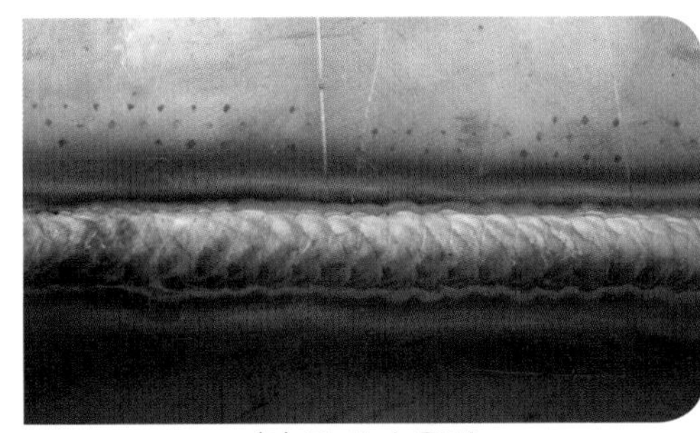

(A) 맞대기 용접

(B) 퍼징에 의한 파이프 용접 사진

그림 5-96 맞대기 용접한 사진과 파이프 용접 장면

사-2) 그림5-97은 퍼징에 의한 용접을 한 이면 비드의 형상을 나타내고 있다.

아) 용접이 끝나면 크레이터 처리를 하고 용접기 스위치를 "OFF"하고, 보호가스 밸브를 잠근다.

자) 용접부를 점검한다.

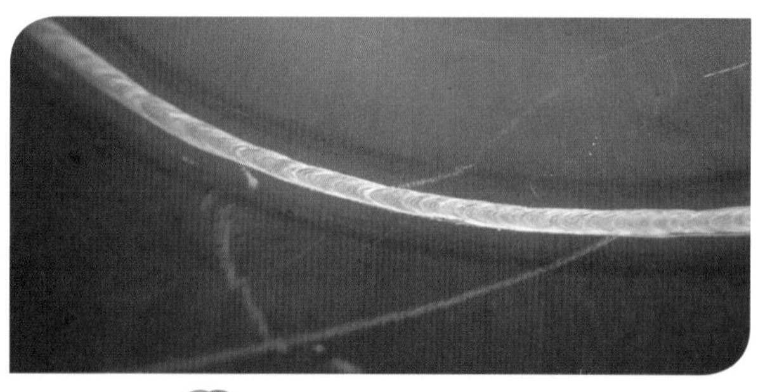

그림 5-97 스테인리스강의 퍼징에 의한 이면 비드

(3) 알루미늄과 알루미늄 합금 용접

알루미늄은 일상생활에서부터 우주 항공에 이르기 까지 규소 다음으로 지구상에서 가장 많은 금속으로 비중은 2.7로 강 보다는 3배정도 가벼운 금속이고 용융점은 660℃ 정도로 용융점이 낮다. 또한 알루미늄은 주조가 용이하고, 다른 금속과 잘 어울리고 상온가공과 고온가공이 용이하다. 상온에서 전기 및 열의 전도체이고 내식성이 강하다. 알루미늄은 가볍고, 아름답고, 강하여 자동차, 항공기, 과자류의 상자 포장, 전기재료에 사용되고, 항공방면에서는 비행기의 날개, 동체 등으로 쓰이고 있다. 알루미늄은 상온에서 판, 선으로 압연가공하면 경도와 강도가 증가하고 연율은 감소한다. Al은 열전도도가 강의 약 3배 정도 크며, 용융금속이 응고할 때 수축량은 약 6%에 달한다. Al에 함유되어 있는 불순물은 부식에 큰 영향을 주게 된다.

표 5-11 알루미늄 합금의 분류

가정용 알루미늄 합금		주물용 알루미늄 합금	
분류기호	주합금 원소	분류기호	주합금 원소
1×××	Al(99.00% 이상)	1×××	Al(99.00% 이상)
2×××	Cu	2×××	Cu
3×××	Mn	3×××	Si, Cu(Mg)
4×××	Si	4×××	Si
5×××	Mg	5×××	Mg
6×××	Mg, Si	6×××	Sn
7×××	Zn(Mg, Cu)	7×××	Zn(Mg, Cu)
8×××	기타 원소	8×××	미사용
9×××	미사용	9×××	기타 원소

표5-11은 가공용 알루미늄 합금과 주물용 알루미늄 합금으로 분류한 것으로 4개의 숫자로 구분되며, 첫 번째 숫자는 주 합금 원소를 나타낸다. 1××× 계열에서는 마지막 두 자리가 알루미늄의 순도를 나타내고, 그 외에는 합금의 종류를 표시한다. 둘째 자리에서 "0"은 본래의 합금을 나타내고, "1~9"는 개조한 것을 말한다.

가공용 알루미늄 합금에서 1×××는 순수 알루미늄이며, 2×××는 주합금 원소가 구리이고, 3×××는 주합금 원소가 망간, 4×××의 주합금 원소는 규소, 5×××의 주합금 원소는 마그네슘, 6×××의 주합금 원소는 마그네슘과 규소, 7×××의 주합금 원소는 아연으로 마그네슘과 구리 등을 포함할 수 있다. 그리고 8×××는 다른 원소를 포함하고, 9×××는 아직까지 미지정 되어 있어 향후 사용예정이다.

비열처리 합금으로 분류하면 1×××, 3×××, 4×××, 5××× 계열이며, 열처리 합금은 2×××, 6×××, 7××× 계열이다.

또한 주물용 알루미늄 합금에서도 열처리와 비열처리 합금으로 구분을 한다. 열처리 합금의 주 합금은 구리, 규소, 마그네슘 등이며, 고온 중에 사용하는 합금은 니켈을 함유하고, 인장 강도는 약400[MPa] 정도로 항공기와 미사일 구조물에 쓰인다. 비열처리 합금은 구리, 규소, 마그네슘, 아연을 포함하고, 인장 강도는 약141~246[MPa] 정도이며, **밸브 하우징**valve housing, 음식 취급 장비 등에 사용한다.

알루미늄 합금의 용접 특성은 용접 방법, 용접 조건, 용접봉, 모재 두께 등이 있고, 알루미늄 합금은 열처리 및 기계적 가공에 의하여 강도를 개선한 것이 많은데, 용접으로 인한 풀림 효과를 받으면 강도에 큰 변화가 일어나게 된다. 철보다 약 3배의 열전도도가 크며, 수축은 단위 면적당 50% 정도의 수축이 크게 일어난다. 또한 고온 강도가 약하고, 용접 중 색이 변화되지 않아 식별이 어렵다. 다음은 강과 알루미늄을 비교한 것으로 용접이 곤란한 이유는 다음과 같다.

- 비열 및 열전도도가 커서 단시간에 용융온도로 올리기 위해 열원이 필요하다.
- 알루미늄은 용융점이 낮고, 용융되면 색을 구별하기 어려워 지나친 용융이 되기 쉽다.
- 용융점이 약2072[℃]로 매우 높은 산화 알루미늄이 알루미늄의 표면을 덮고 있어 용접 시 용착금속 형성에 어려움이 있다.
- 산화알루미늄의 비중은 4.0으로 알루미늄의 비중 2.7보다 크므로 용융금속 중에 위로 올라오기가 어려워, 용융 금속 내에 남는다.

- 팽창 계수가 매우 크다.
- 고온에서 강도가 약하고, 용접으로 인한 변형이 크고 균열이 발생될 위험이 있다.
- 용접 시 수분이나 수소가스 등으로 인한 기공 등의 원인이 된다.

① 용접 전원

알루미늄의 용접에서는 고주파를 이용한 평형 교류 용접기를 사용하고 있으며, 인버터 방식과 사이리스터 방식이 있다. 전류를 선택할 때는 표준 용접 조건에 따라 선택을 하게 되지만 재료의 종류, 작업의 조건에 따라 용접속도에 따라 약간의 증감이 필요하다. **표5-12**는 TIG 용접의 자동과 수동 용접의 비교에서 용가재 사용 없이 용접할 때의 여러 가지 용접조건을 나타내고 있으며, **표5-13**은 이음 형상에 따른 여러 가지 용접 조건에 대하여 나타낸 것이다.

표 5-12 용접의 자동과 수동 용접의 비교(용가재 사용 없음)

재료	판 두께 (mm)	자동수동 구별	전극직경 (mm)	용접전류 (A)*	용접속도 (mm/min)	아르곤유량 (ℓ/min)	극성**
알루미늄 판	0.8	자 수	1.6 1.6	130 50~60	1,500 700	10 6	ACHF
	1.6	자 수	3.2 1.6~2.4	250 60~80	1,130 300	10 6	ACHF
	3.2	자 수	4.0 2.4~3.2	400 100~140	750 300	12 7	ACHF

* 받침대 사용의 경우 ** DCSP:직류적극성, ACHF: 고주파 겸용교류

표 5-13 알루미늄의 TIG 용접 조건

재료	판 두께 (mm)	전극지름 (mm)	용접봉지름 (mm)	전류 (A)	아르곤유량 (ℓ/min)	층수	홈형상
알루미늄 (ACHF)	1.0	1.6	0~1.6	50~60	5~6	1	A, B
	1.6	1.6, 2.4	0~1.6	60~90	5~6	1	A, B
	2.4	1.6, 2.4	1.6~2.4	80~110	6~7	1	B
	3.2	2.4, 3.2	2.4~4.0	100~140	6~7	1	B
	4.0	3.2, 4.0	3.2~4.8	140~180	7~8	1	B
	4.8	3.2, 4.0, 4.8	4.0~6.4	170~220	7~8	1	B
	6.4	4.0~6.4	4.0~6.4	200~270	8~12	1~2	C, D

A

B
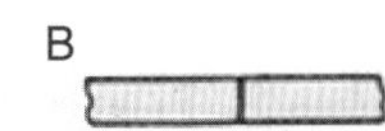
C
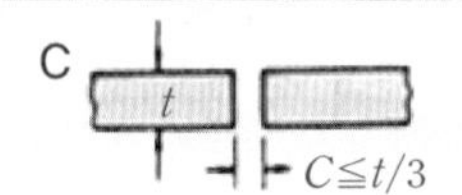

D
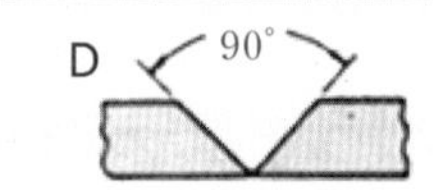

② 전극봉

텅스텐 전극봉은 KSD 7029에 규정하는 것을 사용하고 용접봉 지름에 따른 용접 전류의 범위는 **표5-14**에 표시된 범위에서 하도록 하며, **표5-15**는 전극봉 지름에 대한 직류와 교류의 범위를 나타내고 있다. 텅스텐 전극봉의 끝 부분이 오손, 산화, 모양불량 등이 생긴 경우에는 텅스텐 전용그라인더나 탁상 그라인더로 가공 방법에 따라 가공을 한다.

표 5-14 용접봉 지름에 따른 전류 범위

용접봉 지름 (mm)	용접 전류 범위 A	용접봉 지름 (mm)	용접 전류 범위 A
1.6	40~100	4.0	180~250
2.0	60~130	5.0	240~360
2.4	70~150	6.0	340 이상
3.2	130~200		

표 5-15 텅스텐 전극봉 지름에 대한 용접 전류 범위

단위: A

텅스텐 전극 지름 (mm)	직류	불평형교류		평형교류	
	순텅스텐	순텅스텐	토륨함유 텅스텐	순텅스텐	토륨함유 텅스텐
1.0	15~80	10~60	15~80	10~40	10~60
1.6	70~150	40~100	60~130	30~70	40~80
2.4	150~250	80~160	110~220	60~110	70~130
3.2	250~400	140~210	190~290	100~150	110~170
4.0	400~500	190~270	260~360	130~190	150~220
5.0	500~700	250~350	330~450	170~240	200~280
6.4	750~1000	300~450	–	210~300	250~350

〈비고〉 평형 교류인 경우 상한치는 약 30% 감소한 것으로 한다.

③ 보호 가스

보호 가스는 용접 방법, 판 두께, 용접 자세 등에 따라 아르곤, 헬륨 또는 그것들의 혼합 가스를 사용한다. 알루미늄 용접에서 발생하는 기공은 아크 분위기 중에 수분이 함유되어 있는 경우가 가장 많은 원인이 되며, 특히 아크가 불안정하게 되면 생기기 쉽다. 기공은 He-Ar 혼합가스일 때 최소가 된다.

헬륨 가스는 용입이 깊고 용접 속도가 빠른 반면 아르곤 가스를 사용하면 아크가 안정되기 때문에 헬륨과 아르곤을 병행하여 사용하면 아크가 안정되면서 용입이 깊고, 용접속도가 빠르다. 여러 가지 조건에 따라 헬륨과 아르곤 가스의 비율을 75:25, 65:35, 50:50 등 다양한 방법으로 사용할 수 있다.

알루미늄 용접에서는 가스의 순도가 중요한데 아르곤 가스의 경우, 순도는 99.99[%] 이상이지만 산소나 수분의 함량에 따라 등급이 달라지므로 1급의 가스를 사용하는 것이 바람직하다. 용접을 처음 시작할 때는 가스 호스에 남아 있던 불순물이나 수분이 혼입되어 나와 용접에 영향을 미칠 수 있어 가스를 몇 초간 분출 후에 용접을 시작하는 것이 좋다.

④ 용접시공 준비

알루미늄 합금은 용접하기 까다로운 비철금속이며, 산화 알루미늄은 용접하기 전에 표면을 깨끗하게 청소를 해야 한다. 알루미늄에는 열처리 합금과 비열처리 합금이 있다. 열처리 합금은 시간이 경과함에 따라 강도를 갖게 되는데, 인장 강도의 중대한 감소는 용접된 알루미늄이 오랜 시간이 지나 한계에 이를 때 일어날 수 있다.

가) 그루브 및 그루브 가공

이음 준비는 여러 조건에 따라 다르나 그루브 각도, 루트 간격, 루트 면의 선택은 이음두께, 자세 및 용접 방법에 따라 결정한다. 루트 간격은 1.5[mm]보다 크거나 같은 경우에는 백킹재를 사용하며, 백킹재에는 그루브를 주어야 한다. **표5-16**은 홈의 모양 및 치수로 편면 용접을 위한 맞대기 용접 이음 조건과 양면 용접을 위한 맞대기 용접 이음 조건을 나타내고 있다.

판두께가 4[mm] 이상의 차이가 있는 경우 또는 한쪽의 판 두께가 4[mm] 미만이고 두꺼운 쪽과의 사이에 2[mm] 이상의 차가 있는 경우는 맞대기 이음의 그루브 모양은 후판 쪽에 테이퍼를 주어 재료에 급격한 변화가 일어나는 것을 피해야 한다. **그림5-98**은 판 두께가 다른 모재의 홈 모양을 나타낸 것이다.

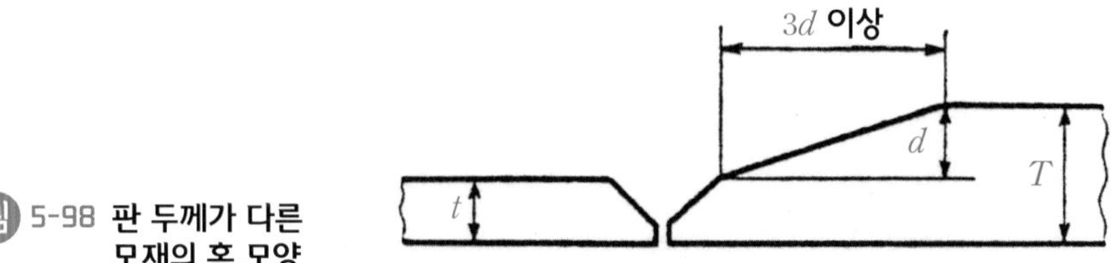

그림 5-98 판 두께가 다른 모재의 홈 모양

표 5-16 홈의 모양 및 치수

이음의 종류		홈 모양	모재 두께 ($t$mm)	용접 층수	치수		비고
					티그인 경우	미그인 경우	
판의 맞대기 이음	I 형	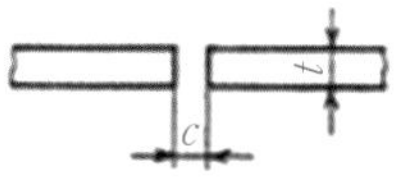	c 이하	1~2	$c \leqq 3$	$c \leqq 2$ 뒷받침쇠를 사용할 때는 $c \leqq t$	모서리를 모떼기 하여도 좋다.
	V 형	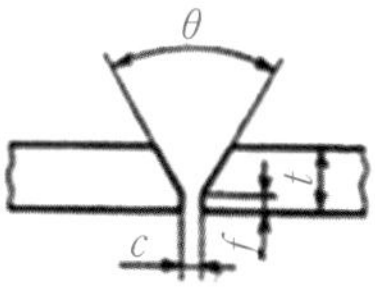	4~25	1 이상	$c \leqq 3$ $f \leqq 3$ $\theta = (60 \sim 110^\circ) \pm 5^\circ$	$c \leqq 3$ $f \leqq 3$ $\theta = (40 \sim 80^\circ) \pm 5^\circ$	뒷받침을 사용하든가 뒷면벗기기 및 뒷면 용접을 해도 좋다.
	뒷받침 쇠붙이 V 형	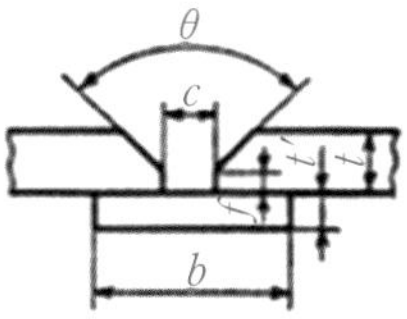	4 이상	1 이상	–	$c = 3 \sim 6$ $f \leqq 6$ $\theta = (45 \sim 70^\circ) \pm 5^\circ$ $t' = 4 \sim 10$ $b = 20 \sim 50$	티그 용접에 사용하여도 좋다.
	X 형	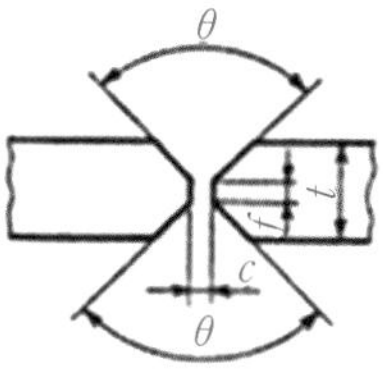	8 이상	2 이상	$c \leqq 3$ $f \leqq 2$ $\theta = (40 \sim 90^\circ) \pm 5^\circ$		X형의 중심을 어긋나게 하여도 좋다. 뒷면벗기기 한 후 뒷면용접을 한다.
	U 형	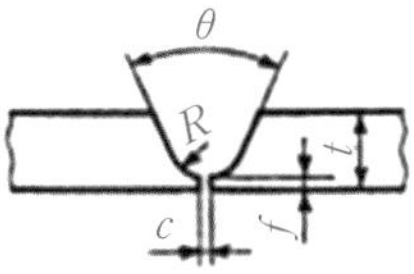	8 이상	2 이상	$c \leqq 2$ $f = 1.5 \sim 3$ $R = 4 \sim 8$ $\theta = (30 \sim 60^\circ) \pm 5^\circ$		뒷받침을 사용하든지 뒷면벗기기 및 뒷면용접을 하여도 좋다.
	H 형	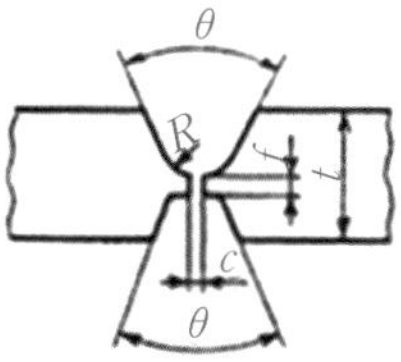	16 이상	2 이상	$c \leqq 2$ $f = 4 \sim 5$ $R = 6 \sim 8$ $\theta = (30 \sim 60^\circ) \pm 5^\circ$		H형의 중심을 어긋나게 하여도 좋다. 뒷면벗기기 한 후 뒷면용접을 한다.

나) 전처리

모재의 이음 부위는 용접 후 즉시 표면의 산화물 또는 다른 부착물로 인하여 용접 결함이 되지 않도록 하여야 한다. 기계적인 방법은 유기용제로 탈지 후 깨끗한 스테인리스강제의 가느다란 와이어 브러쉬로 연마하여 산화막을 제거한다.

또한 화학적인 방법으로는 5~10% 수산화나트륨 용액(약 70℃)에 30~60초간 담가 물로 씻고, 약 15% 질산에 약 2분간 담가 물로 씻은 후 온탕에서 세척하여 건조시킨다.

다) 지그 및 고정구 사용

알루미늄 용접은 용접으로 인한 변형이 생기기 쉬워 가능한 구속 지그를 사용하여 용접을 하는 것이 바람직하며, 구속 용접이 곤란한 용접인 경우는 용접 순서를 달리하여 변형이 최소화 되도록 하여야 한다.

지그 및 고정구의 재료는 자기를 발생할 염려가 있는 경우는 비자성 재료를 이용하여야 한다. 용접선에 대한 불균일이 없도록 하고, 판 두께가 다른 경우에는 변형 방지에 특히 주의해야 한다. 또한 변형을 방지하기 위해 역 변형을 주고 수축에 대하여 미리 수축 값을 예상하여 용접을 한다.

라) 받침쇠 및 뒷받침

이면에 보강을 할 필요가 있는 용접에서 받침쇠나 뒷받침 재료를 사용하여 용접을 하게 되는데, 받침쇠는 모재와 동일한 재료로 사용하고, 뒷 받침은 구리 등의 비자성재료나 스테인리스강을 사용하는 것이 바람직하다. 경우에 따라서는 홈이 있는 뒷받침을 사용한다.

⑤ 용접 방법

가) 가접

가접은 본 용접을 하기 전 재료의 강도에 맞는 용접을 하기 위해 모재의 형상 유지와 루트 간격을 유지하여 본 용접을 원활히 하기 위한 과정으로 가용접에서 결함이 발생하여 본 용접에서 결함이 발생되는 원인이 되지 않도록 하여야 하는 중요한 용접이므로, 크레이터 부분에 특히 유의를 해야 한다. 모서리나 끝부분 및 기타 응력이 집중되는 장소에는 가접을 하지 않도록 한다.

나) 예열 및 패스간 온도

알루미늄인 경우 일반적으로 예열을 하고 있지 않지만, 두꺼운 판을 낮은 전류로 용접을 하고자 하는 경우, 용접 균열 방지, 블로홀 등의 발생을 방지하고자 예열을 하게 된다. 예열은 풀림재는 200℃ 이하, 가공경화재 및 열처리재는 100~150℃ 이하를 기준으로 한다.

패스 간 온도는 온도차가 높지 않도록 주의하여 용접을 하고, 온도차가 높으면 국부적인 입계 용융에 의한 미세 갈라짐이 발생할 수 있다.

다) 용접 표면 비드

다듬질 하지 않는 비드 표면의 경우 비드와 모재가 만나는 부분은 응력집중의 원인이 되므로 되도록 균일하고 매끈한 모양이어야 하고 각은 되도록 둔각이어야 한다. 필릿 용접에서의 표면 모양은 원칙적으로 평면으로 한다. **표5-17**은 맞대기 용접의 표면에서의 비드 높이를 나타낸 것이다.

표 5-17 표면 비드의 높이

판 두께 또는 살 두께 t (mm)	덧살 높이 (mm)
6 이하	2 이하
6 초과 15 이하	⅓t 이하
15 초과 25 이하	5 이하
25를 초과하는 것	7 이하

라) 변형 제거

용접으로 발생된 변형은 기계적 방법, 점 가열 방법, 선 가열 방법 등에 의해 교정을 한다.

기계적 방법은 롤러, 프레스, 잭, 해머를 이용한 방법이 사용되고, 재료를 국부적으로 가열을 한 후 수랭하여 열 수축을 이용한 방법, 가열 후 기계적인 방법에 의해 열간 가공하는 방법 등이 있다.

또한 열간 가동에 의한 변형제거는 다음 **표5-18**과 같이 가열 한계온도에서 실시하여야 한다.

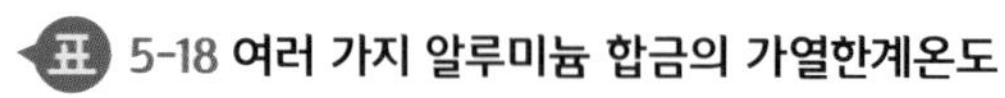
표 5-18 여러 가지 알루미늄 합금의 가열한계온도

합 금	가열 한계 온도 [℃]	
	가열급랭	가열가공
A1070	450 이하	400 이하
A1050	300 이하	300 이하
A1100, A1200	200 이하	200 이하
A2014	450 이하	400 이하
A2017, A2219	300 이하	200 이하
A3003	450 이하	400 이하
A3203	350 이하	350 이하
A5005, A5052, A5154	300 이하	250 이하
A5254, A5056, A5083, A5N01	300 이하	250 이하
A6101, A6061, A6N01, A6063	250 이하	250 이하
A7003, A7N01	300~350	200 이하

마) 검사

용접을 종료 후 용접부의 여러 가지 결함인 균열, 언더컷, 오버랩, 크레이터 등의 유무를 육안으로 조사한다. 표면의 갈라짐 등의 검사를 침투탐상 시험에 의해 실시한다. 내부 결함은 방사선 투과 시험이나 초음파 탐상 시험에 의한 방법으로 품질을 검사한다.

(4) 동 및 동합금의 용접

동의 용접성을 볼 때 순동의 열전도율은 강의 8배 이상, 알루미늄의 2배 정도로 용접열을 급속히 모재가 흡수하므로 쉽게 용융이 되지 않기 때문에 용융부족 현상이 생기기 쉽다. 그러므로 동의 용접에는 고온의 예열온도가 필요하다. 그러나 동합금은 그 열전도율이 합금성분에 따라 달라지므로 예열 온도도 이를 감안하여 조절해야 한다.

동 및 동합금의 용융온도는 약 900~1,100℃ 이지만 열전도도가 높아 다른 금속에 비해 가열시간이 오래 걸린다. 또한 용융금속이 응고될 때는 수소, 산소, 아황산가스 등이 발생되어 기공이 쉽게 용접금속 내에 나타난다. 특히 인(P)이나 규소(Si) 알루미늄(Al) 등의 탈산제가 함유된 동합금 용접에는 더욱 심하므로 용접 시 주의를 요한다.

동 및 동합금 용접에서는 재질의 종류에 따라 사용하는 전류, 전극봉, 보호가스와 용접방법이 다르므로, **표5-19**와 **표5-20**을 참조하여 적당한 용접조건을 선택하여 용접한다.

① 동의 용접

동은 TIG용접으로 가장 우수한 용접금속을 얻을 수 있다. 열전도율이 높아 예열을 하거나 박판일 경우에는 아크열로 시작점에서 가열한 후 용융지가 형성될 때 용접해 나간다. 보호가스는 주로 아르곤 가스를 사용하지만 아르곤 25%–헬륨 75%로 혼합하여 사용하는 경우도 있다. 용가재는 동일 한 재질의 YCu를 사용한다.

표 5-19 탈산동의 용접 조건

재료	판 두께 (mm)	전극지름 (mm)	용접봉지름 (mm)	전류 (A)	아르곤유량 (ℓ/min)	층수	홈형상
탈산동 (DCSP)	0.6	1.0, 1.6	0~1.6	50~70	3~4	1	A, B
	1.0	1.6	0~1.6	60~90	3~4	1	A, B
	1.6	2.4	1.6~2.4	80~120	3~4	1	B
	2.4	2.4, 3.2	2.4~3.2	110~150	4	1	B
	3.2	3.2, 4.0	3.2~4.8	140~200	4~5	1	C
	4.0	3.2, 4.0, 4.8	4.0~4.8	180~250	4~5	1	D, C
	4.8	4.0, 4.8	4.8~6.4	250~300	5~6	1	D, C
	6.4	4.0, 4.8, 6.8	4.8~6.4	300~400	5~6	1~2	D, C

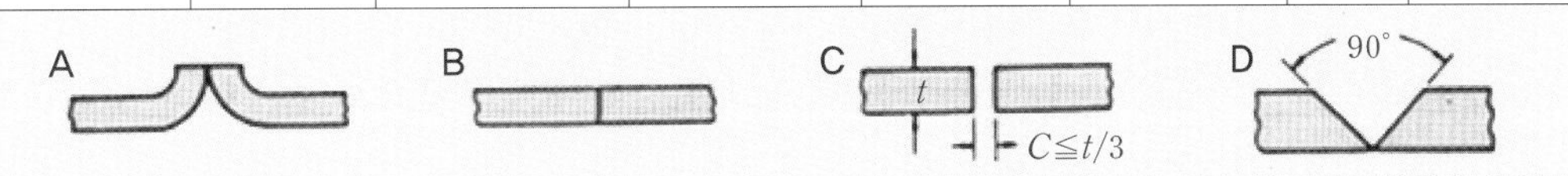

표 5-20 동 및 동합금 용접 조건

<table>
<tr><th>모재</th><th>용가재</th><th>전류</th><th>전극봉</th><th>보호가스</th><th>비고</th></tr>
<tr><td>순동(Cu)</td><td>RCu</td><td>DCSP</td><td>토륨2%텅스텐</td><td rowspan="3">Ar 또는
Ar + He</td><td>후판은 높은 예열온도</td></tr>
<tr><td>황동</td><td>RCuZn–B
RCuZn–C
RCuZn–D</td><td>DCSP</td><td>토륨1%텅스텐</td><td>예열 필요
납 함유 불필요</td></tr>
<tr><td>인청동</td><td>RCuSn–A
RCuSn–C
RCuSn–D</td><td>DCSP
ACHF</td><td>토륨2%텅스텐</td><td>용접속도 빠르게
예열 불필요</td></tr>
<tr><td>알루미늄청동</td><td>RcuAl–A2
RcuAl–B</td><td>ACHF</td><td rowspan="3">토륨1%텅스텐</td><td>Ar, He 또는
Ar + He</td><td>비교적 용접이 쉬움</td></tr>
<tr><td>규소청동</td><td>RcuSi–A</td><td>DCSP</td><td rowspan="2">Ar</td><td>–</td></tr>
<tr><td>큐프로니켈</td><td>RCuNi</td><td>DCSP</td><td></td></tr>
</table>

동의 홈의 형상에 따른 TIG 용접 조건을 **표 5–21**에 나타내었다.

표 5-21 동의 홈의 형사에 따른 TIG 용접 조건

재료 두께 (mm)	홈의 형상	층수	용접순서	전극봉 (mm)	전류 (A)	전류 (V)	가스 유량 (ℓ/min)
0.8~2.4		2	1, 2	3.2	180 220	22 24	10
3.2~5.6	90°, 1.6	2	1, 2	4.8	240 280	22 24	10
6.4~9.6	90°, 1.6	2	1, 2	4.8	380 440	24 26	12
12.7	90°, 1.6	3	2, 3, 1, 4	4.8	480 520	24 26	12
16.0~19.1	25.4~31.8, 3.2	5	4, 5, 2, 3, 6, 1	4.8	480 520	24 26	12
22.2~31.8	19.1~22.2, 3.2	6~8	6, 7, 4, 5, 3, 2, 8, 1	4.8	480 520	24 26	12

② 황동의 용접

황동 TIG 용접은 선박 기계류의 보수용접에 많이 이용된다. 용가재는 아연성분이 적은 황동의 용접에는 YCuSn-A와 YCuSi를 사용하고 아연성분이 많은 황동용접에는 YCuAl가 사용된다. 예열온도는 200℃ 정도로 한다. 납이 0.5% 이상 함유된 황동용접은 유해한 가스가 발생되어 기공이 원인이 되므로 주의한다.

③ 규소 청동의 용접

용가재는 YCuSi-A 또는 YCuSi-B를 사용하고 예열은 필요하지 않으며 전류는 교류 또는 직류 정극성을 사용한다.

④ 인청동의 용접

인청동 TIG 용접은 주로 주물의 보수용접에 많이 이용된다. 용접전 200[℃]로 예열한 후 신속하게 용접해야 한다. 용접 후 열간 피닝을 해주면 용접금속이 치밀해지고 잔류응력이 감소된다. 용가재는 YCuSn A 와 YCuSn B를 사용하고 보호가스는 아르곤 또는 아르곤 25%-헬륨75%를 혼합하여 사용한다.

⑤ 알루미늄 청동의 용접

알루미늄 청동의 용접은 비교적기공이 적게 발생되며 완전한 용접부가 얻어지고 비드 외관이 아름답다. 용가재는 YCuAl을 사용하며 전류는 교류 고주파가 적합하다. 보호가스는 순수 아르곤 가스보다 아르곤25%+헬륨75%의 혼합가스가 좋다. **표 5-22**는 알루미늄 청동의 TIG 용접 조건을 나타내고 있다.

표 5-22 알루미늄 청동의 TIG 용접 조건

판 두께 (mm)	이음		가스 유량 (ℓ/min)	층수	전류 (A)
	형식	형상			
6	맞대기	90° V형	8~10	2	200
10	맞대기	90° V형	8~10	3	250
12	맞대기	90° V형	8~10	4	260

(5) Ti 및 Ti 합금의 용접

Ti은 비중이 약 4.5로 실용금속중 Mg, Al 다음으로 가볍고 강도가 높은 금속으로 해수 및 암모니아 등에 대하여 매우 우수한 내식성을 가지고 있어 원자력, 화력 수력발전도 부품, 각종 화학 플랜트, 해수 담수화 시설등에 널리 사용되고 있다. 특히 강도/비중비가 높아 항공기 재료, 각종 스포츠 용품, 패션용품(안경, 자전거)등에 이르기까지 용도가 매우 다양하다.

표 5-23은 Ti의 물리적 성질을 다른 금속과 비교하여 나타낸 것으로 융점이 높고 탄소강에 비하여 밀도가 높으며 탄성계수는 스테인리스강에 비하여 약 1/2정도이다. 그러나 **그림5-99**에서 보는 바와 같이 대기중에서 가열하면 250℃ 부근에서부터 변색되기 시작하여 600℃ 이상에서는 급격히 산화되어 Ti의 고유 광택인 은백색을 잃고 내식성 및 기계적 성질이 크게 손상되는 특징을 가지고 있다.

순수 Ti은 불순물 함유량에 따라 ASTM에서는 4종류로 구분하며 Ti 3금은 실온에서 조직에 따라 표 **5-24**와 같이 Ti와 Ti 합금의 종류와 기계적 성질에서 α형, β형, $\alpha+\beta$형 등 크게 3종류로 구분하고 있다.

표 5-23 Ti과 다른 금속과의 물리적 성질 비교

	Ti	Al	Fe	스테인레스강	Hastelloy
용융점[℃]	1670	660	1530	1400~1427	1305
밀도[g/cm³]	4.51	2.70	7.86	8.03	8.92
탄성계수[10³ MPa]	106	69	192	199	204
전기전도도 [Cu=100]	3.1	64.0	18.0	2.4	1.3
열전도도 [cal/cm²/sec/℃/cm]	0.041	0.487	0.145	0.036	0.031
비열 [cal/g/℃]	0.13	0.21	0.11	0.121	0.009

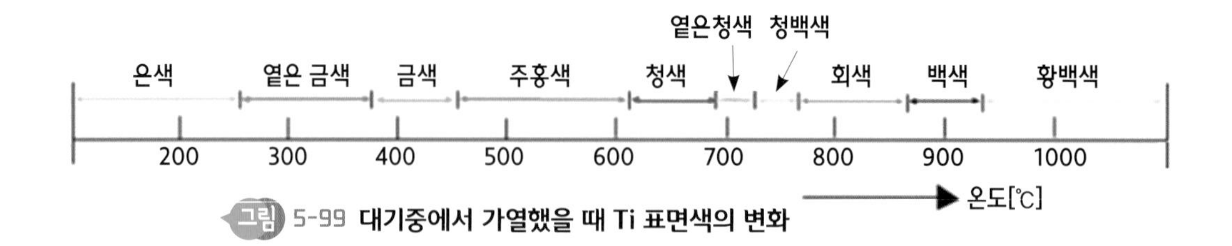

그림 5-99 대기중에서 가열했을 때 Ti 표면색의 변화

표 5-24 Ti 및 Ti 합금의 종류와 기계적 성질

종류	구분	인장강도(MPa)	항복강도(MPa)	연신율[%]
순수 Ti 1종	α	217~412	≥167	≥27
순수 Ti 2종	α	343~510	≥216	≥23
순수 Ti 3종	α	480~601	≥343	≥23
순수 Ti 4종	α	≥549	480~647	≥15
순수 Ti 1종	α	274~412	≥167	≥27
Ti-0.15Pd	α	343	274~451	≥20
Ti-51a	α	343~510	≥216	≥23
Ti-5Al-2.5Sn	α	≥431	≥794	≥10
Ti-6Al-4V Ti-6Al-4V	$\alpha+\beta$ $\alpha+\beta$	≥892 1000~1245	≥823 931~1205	≥10 5~10
Ti-8Al-1Mo-1V	$\alpha+\beta$	1000~1107 1137~1274	970~1000 980~1176	10~20 8~12
Ti-6Al-4V-2Sn Ti-6Al-4V-2Sn	$\alpha+\beta$ $\alpha+\beta$	1039~1176 1313~1519	892~1039 1205~1411	10~15 1~6
Ti-13Al-11Cr-3Al	β	892~1000 1313~1656	862~970 1176~1519	10~20 5~10
Ti-11, 5Mo-6Zr-4.5Sn	β	≥686	≥617	≥10

용접구조용 판재, 관재로 가장 일반적인 것은 Ti 2종으로 강도가 높고 용접이 용이한 장점이 있다.

α형 합금은 Al과 소량의 합금원소를 함유한 것으로 산에 대한 내식성이 좋아 염산, 황산 등을 사용하는 화학용기에 사용되고, 고온강도가 높아 항공기 부품등에 이용되고 있다.

β형 합금은 β안정화 원소인 V, Mo, Cr 등을 다량으로 첨가하여 용제화 처리한 것으로 고온강도를 갖는 특징이 있다.

$\alpha+\beta$형 합금은 강도 조절이 용이하여 항공기 부품에 많이 쓰이며, 용접성 및 성형가공이 용이한 특징을 가지고 있다.

① 용접 전원

용접전원은 저전류 영역에서 아크가 안정되고 펄스 전류를 적절히 조정할 수 있는 장치가 바람직하며, 용접중에도 용접전류를 쉽게 조절할 수 있는 원격 조정 장치가 부착된 것이 좋다. **표 5-25**는 직류 정극성에서의 Ti의 용접 조건을 나타내고 있다.

표 5-25 Ti의 용접 조건(DCSP)

모재 두께 (mm)	용접전류 (A)	용접속도 (cm/min)	전극경 (mm)	Ar 가스량 (ℓ/min)
	하향			
1.0	35	30	1.0	7
1.2	60	25	1.6	8
1.4	70	30	1.6	8
1.6	80	25	1.6	9
1.8	100	30	1.6	10
2.0	125	25	1.6~2.4	11
2.6	140	30	1.6~2.4	11
3.0	160	25	2.4~3.2	12
3.2	195	25	2.4~3.2	12

극성은 일반적으로 직류 정극성을 사용하며, 용접 토치는 충분한 용량을 가지고 용접부 뒤쪽 비드까지 충분히 보호할 수 있는 특별한 장치가 요구된다. **그림5-100**은 각종 보조 퍼징용 지그를 나타내고 있다.

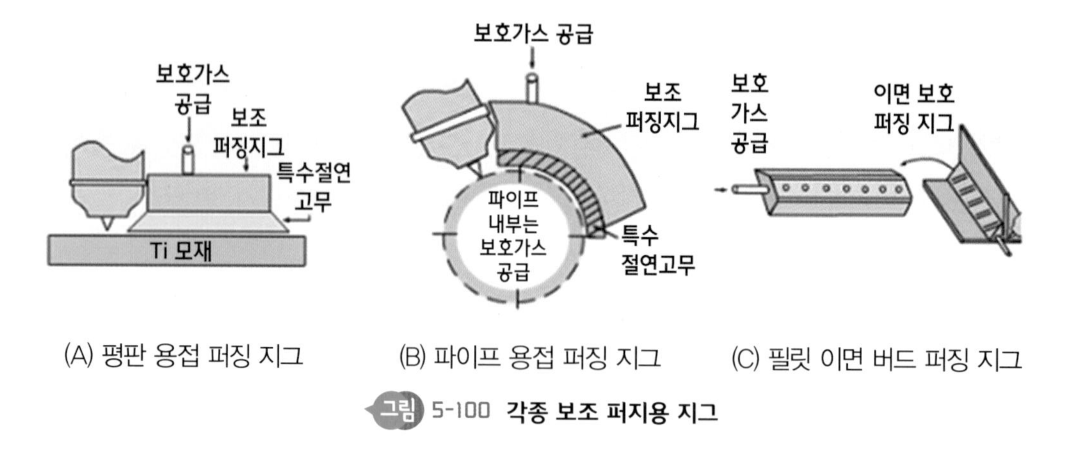

(A) 평판 용접 퍼징 지그 (B) 파이프 용접 퍼징 지그 (C) 필릿 이면 버드 퍼징 지그

그림 5-100 각종 보조 퍼지용 지그

② 전극봉

텅스텐 전극봉은 전자 방사 능력이 우수하고 불순물 부착이 적은 토륨이 함유된 전극봉(EWTh$_{1-2}$)을 사용하고 아크 집중을 좋게 하기 위해 봉 끝을 뾰족하게 연마하여 사용한다. 세라믹 노즐에서 돌출되는 텅스텐 전극봉 길이는 가능한 짧게 하는 것이 유리하며 봉의 청결유지가 잘 되어야 한다.

③ 보호가스

Ti 용접은 대기로부터 철저히 차단된 진공이나 불활성 가스 분위기 상태의 용기 속에서 작업하는 것이 이상적이나, 구조물의 크기, 형상에 따라 시설 보완문제가 뒤따르므로 통산 먼지나 분진이 없는 별도의 청결한 작업장에서 순도(99.99%이상)가 높은 Ar가스를 공급하고, 특수 고안된 용접 비드 보조 퍼징 지그를 용접토치에 부착하여 작업한다. **그림5-101**은 토치의 보호 가스 공급 장치를 나타내고 있다.

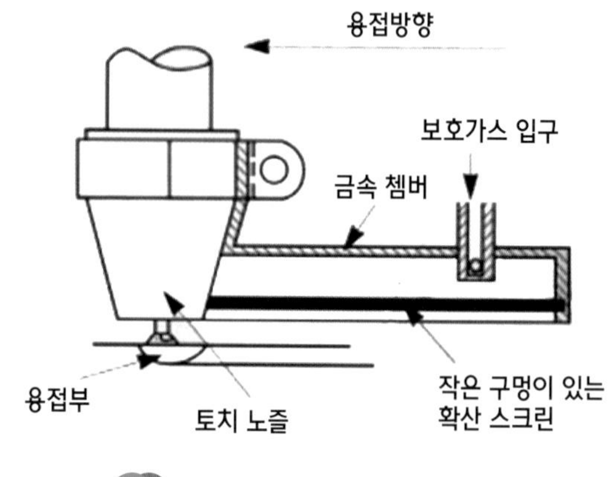

그림 5-101 가스 보호 공급 장치

얇은 판재의 경우 백 퍼징에 유의하고, 특히 파이프의 경우 스테인리스강 용접에서와 같이 보호가스를 충분히 공급한 후 용접해야한다. 이때 보호 가스량이 많을 경우 내부 압력에 의해 이면 비드 형성이 나쁘게 되므로 주의할 필요가 있다.

Ar 가스를 사용하는 경우 공급 배관이나 호스 등이 오염되어 있거나, 흡습, 누설 등이 있으면 가스 순도가 떨어져 용접부에 결함을 가져오게 되므로 주의해야 한다.

보호가스를 적정 기준 값보다 많게 할 경우 기공 발생이 증가하게 되는데 이는 노즐에서 분출되는 보호가스 속도가 빨라져 와류를 일으키게 되며, 용착금속의 냉각속도를 빠르게 하여 용착부가 액상으로 유지시간이 짧게 되어 가스배출이 안 되는 것이다.

일반적으로 보호가스 지연시간은 모재가 250℃ 이하로 될 때까지 공급하고 풍속 2[m/sec] 이상에서는 이동용 칸막이 등을 이용한 방풍 장치를 해주어야 한다. 배출하는 공기는 위쪽에서 지면방향으로 설계하는 것이 바람직하며, 배출공기의 흐름이 느껴지지 않을 정도로 하는 것이 좋다.

④ 용접 요령

가) 절단 및 용접 준비

Ti 재료의 절단 및 홈의 가공은 기계가공, 플라스마 또는 레이저 절단 하는 것이 바람직하다. 플라스마나 레이저 절단의 경우 용접 홈 내의 요철 등은 기계가공으로 깨끗이 제거해야 하며, 변색된 부분까지 완전히 없애야 한다.

부적정한 홈의 가공은 불순물에 의해 기공의 원인이 되기도 하며, 조직이 조대화하는 경향이 있으므로 기계가공 후에도 용접부의 이물질을 세척액(알콜, 아세톤, 솔벤트 등)으로 깨끗이 세척하는 것을 잊지 말아야 한다. 산세(5% HF-20% HNO3 용액)의 경우 2분 이내에 완료하고 산세 후에도 24시간 이내에 용접하는 것이 좋다.

그라인더 가공의 경우 숫돌차의 칼슘 카바이드 입자가 용접부에 남게 되면 기공 등을 발생하므로 사용을 금하고, 부득이한 경우 변색되지 않을 정도의 저속으로 작업하며 연삭부된 부분은 세척해야 한다. 또한 전단가공의 경우에도 전단면의 거칠기에 따라 용착부에 기공을 다량 발생시키므로 전단면의 기계가공도 세심한 주의가 필요하다.

나) 용접시공

가 용접은 가능한 짧게 하고 본 용접과 동일한 조건에서 실시하도록 한다. 판재의 경우 대부분 두께가 얇기 때문에 I, V형 홈을 채택하여 가능한 패스 수를 적게 시공하는 것이 용접변형 등을 고려할 때 유리하다. **표5-26**은 홈의 형상에 따른 용접 조건을 나타내고 있다.

층간온도는 150℃ 이하로 유지하고 운봉은 가급적 피하는 것이 좋다. 운봉을 하게 되면, 보호가스 분위기가 흐트러져 대기에 의한 오염을 증가시키고 용착부가 넓어지므로 좋지 못한 결과를 초래한다. 노즐은 일반 TIG용접시의 것보다 큰 구경을 사용하여 용접부를 충분히 보호 할 수 있어야한다.

표 5-26 티타늄의 표준 용접 조건

판두께 (mm)	홈의 형상	층수	루트간격 (mm)	루트면 (mm)	홈의 각 [°]	용접전류 [A]	텅스텐전극봉 [mm]	용접봉 [mm]	가스유량 (ℓ/min)
0.5~0.8		1	–	0.5~0.8	–	20~40	φ1.0~φ1.6	φ0.8~φ1.0	8~10
		1		–		25~40			10~15
1.5		1	–	–	–	60~80	φ1.6	φ1.6	12~15
		1							
3.0		2	–	0~0.5	50~60	60~120	φ2.4	φ2.4	15~18
		1		–	–	80~150			
5.0		3	0~3.0	0.5~1.5	50~60	60~140	φ2.4 ~φ3.2	φ2.4	18~20
		2	–	–	–	60~90			
10.0		양면 2	3.0~4.0	0.5~1.5	50~60	70~180	φ2.4 ~φ3.2	φ2.4	18~20

그림5-102와 같이 용접봉 공급 시 봉의 선단이 보호가스 분위기 내에 있어야 봉 끝의 오염을 방지할 수 있으며 용접 중단 후 재작업을 할 때에도 사용하던 봉 끝을 확인하고 오염되었을 경우 오염부를 제거하여야 한다.

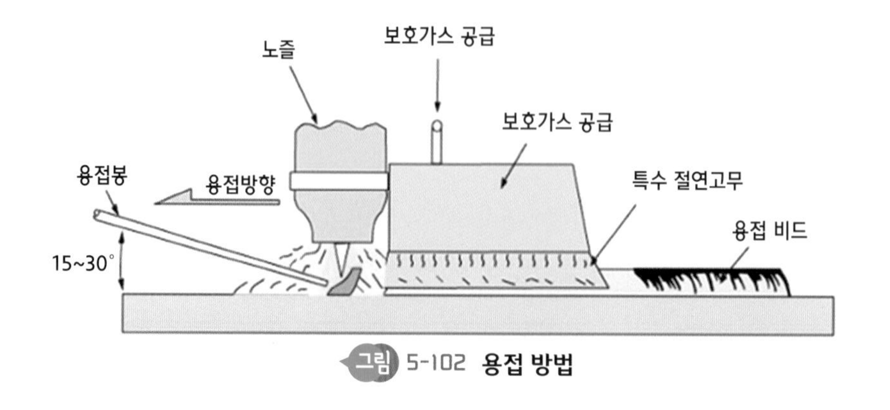

그림 5-102 용접 방법

와이어 브러시 사용은 스테인리스강 제품이나 Ti재 브러시를 사용하고 다른 작업과 혼용하여 사용하는 일이 없어야한다.

얇은 판재나 파이프 용접 시 백 퍼징에 세심한 주의가 필요하며, 판재의 백 퍼징 기구로는 동제품을 사용 하는 것이 용접 열영향부 범위를 좁게 하고 변형방지에 도움이 된다. 또한 용접 변형을 작게 하기 위해서 역 변형, 용접순서, 조립순서 등을 충분히 고려하고 용접을 해야 한다. **그림5-103**의 그림은 현장에서 Ti을 용접하는 장면이다.

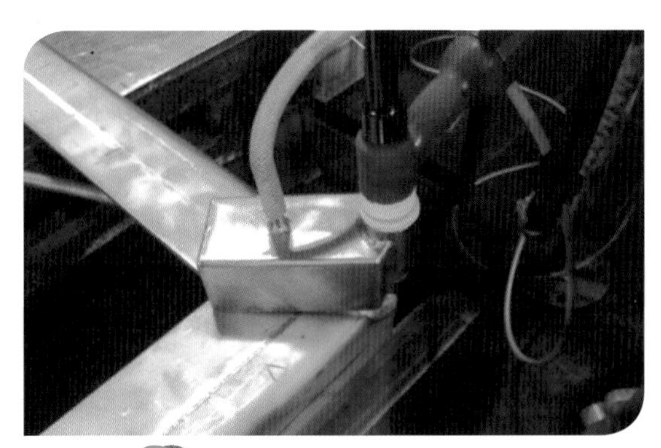

그림 5-103 **티타늄 현장 용접 장면**

3 안전 및 위생

(1) 감전 방지

TIG용접용 전원은 일반적으로 수하특성이다. 수하특성의 전원은 교류 전원으로는 70~80[V], 직류전원으로는 60~70[V] 정도로 무부하 전압이 높으므로 직접 손을 대면 전격의 위험이 있다. 직류 용접기는 전자 개폐기에 의해 작동하도록 되어 있으므로 조금은 안전하다. 그러나 교류 용접기에는 전자 개폐기를 부착하지 않은 것도 많아서 전격에 대한 주의가 특히 필요하다. 또 고주파 회로의 승압 변압기, 콘덴서, 스파크 갭 회로에는 3,000~5,000[V]의 고전압이 필요하므로 감전의 위험이 있다. 그러므로 스파크 갭의 조정을 하기 위해 제어장치나 전원의 덮개를 벗기는 경우에는 반드시 전원스위치를 끄고 취급해야 한다.

그 외 전원, 제어장치 및 토치 등 전기계통의 절연상태를 항상 점검해야 한다. 특히 전원계 제어장치의 접지 단자는 반드시 지면과 접지되도록 해야 한다. 또 케이블 연결부와 단자의 연결 상태가 느슨해지면 통전이 불량해지고 저항열이 발생하므로 주의해야 한다. 용접장비 고장 시에는 반드시 스위치를 끄고 전문가에게 수리를 의뢰하여야 한다.

(2) 아크 광선과 화상

① 방진 마스크

마스크는 사업장에서 발생하는 입자상 물질을 흡입함으로써 인체에 해로울 염려가 있을 때 사용한다. 마스크는 주변산소 농도가 18% 미만인 곳에서는 사용하여서는 안 된다. 마스크의 종류는 직결식, 격리식, 안면부 여과식이 있다. **표5-27**은 마스크의 등급 및 사용 장소에 대하여 나타내고 있다.

표 5-27 마스크의 등급 및 사용 장소(KSM 6673)

등급	특급	1급	2급
사용장소	· 베렐륨 등 강한 독성을 함유한 분진 · 석면 취급장소	· 금속 흄 등과 같이 열적으로 생기는 분진 등 발생장소 · 기계적으로 생기는 분진 등 발생장소	· 특급 및 1급 착용 장소를 제외한 장소

구조는 쉽게 파손되지 않고 취급이 간단하며, 착용자가 필터나 그 밖의 재료를 흡입할 염려가 없어야 한다. 장착 하였을 때 이상한 압박감이나 고통이 없을 것, 전면형은 호흡 시에 투시부가 흐려지지 말고 분리식은 여과재, 흡입 및 배기 밸브를 쉽게 교환할 수 있어야 한다.

② 방독 마스크

사업장에서 발생하는 유독 가스를 함유한 공기를 정화하여 호흡하거나 유독가스와 혼합되어 있는 흄, 미스트, 분진 등을 함유한 공기를 정화하기 위하여 사용한다. 마스크는 주변산소 농도가 18% 이상인 장소에서 사용하여야 한다.

방독 마스크의 형태에 따른 종류로는 격리식 전면형, 격리식 반면형, 직결식 전면형, 직결식 반면형이 있으며, 용접에서는 일반적으로 직결식 반면형 형태의 방독 마스크를 많이 착용하여 사용한다.

일반 구조로는 착용 시 압박감이나 고통이 없어야 하고, 착용자으 얼굴과 방독 마스크 사이의 공간이 너무 크지 말아야 한다. 또한 전면형은 호흡 시 투시부가 흐려지지 않아야 한다.

제품의 호칭 방법은 종류, 방독등급, 시험가스, 방진등급에 따른다. 예를 들어 방독

격리식 전면형(1안식), 고농도(방독등급), 할로겐용(시험가스), 특급(방진등급)으로 표시한다. 정화통의 외부측면의 표시 색은 **표5-28**과 같다.

표 5-28 표면 비드의 높이

종류	표시 색
유기화합물용	갈색
할로겐용, 황화수소용, 시안화수소용	회색
아황산용	황색
암모니아용	녹색
복합용과 겸용	복합용은 해당가스 모두 표시 겸용은 백색과 해당가스 모두 표시

방독 마스크를 착용하기 전 작업장의 여러 조건을 확인 한 후 정확히 용도에 맞는 방독 마스크를 착용해야 유독가스를 정화하여 호흡할 수 있다.

③ 아크 광선

TIG용접의 아크는 전류밀도가 피복 아크 용접에 비해 특히 강해서 눈에 해를 주므로 주의해야한다. 눈의 장해는 주로 적외선에 의해 생긴다. 작업 중에는 증상이 금방 나타나지 않아 무심히 지나는 동안 장기간 누적되어 백내장 등 악성 눈질환에 시달리는 위험이 있다.

또 자외선은 결막이나 각막에 손상을 주어 통증을 유발시키고 시력장애가 나타나는 경우도 있다. 그러므로 용접작업 중에는 반드시 핸드실드 또는 헬멧을 사용해야 하며, 차광유리는 사용 전류값에 맞는 것을 선택해야 한다. 또한 차광유리와 핸드실드 또는 헬멧 사이에 빛이 새어 들어오지 않도록 주의하고, 용접작업장 주의는 차광막을 설치하여 주변사람들에게 피해를 끼치지 않도록 해야한다.

④ 화상

아크에 피부의 노출된 부분은 햇볕에 그을음 같은 화상이 생긴다. 이 화상은 용접전류가 높을수록, 또는 장시간 쪼일수록 심하게 된다. 따라서 앞치마, 장갑, 용접면 등이 보호 장구를 반드시 착용해야 하며, 특히 목 부분이 노출되기 쉽기 때문에 목을 감싸줄 수 있는 보호 장구나 커버가 꼭 필요하다.

CHAPTER 6

자동차 냉각계 튜닝

6 CHAPTER 냉각계 튜닝

01 냉각계 튜닝 기초

1 냉각시스템 개요

연소실에서 발생한 열의 일부는 실린더 헤드, 블록, 밸브, 피스톤 등에 흡수된다. 이러한 각 구성부품의 온도가 과도하게 상승될 경우 부품의 열 변형이 발생하거나 실린더 벽의 유막이 파괴되어 윤활불량과 중대한 열적 장해(실린더 헤드 변형으로 기밀 누유, 실린더 블록의 열 변형, 피스톤의 열 변형으로 오일소비/융착 등)가 발생하게 된다. 그리고 연소상태도 나빠지고, 노크 또는 조기점화와 같은 이상연소를 일으켜 피스톤과 엔진에 직접적인 손상을 줄 뿐만 아니라 열효율 및 출력 저하가 발생한다. 반대로 과도한 냉각은 출력, 연비의 악화 및 실린더의 저온 마멸 등의 악영향을 미치기 때문에 냉각수 온도를 적정하게 제어할 필요가 있다(**그림 6-1**).

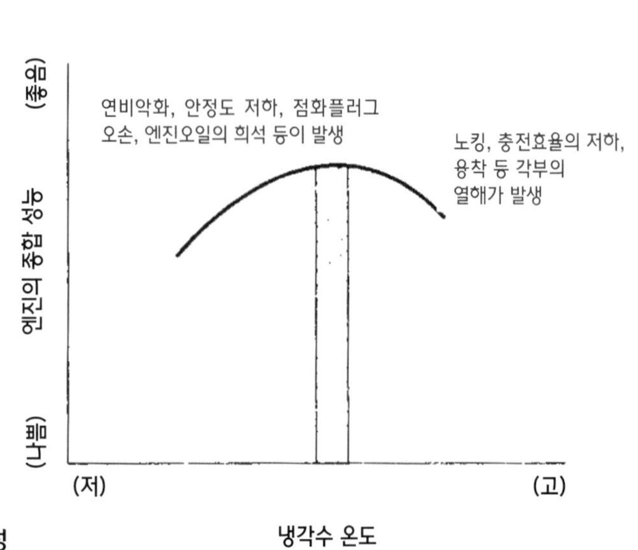

그림 6-01 **냉각수 온도에 따른 엔진 종합성능 변화 특성**

엔진의 냉각 방법으로는 열을 엔진 구성부품의 겉 표면으로부터 공기에 직접 방출하는 공랭식과 연소실 표면으로부터 액체로 전달하고 방열기(라디에이터)를 거쳐 외기로 방출하는 수랭식이 있다. **표 6-1**은 공랭식과 수랭식의 장, 단점을 비교하였다.

표 6-1 공랭식과 수랭식의 장, 단점 비교

항목	수랭식	공랭식
냉각효과	• 각 부분의 균일 냉각 가능 • 냉각 능력이 큼	• 균일 냉각 어려움 • 열변형을 일으키기 쉬움
출력/내구성	• 압축비를 높여 평균 유효압력 증대로 출력 증가 가능 • 열부하 용량 증대로 내구성 뛰어남	• 압축비가 낮고, 냉각 팬 손실마력 등으로 고 출력화가 곤란함
중량/용량	• 워터재킷, 방열기, 워터펌프 등이 필요하지만 체적 간소화됨	• 냉각 팬, 실린더 도풍커버 등이 필요하고 체적이 커짐
연비/오일소비/마멸	• 열효율이 높고 연비가 좋음 • 열 변형이 적고, 오일소비가 적음 • 저온 마멸 가능성 있음	• 연비, 오일 소비가 높아지는 경향이 있으며 오일의 고온 열화 발생 • 저온 마멸 적음
소음	• 워터재킷의 방음벽 역할로 소음이 적음	• 냉각 팬 및 냉각 핀에 의한 소음이 큼
보수	• 냉각수의 보수 점검 필요	• 보수점검이 용이

2 열 부하와 냉각

연소실 내에서 연소한 작동 가스는 팽창행정에서 피스톤 헤드에 연소가스 압력을 작용시켜 일을 함과 동시에 연소실 벽면에 열을 전달한다. 그 대문에 연소실 벽에 유입된 열을 냉각시켜 연소실 온도를 구성부품의 허용온도 이하로 유지하고, 노킹을 발생하지 않는 온도로 안정된 연소가 이루어질 수 있도록 온도를 유지할 필요가 있다.

엔진에 공급된 연료가 완전히 연소하여 발생되는 총 열량을 100%라고 하고 이 열량이 유효일 외에 변환되고 분배되는 정도를 나타낸 것을 **열정산**heat balance이라고 하며, 그 결과 엔진의 성능을 평가하는데 사용된다.

일반적으로 발생된 총 열에너지는 크게 다음에 나오는 4가지로 분배가 된다. (다음 페이지)

① 유효일로 변환되는 열량(축 출력)
② 냉각매질에 빼앗기는 열량(냉각손실)
③ 배기가스에 빼앗기는 열량(배기손실)
④ 마찰손실, 방사열 등 주위에 빼앗기는 열량(그 밖의 손실)

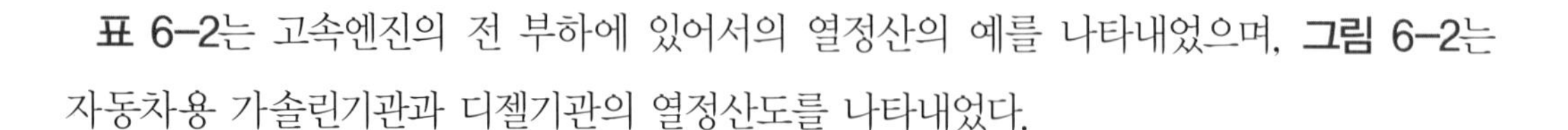
표 6-2는 고속엔진의 전 부하에 있어서의 열정산의 예를 나타내었으며, **그림 6-2**는 자동차용 가솔린기관과 디젤기관의 열정산도를 나타내었다.

표 6-2 고속기관의 열정산

항목	불꽃점화 엔진	압축착화엔진
축 출력	25~30%	35~40%
냉각열 손실	35~45%	25~30%
배기열 및 방사열 손실	35~20%	35~25%
기계 손실	6~5%	7~5%

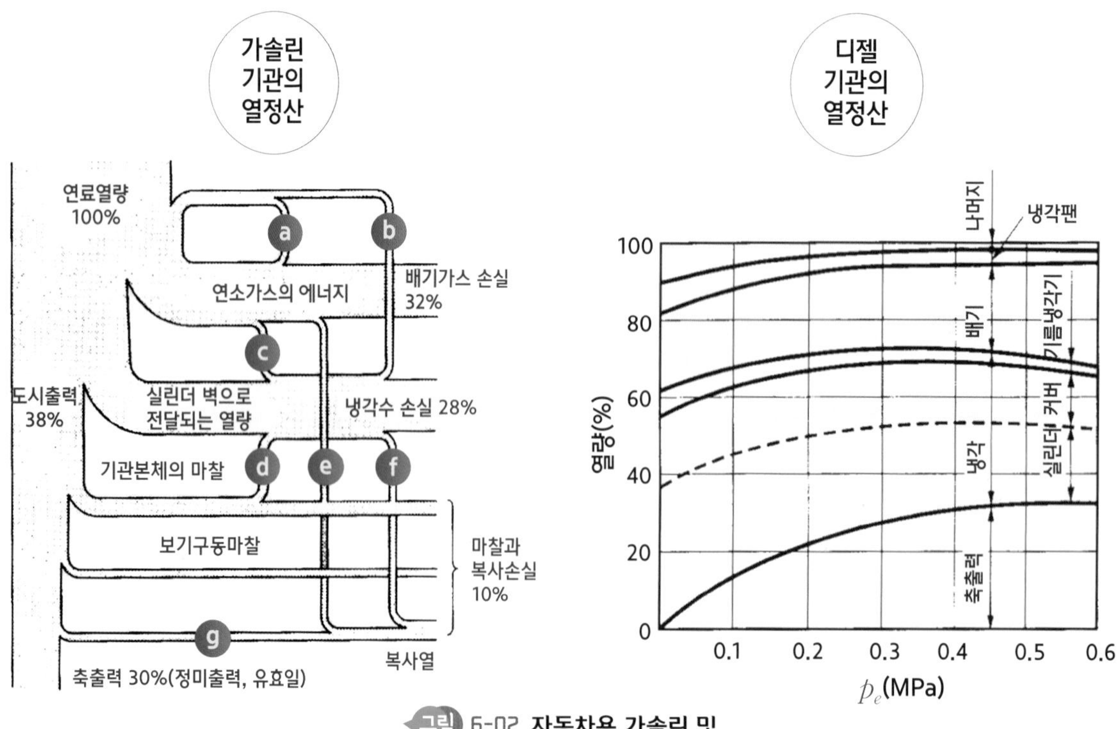

그림 6-02 자동차용 가솔린 및 디젤기관의 열정산

3 연소실의 열 전달

단위 시간, 단위 면적당의 전열량을 **열 유속**heat flux이라고 하고, 연소실 내의 가스로부터 연소실 벽면으로 흐른다. 가스 쪽의 열 유속은 대류에 의한 것과 복사에 의한 것의 합으로 다음의 식으로 표시된다. **그림 6-3**은 엔진에서 열 흐름의 모식도를 나타내고 있다.

$$q = q_{CV} + q_R = h_g(\overline{T_g} - T_{w,g}) + \sigma\varepsilon(\overline{T_g^4} - T_{w,g}^4) \quad \text{식1}$$

q : 열유속(W/m^2)
q_{CV} : 대류에 의한 열유속
q_R : 복사에 의한 열유속
h_g : 가스측 열전달율($W/m^2 \cdot K$)
$\overline{T_g}$: 평균가스온도(K)
$T_{w,g}$: 내벽온도(K)
σ : 스테판볼쯔만상수($W/m^2 \cdot K^4$)
ε : 복사율

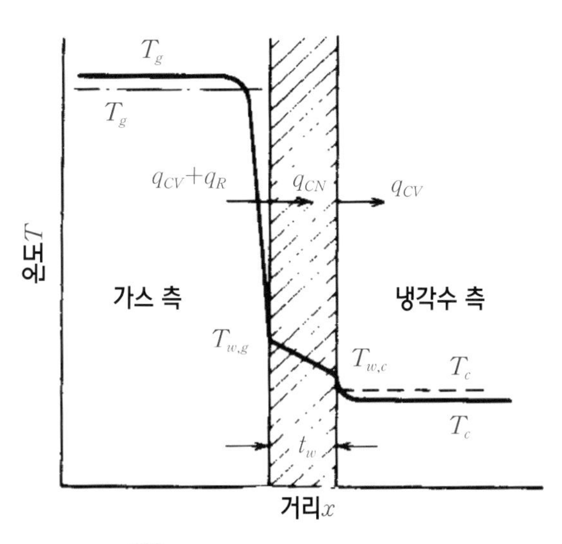

그림 6-03 엔진 열 흐름의 모식도

가솔린 엔진에서는 **식 1**에서 복사의 영향인 우변 제2항은 무시할 수 있다. 연소실 벽 내에서는 아래 식이 성립된다.

$$q = k(T_{w,g} - T_{w,c})/t_w \quad \text{식2}$$

k : 연소실 벽의 열전도율
$T_{w,c}$: 연소실 벽의 냉각수측 온도
t_w : 연소실 벽의 두께

냉각수 측에서는 다음 식이 성립된다.

$$q = h_c(T_{w,c} - \overline{T_c})$$ 식3

h_c : 냉각수측 열전달율　　$\overline{T_c}$: 평균 냉각수 온도

정상상태에서는 (식 1 부터 3)의 값은 같으므로 아래 식이 유도된다.

$$q = k(\overline{T_g} - \overline{T_c})$$ 식4

k : 열관류율($W/m^2 \cdot K$) 단, $\frac{1}{k} = \frac{1}{h_g} + \frac{t_w}{k} + \frac{1}{h_c}$

4 연소실 각부의 온도

(1) 피스톤과 실린더 부 온도

피스톤은 연소실 내에서 큰 범위를 점유하고 있기 때문에 열 부하가 높아 문제가 되는 경우가 많다. **그림 6-4**에 피스톤의 온도 분포 예를 나타내고 있다. 작동가스로부터 피스톤에 전달되는 열량의 거의 대부분은 피스톤 링이나 스커트부로부터 실린더 벽으로 흐른다. 이 때문에 실린더 벽으로부터 떨어진 헤더부 중앙 부근이 가장 고온이 된다. 따라서 피스톤 튜닝 시 재료의 고온 강도와 실린더 압력의 크기에 따라 두께를 정해야 한다. 또 톱 링의 홈의 온도는 링이 고착되지 않는 온도 이하로 할 필요가 있다.

참고자료

- **열관류율(thermal transmittance)**

열관류에 의한 관류 열량의 계수로, 단위 표면적을 통해 단위 시간에 고체벽의 양쪽 유체가 단위 온도차일 때 한쪽 유체에서 다른 쪽 유체로 전해지는 열량. 열통과율이라고도 한다.

- **열관류(thermal transmission)**

고체 벽에 의해 칸막이된 양측의 유체 온도가 다를 때 고온 측 유체에서 저온 측 유체로 고체 벽을 통해서 열이 이동하는 현상. 유체와 고체의 경계면에서는 열전달, 고체의 내부에서는 열전도의 과정을 포함한다.

그림 6-5는 실린더 온도분포의 예를 나타낸다. 실린더의 윗부분에는 연소에 의한 열이 많이 유입하기 때문에 가장 온도가 높은 것을 볼 수 있다. 한편 링의 윤활 유막은 상사점 부근에서 가장 엷어지게 되기 때문에, 이 위치에서의 온도가 높으면 실린더의 마멸량이 증대하므로 소정의 온도 범위에서 유지될 수 있도록 냉각이 필요하다. 또 실린더에는 피스톤 및 링의 마찰에 의한 열이 유입한다. 마찰은 윤활 유막이 가장 얇아지게 되는 상사점 부근에서 최대가 되지만, 윤활유의 전단 속도가 행정의 중앙부에 비교하여 늦어지므로 어느 위치에서 마찰열이 큰가는 획일적으로 논할 수 없다.

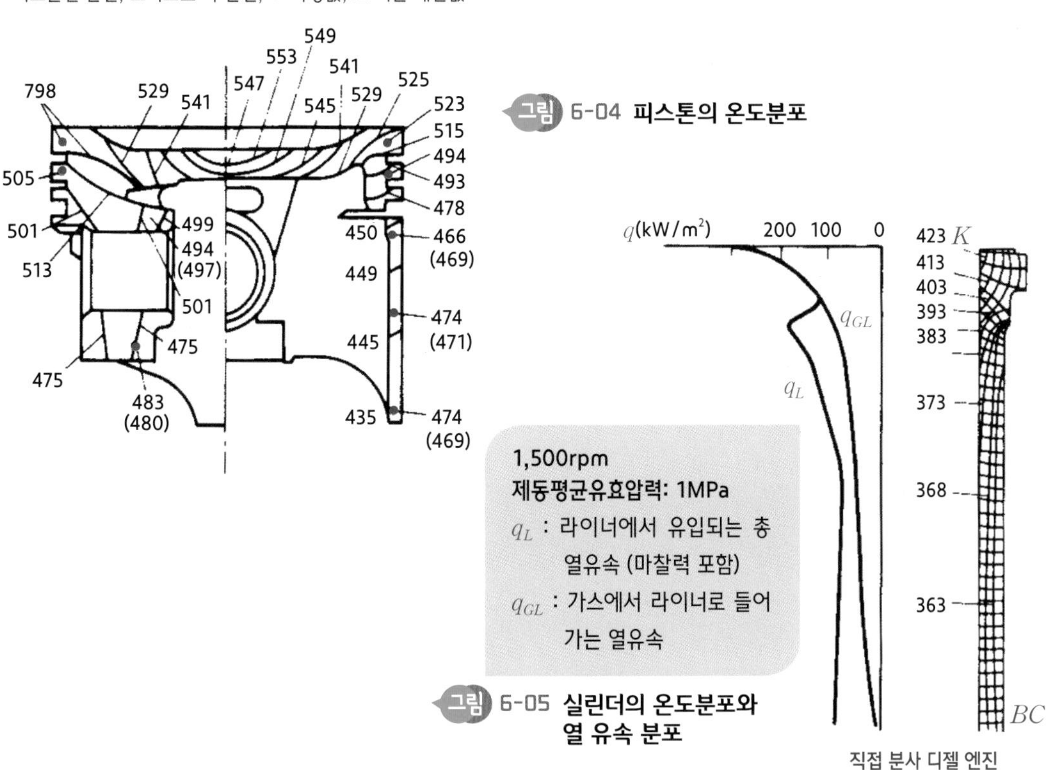

그림 6-04 피스톤의 온도분포

그림 6-05 실린더의 온도분포와 열 유속 분포

(2) 실린더 헤드의 온도

높은 열 부하에 노출되는 실린더헤드는 흡, 배기 밸브, 점화 플러그 등의 부착, 내부의 냉각수 통로 등 때문에 복잡한 모양으로 되고, 온도 분포도 매우 복잡하다. **그림 6-6**는 그 예시로, 고온 때문에 문제가 되기 쉬운 부위는 냉각수 통로를 충분히 확보하기 어려운 흡, 배기 밸브 사이이고, 특히 디젤엔진에 있어서는 온도가 지나치게 높아지면 균열이 생기기 쉬운 부위이다.

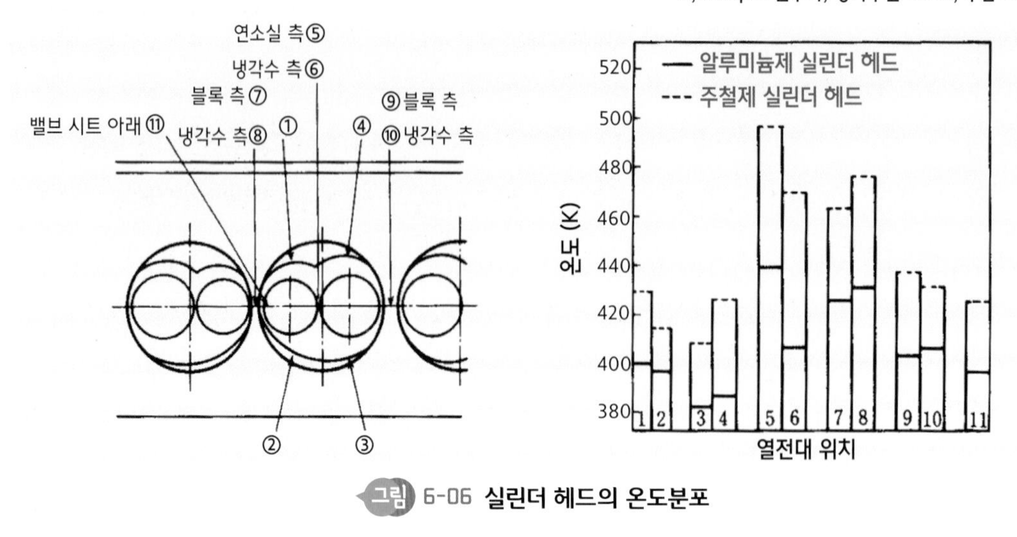

그림 6-06 실린더 헤드의 온도분포

5 수랭식 냉각장치

냉각 방식에는 공랭식과 수랭식이 있다. 수랭식은 소음이 적고, 균일하게 냉각하기 쉬우며, 자동차 실내용 히터의 열원으로 이용하기 쉽다는 장점 때문에 대부분 자동차용 엔진의 냉각 방식이다.

(1) 출구제어 방식

냉각수온 출구제어 방식은 엔진의 냉각수 출구에 수온을 일정하게 유지하기 위해 서모스탯을 설치한 형식으로 **그림 6-7**에 작동 개략도를 나타내었다. 이 방식은 엔진 부하와 상관없이 냉각수 출구 온도가 일정하게 되기 때문에 부하가 낮은 운전영역에서는 입구 수온이 높아지고 엔진 마찰이 낮아진다. 그러나 저온 시동과 난기 운전 중에 일어나는 수온의 변동이 입구 제어방식에 비해 크다는 단점이 있다. 이것은 냉각수온을 검출하여 유량을 제어한 후의 수온 변화의 응답 지연이 크기 때문에 생기는 현상이다.

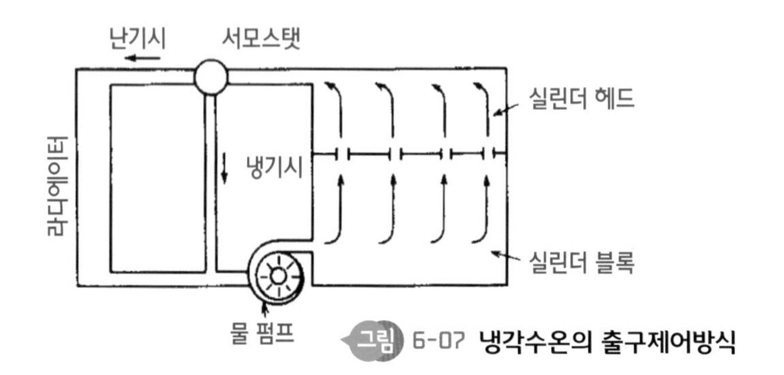

그림 6-07 냉각수온의 출구제어방식

난기 중에 출구 수온이 서모스탯의 밸브 열림 온도에 도달하면 라디에이터 내의 저온의 냉각수가 엔진 본체에 유입되며, 그 저온의 물이 서모스탯에 도달할 때까지 유입은 지속된다. 이후 저온의 냉각수가 엔진 출구의 서모스탯에 도달하면 서모스탯은 바로 닫히게 된다. 이것에 의해 수온의 헌팅이 발생된다. 특히 엔진 내부의 냉각수량이 많은 다기통 엔진일수록 수온 변동이 크게 된다.

(2) 입구제어 방식

입구제어방식은 서모스탯을 엔진 입구에 설치한 형식으로 **그림 6-8**에 작동 개략도를 나타내었다. 엔진 입구에서 냉각수온을 검출하고 유량을 제어한 후에 수온 변화의 응답 지연이 없기 때문에 수온의 헌팅을 막을 수가 있다.

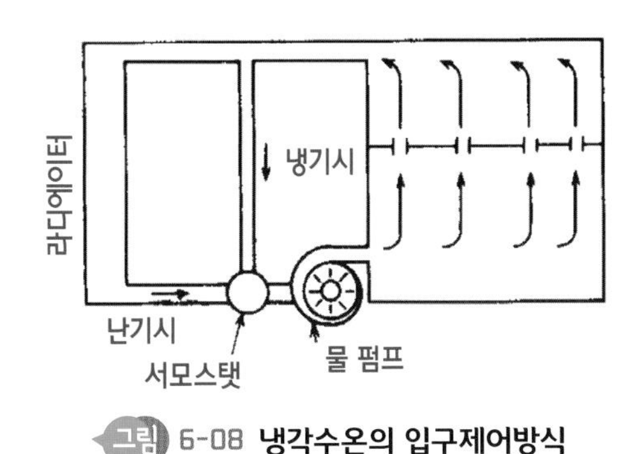

그림 6-08 냉각수온의 입구제어방식

(3) 냉각수 온도 제어방식의 특성

입구제어방식의 냉각수온은 고 출력시에 출구수온이 일정 값을 넘지 않도록 하기 위해 출구제어방식에 비해 제어수온을 낮게 설정한다. 그 결과 입구와 출구의 수온차가 적은 저 부하 운전 시에는 입구 제어방식인 쪽이 낮은 냉각수 온도로 제어되어 마찰이 상대적으로 커지게 된다. 하지만 정상으로부터 전개 가속 시에는 보다 저온으로 제어된 입구제어방식이 내 노킹 성능이 좋은 경향이 있다.

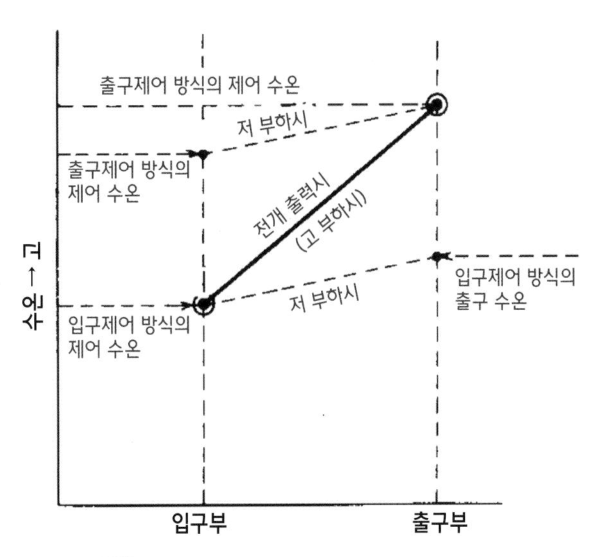

그림 6-09 냉각수온의 제어방법에 따른 제어 수온 특성

02 라디에이터 및 냉각 팬 튜닝

1 라디에이터

라디에이터의 종류에는 탱크를 상하로 배치하고 냉각수를 위에서 아래로 흐르는 다운 플로방식과 본닛의 높이를 낮추기 위해 탱크를 좌우로 배치하고 튜브를 옆으로 하는 사이드플로방식 (크로스 플로방식)이 있다. 동일 외형 치수 기준으로 라디에이터 형상이 옆으로 긴 경우는 크로스플로방식이 일반적으로 코어 면적을 크게 취할 수 있으므로 방열 성능상은 유리한 반면, 통수 저항이 커지는 등의 문제가 발생한다. 자동차용 라디에이터의 재질로 이전에는 황동제의 튜브에 동제 핀을 **브레이징**brazing한 동 라디에이터가 주류였지만, 최근 경량화 요구에 따라서 핀, 튜브 모두 알루미늄 재질의 라디에이터가 대부분이며, **그림 6-10**에서와 같은 **콜게이트 핀**corrugated fin형이 많이 사용된다. 이 밖에 **그림 6-11**과 같이 얇은 평판형의 핀에 튜브를 끼워 넣은 핀 튜브형도 있다.

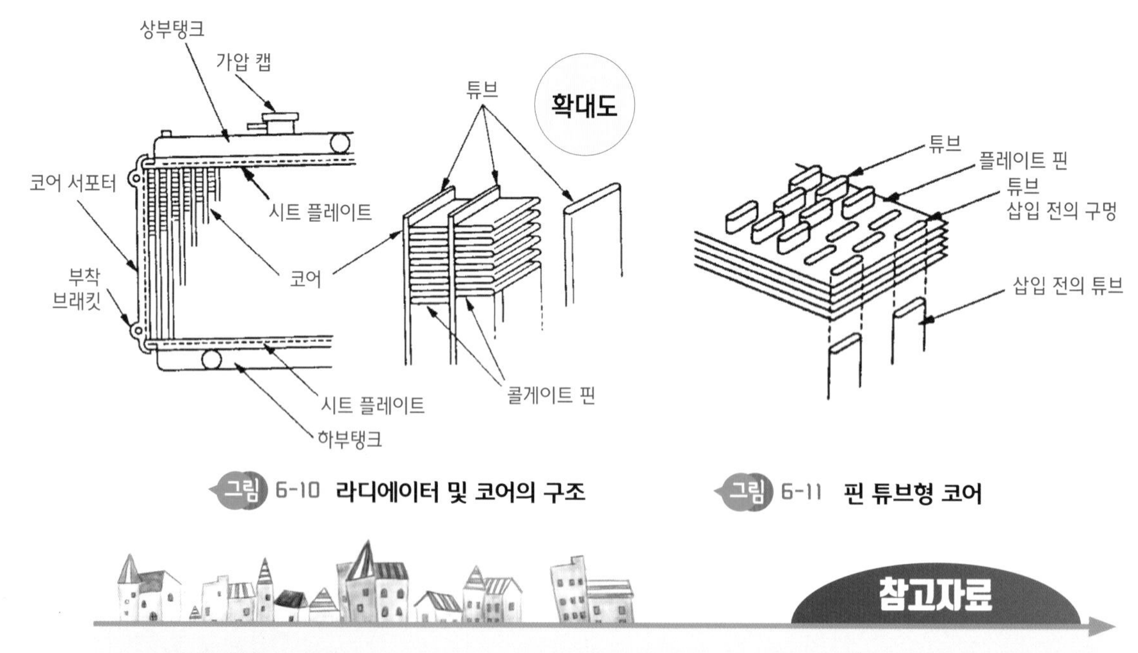

그림 6-10 라디에이터 및 코어의 구조

그림 6-11 핀 튜브형 코어

참고자료

- **브레이징(brazing)**

경납땜(hard soldering)이라고도 하며, 놋쇠납, 은납 등을 접착제로 하여 접착부를 가열하고, 이것을 용해시켜서 접합시키는 것. 접착제를 경납이라 하며, 분말 또는 판상인 것이 많다. 피접착제보다 저용융점의 것을 사용한다. 플럭스(용제)는 접착면의 청정을 위해서 사용하며 붕소계의 것이 많다. 전체를 가열 접착시키는 작업을 노내 납땜(furnace brazing)이라 한다.

튜브와 핀이 합해진 열교환기의 부분을 코어라고 한다. 콜게이트 핀형의 코어는 **그림 6-10**의 오른쪽에 나타내는 것과 같이 튜브와 튜브사이에 웨이브 모양의 핀을 삽입하여 적층으로 한 다음 일괄 납땜한다. 그리고 튜브의 상,하단은 시트플레이트의 구멍에 끼워 넣어진 상태에서 둘레를 일체적으로 납땜하고 상부탱크와 하부탱크는 시트플레이트에 기밀이 유지되도록 고착된다. 경량화와 강도면에서 코어와 코어 서포터는 알루미늄합금제로 하는 예가 많으며 또 탱크부분은 합성수지제로하고 고무의 실을 삽입한 다음 시트플레이트에 고착시키는 방식이 일반적이다.

그림 6-10코어는 튜브가 옆방향 1열의 배열이나 경우에 따라서는 이것을 여러 장 겹쳐서 만드는 경우가 있으며, 이때에는 핀 피치를 크게 하는 등으로 통기율이 유지되도록 하고 있다. 그리고 핀이나 튜브는 가능한 한 열의 수수를 개선하기 위해 핀 사이나 튜브 안을 흐르는 유체에 **터뷸런스**turbulence가 발생되도록 되어 있다.

고성능 엔진 튜닝에 있어 엔진 열의 상승에 따라 냉각 성능을 높이기 위해 용량에 맞도록 대용량의 라디에이터로 교환해야 한다. 이때 라디에이터의 방열량을 고려하여 라디에이터를 교환해야한다. 앞서 언급한바와 같이 과도한 냉각은 엔진의 출력 저하, 연비의 악화 및 실린더의 저온 마멸 등의 악영향을 미치기 때문에 냉각수 온도를 적정하게 제어할 필요가 있다. 라디에이터의 방열량 Q를 부여하는 일반적인 식은 다음과 같다.

$$Q = K_a F_a \Delta T_m \quad \text{식5}$$

$$\frac{1}{K_a F_a} = \frac{1}{\phi \alpha_a F_a} + \frac{T_s}{\lambda_t F_w} + \frac{1}{\alpha_w F_w} \quad \text{식6}$$

K_a : 공기측 방열면적 F_a를 기준으로 한 열통과율	F_a : 공기측 방열면적
$\triangle T_w$: 냉각수와 공기의 평균온도차(대수평균 온도차로 정의)	α_a : 공기측 열전달율
α_w : 냉각수측 열전달율	T_s : 튜브의 판 두께
λ_t : 튜브의 열전달율	ϕ : 종합 핀효율

튜브는 황동 또는 알루미늄으로 만들어지며 판 두께도 얇으므로 **식 6**의 오른편 제 2항은 다른 항에 비교하면 1/100 이하가 되고, 이것을 무시하면,

$$\frac{1}{K_a F_a} = \frac{1}{\phi \alpha_a F_a} + \frac{1}{\alpha_w F_w} \quad \text{식7}$$

일반적으로 라디에이터의 사용조건으로 보면 공기 측 열 저항 $1/\phi\alpha_a F_a$는 냉각수 측 열 저항 $1/\alpha_w F_w$의 5~10배가 되고, 라디에이터의 방열 성능 향상에는 공기 측(핀)의 개량이 효과적이다.

그림 6-12의 (B)콜게이트 핀은 핀과 튜브를 겹쳐서 브레이징 또는 납땜이 될 수 있기 때문에 강도적으로 뛰어나고, (A)플레이트 핀에 비해 얇은 핀이 사용될 수 있으므로 경량화에 유리하다.

알루미늄 라디에이터는 동 라디에이터에 비해 핀의 열전도율이 낮으므로 통상은 판 두께를 두껍게 해서 핀 효율을 높이고 있다. 한편, 핀, 튜브의 판 두께를 두껍게 할 경우 공기 측 압력손실이 높아지므로 등판이나 교통체증 등의 주행 풍속이 낮은 조건하에서의 실제 자동차 성능의 영향에 주의가 필요하다.

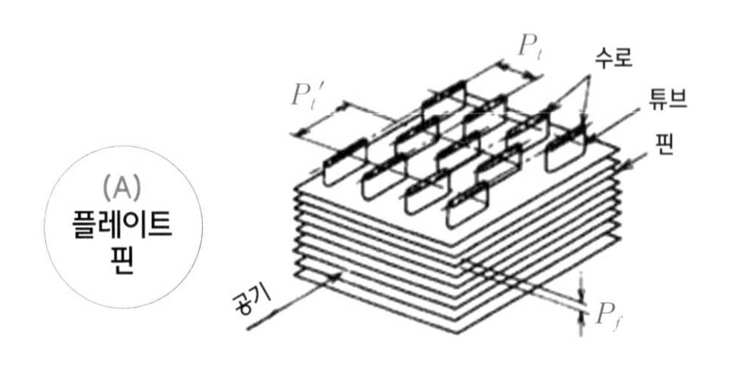

P_f : 핀 피치(mm)
P_t : 튜브 피치(mm)
P_t' : 튜브 열간 피치(mm)

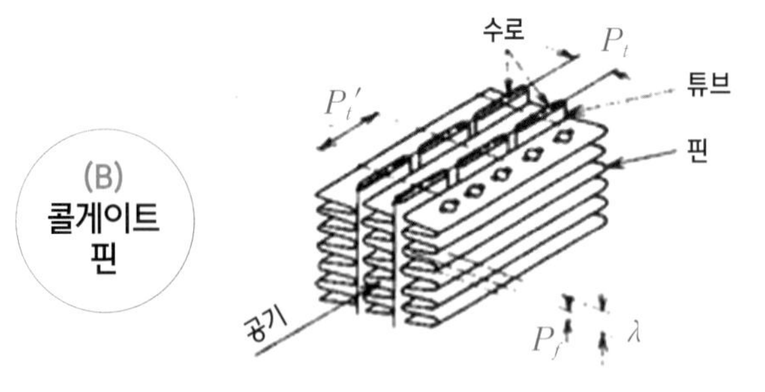

$P_f\,(=\frac{\lambda}{2})$: 핀 피치(mm)
λ : 핀의 산에서 산의 길이(mm)
P_t : 튜브 피치(mm)
P_t' : 튜브 열간 피치(mm)

그림 6-12 **핀 형상**

그림 6-13은 순정 라디에이터와 대용량 라디에이터를 비교하였다. 냉각수량이 순정에 비해 2~3리터 정도 많고, 용적량과 단면적이 크고 냉각핀이 많아 순정에 비해 냉각효율을 높일 수 있다.

그림 6-13 대용량 라디에이터와 비교

그림 6-14 라디에이터로 튜닝 한 모습

그림 6-15 대용량 사이드플로식(크로스 플로식) 라디에이터로 튜닝 한 모습

2 라디에이터 팬(냉각 팬)

(1) 엔진 구동 팬

냉각 팬으로는 일반적으로 축류 타입이 사용되고 있으며, 엔진 구동 팬(직결 팬, 점성 커플링용 팬)과 전동 팬으로 분류된다. 엔진 냉각 팬의 선정 시 항상 고 풍량, 저소음, 저 동력화의 고려가 필요하다.

① 팁 클리어런스 clearance (슈라우드와 팬의 틈 사이)

일반적으로 엔진 구동 팬은 엔진 측, 슈라우드는 차체 측에 장착되기 때문에 엔진의 움직임 등을 고려하면 팁 간격은 20mm이상은 필요하다. 이에 비해 전동 팬은 팬과 슈라우드가 모두 차체에 부착이 가능하므로 팁 간격은 3~6mm면 되므로, **그림 6-16**에서 보는 바와 같이 엔진 구동 팬은 전동 팬에 비해 성능 면에서 불리해지고 있는 것을 볼 수 있다. 최근에는 트럭 등에서 슈라우드를 엔진 측에 설정하고, 팁 간격을 5~8mm로 하여 고 풍량, 저소음을 유도하고 있다.

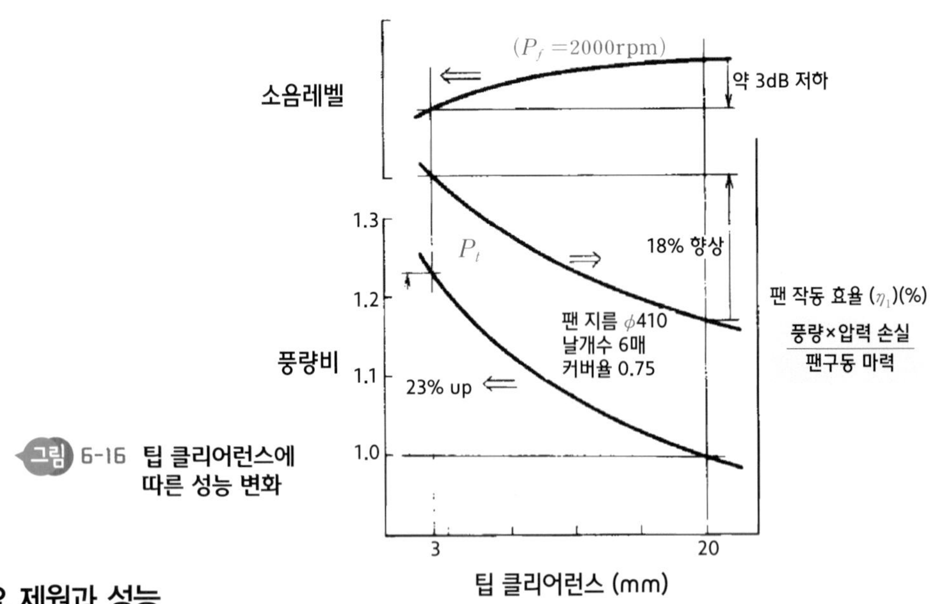

그림 6-16 팁 클리어런스에 따른 성능 변화

② 팬 주요 제원과 성능

일반적으로 풍량 Q와 팬 지름 D 그리고 회전속도 N의 사이에는 다음의 비례 관계가 있다.

$$Q \propto D^3 N \quad \text{식8}$$

그리고 팬 소음의 음압 레벨(이하 SPL)과 팬 지름 D, 회전속도 N의 사이에는 다음 식에 나타낸 비례 관계가 성립한다.

$$SPL \propto D^8 N^6 \quad \text{식9}$$

식 8과 **식 9**로부터

$$SPL \propto Q^3 N^3 / D \quad \text{식10}$$

팬에 의한 풍량이 증대되면 소음은 팬의 회전속도의 3승에 비례하여 커지고, 팬에 의한 풍량은 팬 지름의 3승과 회전속도의 곱에 비례한다는 것을 알 수 있다. 따라서 동일 풍량에서 팬 소음을 낮게 하기 위해서는 팬 지름을 크게 하여 저속으로 회전시키는 것이 바람직하다.

유량은 **블레이드 엘리먼트**blade element의 양력 계수와 **날개 폭**width과의 곱에 비례한다. 양력 계수는 일반적으로 작을수록 날개 면 위의 흐름이 스무드하고, 경계층 박리도 잘 일어나지 않으며, 소음의 발생도 작아진다. 따라서 같은 사양의 팬에서는 날개 폭이 큰 쪽이 저소음의 팬이 된다. 그 밖에 팬 주요 제원으로서 날개각도(부착 각도), 매수, 부착 틈 사이, 비틀림 각도(날개 각도의 선단과 근원과의 차), 휘어짐 비, 보스비(팬 지름에 대한 보스 지름의 비), 슈라우드의 커버율(**그림 6-17**) 등이 성능에 영향을 미치므로 튜닝 설계 단계에서 충분히 고려할 필요가 있다.

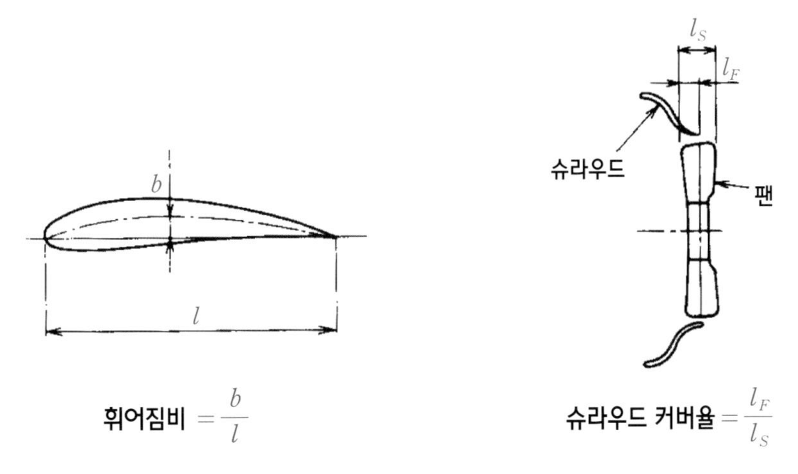

그림 6-17 휘어짐 비와 슈라우드 커버율의 정의

③ 형상과 성능

엔진 룸 내의 바람의 흐름은 매우 복잡하고 차량마다 상이하므로 차량과 엔진마다 적합한 팬 형상의 선정이 필요하다. 이러한 팬 형상의 특징과 예는 다음과 같다.

가) 링 붙이 팬

엔진 구동 팬은 팁 클리어런스가 크고, 그 부분에서의 흡입 측으로의 역류 방지와 날개 끝 와류(팁 볼텍스)의 저감을 꾀한 팬이 링 붙이 팬이다(**그림 6-18**). 링은 토출류를 부드럽게 하기 위해 벨 마우스 형상으로 되어 있다.

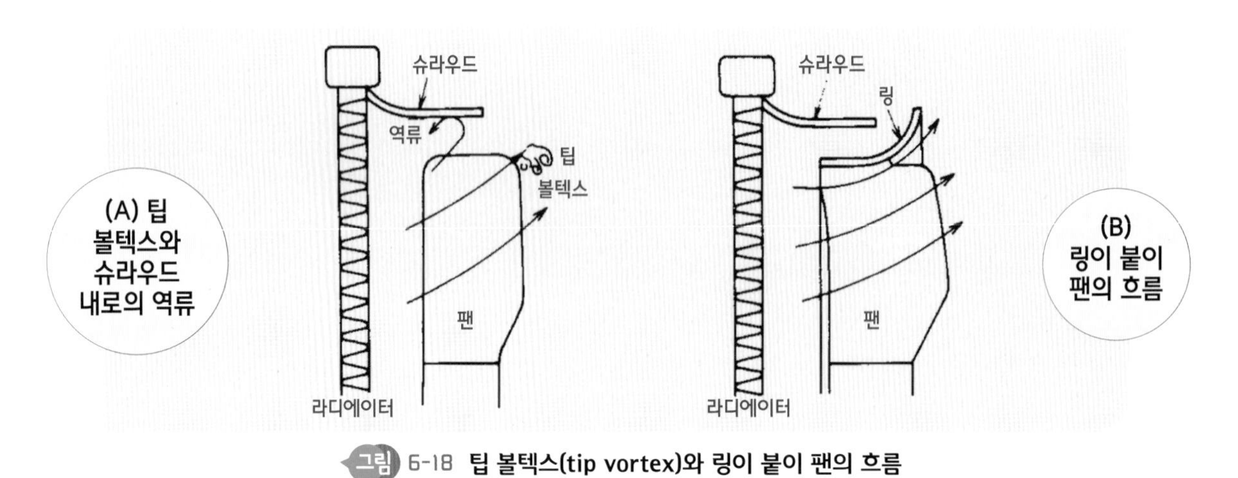

그림 6-18 팁 볼텍스(tip vortex)와 링이 붙이 팬의 흐름

나) 전진 날개 팬

엔진 구동 팬에서는 풍량 증가를 꾀한 날개 끝의 확대화가 진행되고 있다. 날개 형상과 팬 성능을 **그림 6-19**에 나타내었다. 그림에서 전진 날개가 풍량과 소음 모두에서 유리한 것을 볼 수 있다. 전진 날개로는 날개 선단부에서의 박리를 방지할 수 있어서 와류음을 억제할 수 가 있다(**그림 6-20**). 또한 날개 면을 흡입 측으로 경사시켜 박리를 억제하는 것에 유효하다(**그림 6-21**).

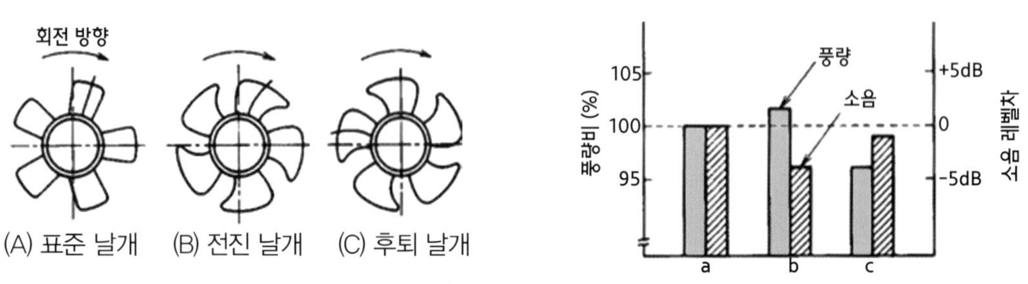

그림 6-19 날개의 형상과 풍량, 소음 특성

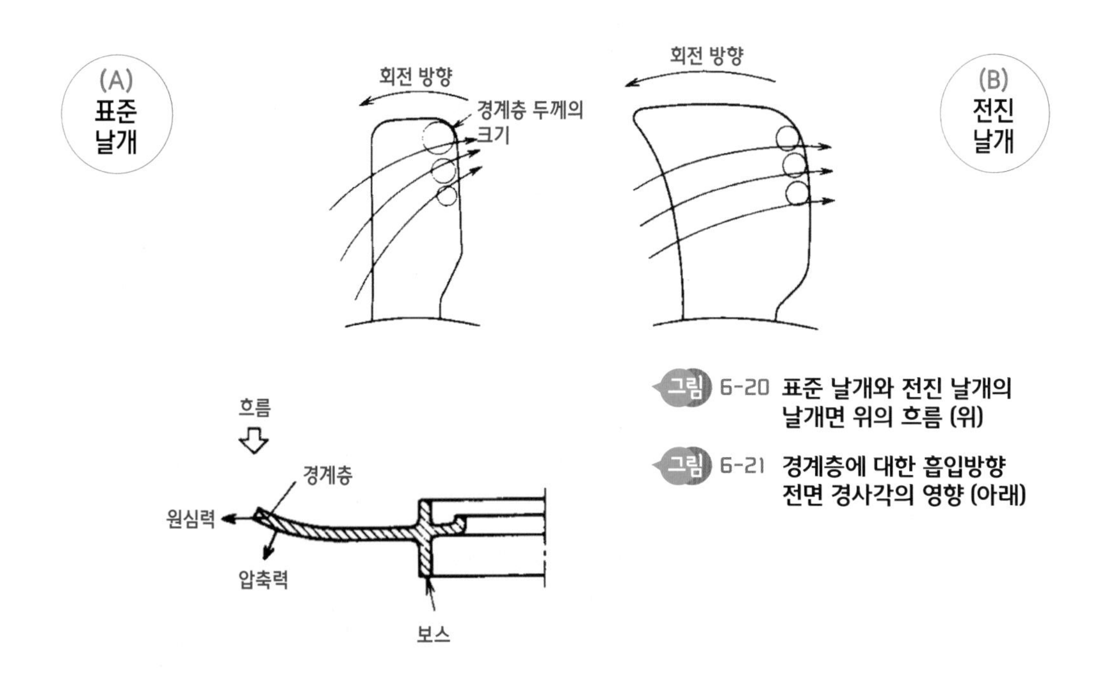

그림 6-20 표준 날개와 전진 날개의 날개면 위의 흐름 (위)

그림 6-21 경계층에 대한 흡입방향 전면 경사각의 영향 (아래)

(2) 전동 팬

전동 모터에 의해 필요시에 팬을 회전시켜 적절한 풍량을 공급하는 시스템이다. 레이아웃layout의 자유도가 크기 때문에 엔진이 가로로 배치된 **FF방식**Front engine Front drive type의 자동차를 중심으로 적용하고 있다. 이 방식의 팬은 냉각수 온도가 낮을 때에는 팬이 정지되고, 냉각수 온도가 높을 때에 팬을 회전시키므로 팬의 작동 제어가 용이하여 엔진의 난기성 향상, 연비 향상, 소음 저감 등의 장점이 있다.

그림 6-22에 전동 팬의 탑재 레이아웃을 나타내었다. 전동 팬의 종류로는 흡입 타입과 압입 타입이 있으며, 기본형은 흡입 타입이다.

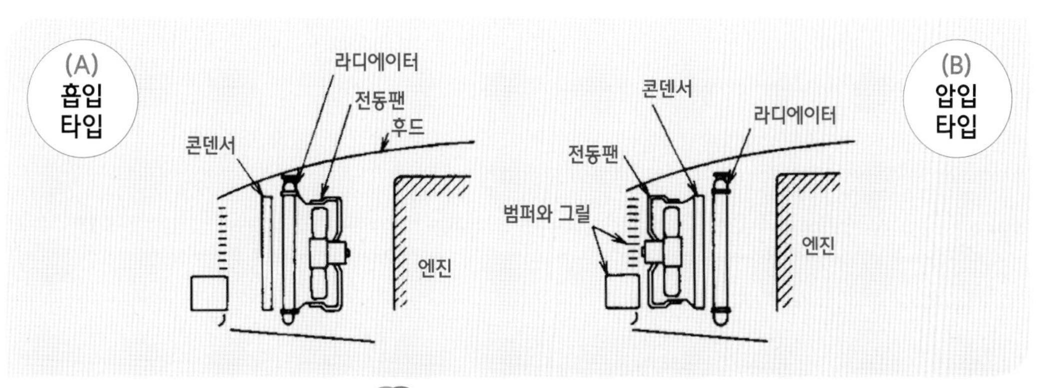

그림 6-22 전동 팬의 탑재 레이아웃

순정 전동 팬

고속 전동 팬

고속 전동 팬 및 대용량 전동 팬 장착 모습

그림 6-23 **전동 팬 튜닝 모습**

03 오일 쿨러 튜닝

엔진 오일은 엔진 작동 시 각 작동부품들 사이에서 마찰에 의해 발생되는 엔진 열을 흡수 냉각하고 윤활작용을 하여 저항 및 마찰손실을 줄여주므로, 고 출력 엔진 튜닝 시 윤활작용과 마찰에 의한 엔진 열을 동시에 해결하기 위한 오일의 냉각과 각 부품마다 충분한 오일의 공급으로 마찰 손실을 줄이는 것은 매우 중요하다고 할 수 있다. 특히 엔진 오일의 냉각 성능향상으로 엔진의 성능과 각종 작동부품의 내구성을 향상시킬 수가 있기 때문이다.

자동차용 엔진의 경우 오일을 가압하여 공급하는 강제순환방식이 일반적이며 주된 구성부품은 스트레이너, 오일펌프, 필터 및 릴리프 밸브 등이다. 그리고 오일 쿨러를 장착하는 경우 **그림 6-24**에서와 같이 오일 필터와 엔진의 **메인 갤러리**main gallery 사이에 배치한다.

오일 쿨러는 엔진 각 부로 공급되는 엔진오일을 적정한 온도를 유지하고, 접동부의 마멸/융착되는 것을 방지하기 위해 사용된다.

오일 쿨러의 형식은 수랭식과 공랭식으로 나누어진다. 수랭식에서는 오일로부터 전달된 열이 냉각수로 방출되며, 구조에 따라 다판식과 관식으로 분류할 수 있다. 공랭식에서는 오일로부터의 열은 주행 바람에 의해 대기로 방출되며, 구조는 일반적으로 적층식이 많다.

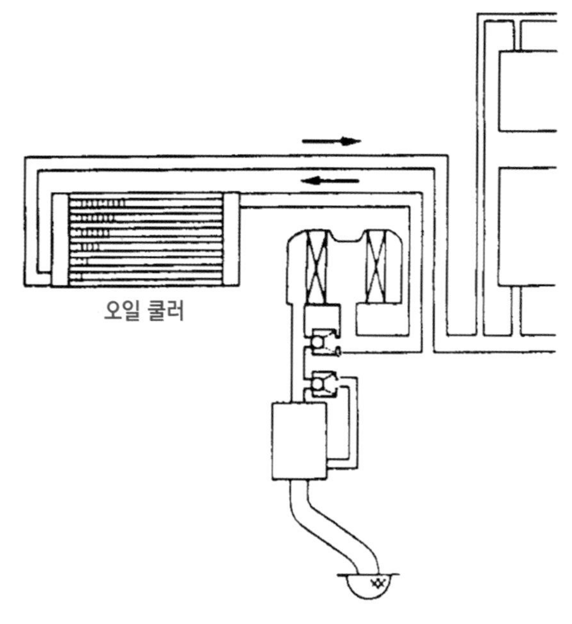

그림 6-24 오일쿨러가 장착된 윤활 시스템

1 수랭식 오일 쿨러

그림 6-25는 다판식 오일 쿨러이다. 적절한 열 교환 판의 매수의 선택으로 쉽게 필요 열 교환양을 얻을 수 있다. 열 교환 판에 매수의 결정은 냉각수와 오일의 열교환 관계식에 의해 구해진다.

$$Q = \alpha \times F \times (t_o - t_w)$$

Q : 냉각 열량
α : 오일로부터 오일 쿨러 벽으로의 열 전달율
F : 방열면적
t_o : 오일 온도
t_w : 오일이 닿아 있는 내벽 온도

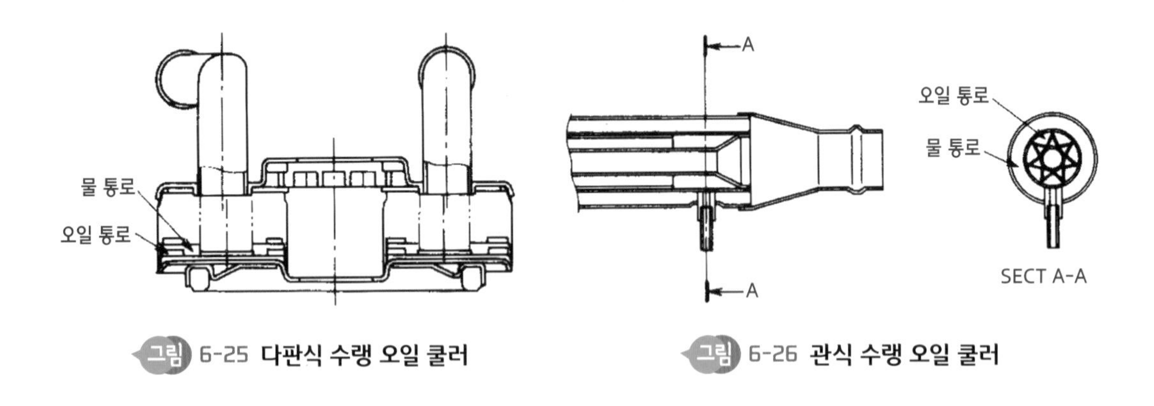

그림 6-25 다판식 수랭 오일 쿨러

그림 6-26 관식 수랭 오일 쿨러

실제 $\alpha \times F$가 각각의 오일 쿨러에서 정해지는 값이므로 냉각 열량과 방열 온도로부터 적층 매수가 구해진다. **그림 6-26**에 관식의 예를 나타내었다. 엔진 본체로부터 떨어지는 것이 가능한 외치식이므로 탑재성이 우수하다.

2 공랭식 오일 쿨러

공랭식 오일 쿨러는 적층식(**그림 6-27**)이 일반적이며, 다판식 수냉 오일 쿨러와 같은 모양으로 적층단수를 변화시키는 것으로 쉽게 필요 열교환량을 얻을 수 있다. 그리고 관식과 동일하게 외치식이므로 탑재성이 우수하다.

윤활 회로에 있어서 오일 쿨러의 위치는 오일 펌프의 하류측이고, 오일이 쿨러에 전량이 흐르는 **풀 플로**full flow 타입과 오일의 일부가 흐르는 **바이패스 플로**by-pass flow 타입으로 나누어진다.

풀 플로 타입에서는 오일 쿨러가 막힌 경우를 고려하여 릴리프 밸브가 설정되어, 회로의 막힘을 방지하기 위해 오일 필터의 하류에 설치하는 것이 일반적이다.

바이패스 플로 타입 에서는 유량을 제어하기 위해 체크 밸브가 설정되어 있기 때문에 오일 필터의 압력 손실의 시간 변화의 영향을 받지 않도록 오일 필터의 상류로부터 분기해서 배관되어 있다.

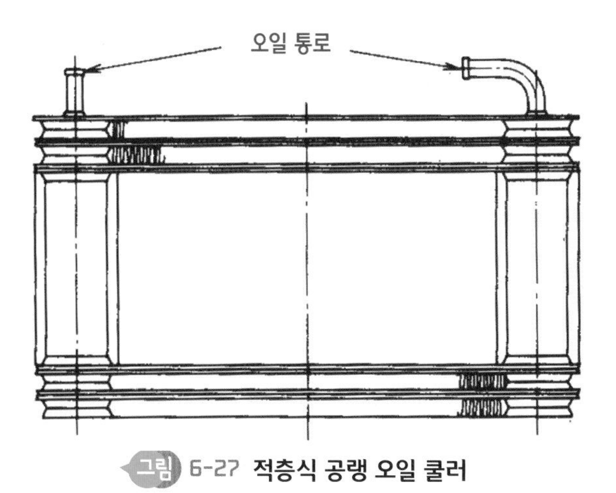

그림 6-27 적층식 공랭 오일 쿨러

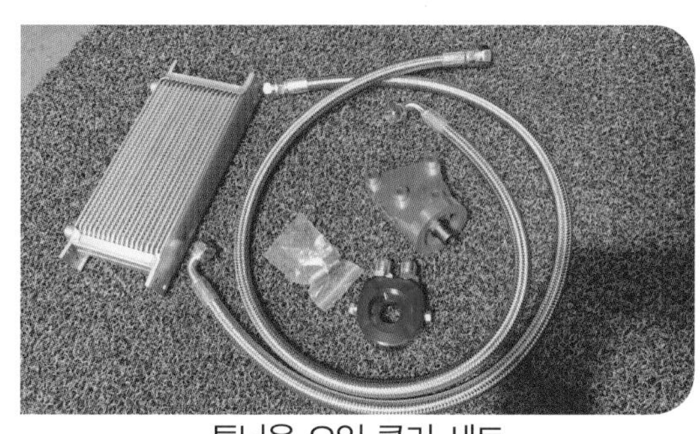
튜닝용 오일 쿨러 세트

오일 쿨러와 호스

오일 쿨러 어댑터

튜닝용 오일 쿨러

튜닝용 오일 쿨러 어댑터 장착 모습

그림 6-28 실 차량 오일 쿨러 튜닝 모습(1)

튜닝용 오일 쿨러 세트 장착 완료 모습

오일 쿨러에 쿨링 팬 장착 튜닝

그림 6-29 **실 차량 오일 쿨러 튜닝 모습(2)**

CHAPTER 7

자동차 (터보차저) 과급기 튜닝

7 CHAPTER

과급기(터보차저) 튜닝

01 터보차저 튜닝 기초

1 과급super charger 개요

엔진이 하는 일의 양은 기본적으로 흡입할 수 있는 공기의 양에 비례하여 결정된다. 과급은 보조기기를 이용하여 흡입공기량을 증가시키는 방법으로, 밀도가 높은 공기를 엔진에 공급하는 것이다. 자연급기 엔진에서 흡입 가능한 공기의 양은 실린더 체적×대기압이 한계가 된다. 연소시킬 수 있는 연료의 양은 흡입 공기량에 따라 결정되므로 고출력화를 목적으로 보다 많은 연료를 연소키기 위해 시간 당 연소횟수를 증가시키거나(고속회전화) 실린더 체적을 크게(대배기량 화)하는 등의 방법을 사용한다. 그러나 엔진 회전수를 높이기 위해서는 구성부품의 강도·강성이나 정밀도를 높여야 하므로 비용이 증가한다. 그리고 고속회전 영역까지 대응이 가능한 엔진은 실용 영역의 출력 특성에 어려움이 생길 수 있다. 그리고 배기량을 증가시킬 경우 기계손실이나 냉각손실의 증대에 따라 효율의 저하와 더불어 탑재성의 악화나 중량의 증대라는 문제가 생기게 된다.

그래서 고안된 방법이 송풍기(블로어)나 압축기(컴프레서)를 이용하여 체적 당 산소량을 증가시킨 공기를 과급하는 것이다. 과급은 실질적으로 실린더 체적을 증가시키는 것과 같은 효과가 얻어지기 때문에 그만큼 연료를 더 연소시킬 수가 있다.

자동차 엔진에 사용되는 압축기는 구동 동력으로 엔진의 축 출력 일부를 이용하는 **수퍼차저(기계식/용적형)**와 배기가스의 운동에너지를 이용하여 터빈을 회전시키는 **터보차저(터빈식/속도형, 원심식)**가 주를 이룬다.

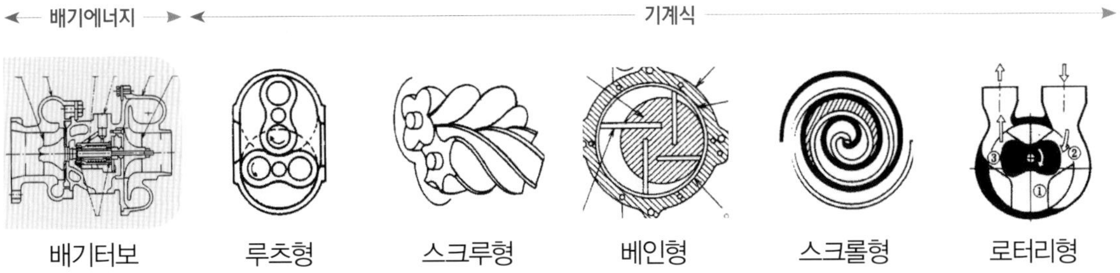

배기에너지 / 기계식

배기터보 루츠형 스크루형 베인형 스크롤형 로터리형

그림 7-01 과급기의 종류

2 과급의 효과

압축기를 사용하여 밀도를 높인 신기를 엔진에 공급하게 되면 체적효율이 향상되므로 총 행정 체적과 엔진 회전수를 높이지 않고도 출력과 토크를 증대시킬 수 있게 된다(그림 7-2). 이것을 과급이라고 한다.

엔진에 과급을 하는 목적은 예전이나 지금이나 동일한 엔진의 회전수로 보다 많은 연료를 연소시켜 고출력을 얻는 것이다. 그러나 최근에는 엔진의 다운사이징에 터보를 이용하는 것을 목적으로 하고 있다. 다운사이징 목적의 터보는 베이스 엔진의 출력 특성을 보정하고 최적화하기 위하여 이용되고 있다.

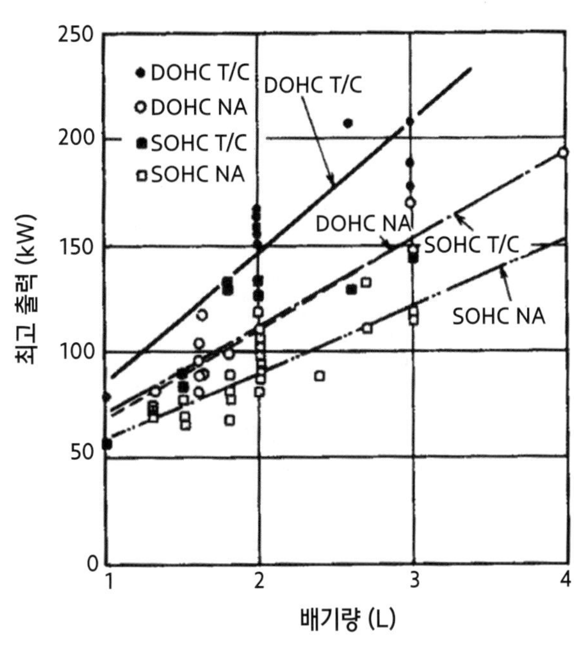

그림 7-02 과급과 무과급 엔진의 출력비교

엔진의 효율향상은 시급한 과제이다. 엔진 본체의 다운사이징, 더 나아가서는 레스 실린더Less cylinder화 하여 각종 손실을 저감시킨다. 엔진 중량의 절감에도 연결되므로 차량 전체의 경량화에도 기여할 수 있다.

하지만 다운사이징으로 흡입 공기량이 감소된 만큼 여유 구동력이 감소하게 되므로 동력성능의 면에서는 불리하게 된다. 특히 전 회전 영역에서의 토크가 부족하여 운전자가 요구하는 가속도를 얻기 위해서는 변속을 하여 회전수를 높일 수밖에 없어 가속페달의 밟는 양에 비례해 엔진회전수가 상승되므로 연비가 악화되기 쉽다.

이러한 문제를 해결하기 위해 과급기를 사용한다. 터빈 휠의 직경과 압축기 휠의 직경도 작게 설정하고 배기의 유량이 아주 적은 단계에서부터 유효한 과급 압력을 가동하게 하여 원하는 가속도에 도달하는 시간을 단축하는 것이다. 가속페달의 조작에 대한 토크의 기동성이 향상되는 만큼 불필요하게 밟는 시간이 줄어들게 되며, 증가된 토크의 양만큼 최종감속비를 높게 설정하여 동일한 차속에서 엔진의 회전수를 낮출 수 있으므로 바퀴를 1회전시키기 위한 엔진 회전에 필요한 에너지 손실을 저감시킬 수 있는 효과도 있다.

3 구조

배기터보의 구조는 **그림 7-3**에서와 같이 터빈 임펠러에서 배기에너지의 일부를 회수하여 같은 축의 압축기로 흡입공기를 가압한다. 터보는 10만 rpm 이상의 고속으로 회전하는 경우가 대부분으로 윤활에 특히 유의해야 한다.

일반적으로 터빈 휠은 니켈계의 내열합금제가 주류를 이루고 있지만, 배기터빈은 900℃이상의 고온의 배기가스에 대한 대처와 회전체 관성 중량 저감을 위해서는 세라믹 휠(질화규소)을 사용하는 것이 유리하다.

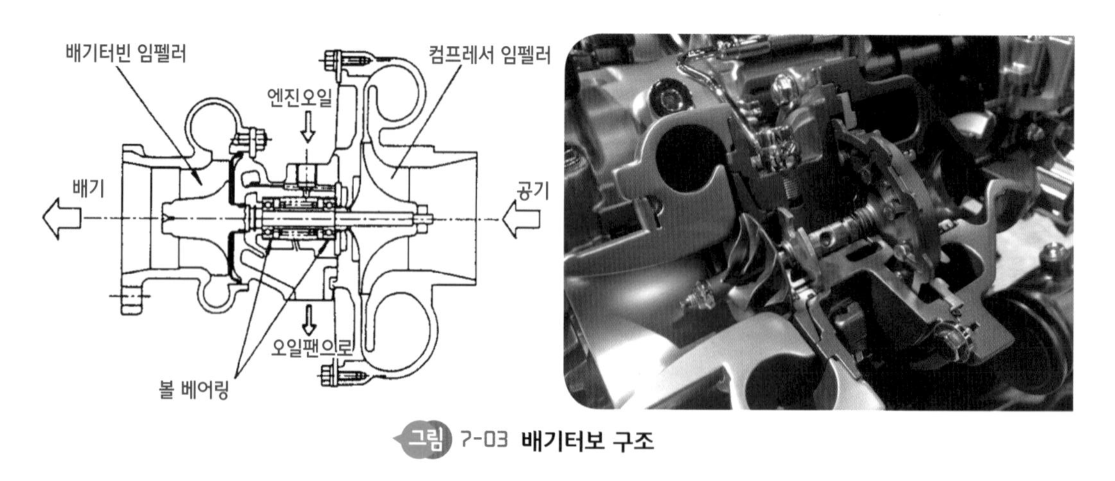

그림 7-03 **배기터보 구조**

터빈 하우징은 배기가스의 속도에너지를 유효하게 터빈 휠로 유도하기 위해 통로의 단면적, 단면 형상 등이 중요한 요소가 된다. 특히 **터보 랙**Turbo-lag의 해소를 위해 **VGT**variable geometric turbocharger가 개발되었다. 압축기의 임펠러는 알루미늄제가 주류이고 합성수지제의 것도 사용되고 있다.

4 성능

터보차저의 종합효율을 η_{tot}(total efficiency)라고 하면,

$$\eta_{tot} = \eta_{mech} \cdot \eta_c \cdot \eta_t$$

$$= \frac{(\frac{P_2}{P_1})^{\frac{k_a - 1}{k_a}} - 1}{(\frac{G_g}{G_a}) \cdot (\frac{C_{pg}}{C_{pa}}) \cdot (\frac{T_g}{T_a}) \cdot 1 - (\frac{P_4}{P_3})^{\frac{k_a - 1}{k_a}}}$$

η_{tot} : 터보차저 종합효율
η_{mech} : 기계효율
η_c : 압축기효율
η_t : 터빈효율
G_a : 공기질량 유량
G_g : 터빈입구 배기가스 유량
T_a : 압축기입구 공기 온도
T_g : 터빈입구 배기가스 온도
C_{pg} : 공기정압비열
C_{pa} : 배기가스정압비열
P_2/P_1: 압축기압력비
P_3/P_4: 터빈팽창비
k_a : 공기비열비
k_g : 배기가스비열비

터보차저의 소형 고속화에 따라 유체 역학적 성능의 저하와 기계손실의 증대 억제가 최근의 과제가 되고 있다. 회전체의 관성 모멘트를 작게 하기 위해 임펠러 및 터빈 휠과 함께 그 최대 바깥지름을 축소시키고 최대공기, 배기가스 유량을 확보하는 측면에서 유체역학적 특성을 개선해야 한다.

5 엔진과의 매칭

엔진 성능의 적합요소인 임펠러 사이즈, 터빈 용량에 대해서는 다음과 같이 고려된다. 임펠러 입구 지름(D_1)은 최대공기유량을 결정하는 설계 사이즈이다. **그림 7-4**에 임펠러 입구 지름의 2승$(D_1)^2$ 과 엔진 최고 출력과의 관계를 나타낸다.

출력은 대체로 $(D_1)^2$ 에 비례하고 있는 것을 알 수 있다. 그러나 압축기에서는 임펠러의 회전 속도에 따라 결정되는 허용 최소 유량이 존재하며, 유량이 이

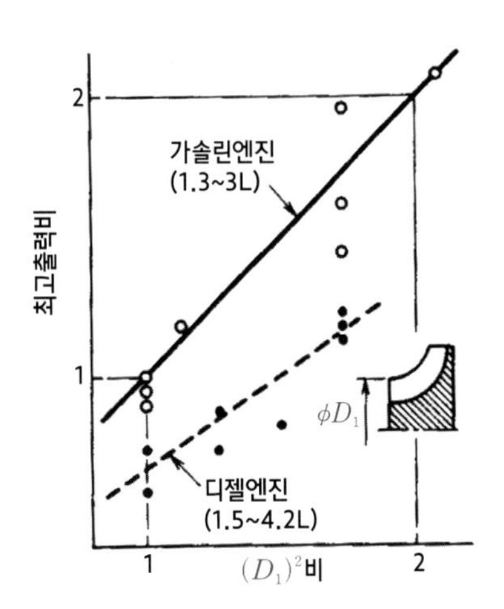

그림 7-04 $(D_1)^2$과 최고 출력의 관계

한계값 이하로 되면 압력이 높은 압축기 출구 측 보다 입구 측으로 역류 현상이 간헐적으로 발생한다. 이것을 **서지**surge (유입 공기의 부분적인 역류현상)현상이라고 한다. 서징현상은 엔진 정상 운전 시 보다는 오히려 엔진 고회전 영역으로부터 감속시 발생하기 쉽다.

그림 7-5는 터빈의 유량 특성을 나타낸 것으로 터빈 유량의 대, 소는 그림 우측의 A/R이나 터빈 휠의 제원에 의해 결정된다. 터보차저의 성능을 나타내는 기준은 A/R비와 터빈 휠의 사이즈를 나타내는 Trim값으로 나타낸다.

여기서 A/R이란 **그림 7-5**에서 보는 바와 같이 배기가스가 터보에 유입되어 실제로 터빈 휠을 돌리기 시작하는 유로의 직경 A(Area, 노즐부의 면적)의 중심과 터빈축 중심까지의 거리 RRadius의 비로 정의된다. 터빈 하우징 사이즈로 결정되는 A/R비는 만약 A가 7cm이고 R이 10cm라면 AR비는 0.7이 된다. A/R비가 클수록 저속에서는 불리하지만 고속에서 유량이 증가하는 특징이 있다.

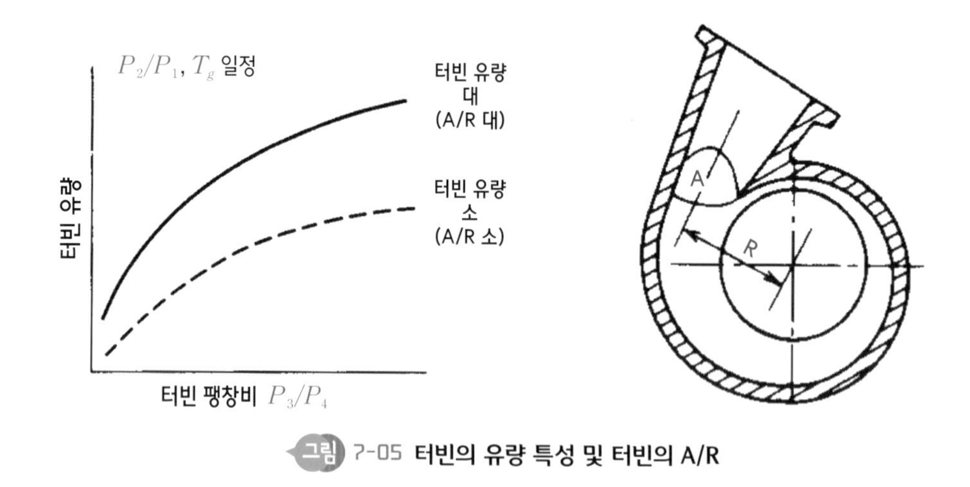

그림 7-05 터빈의 유량 특성 및 터빈의 A/R

일반적으로 터빈 유량이 작은 경우에는 엔진은 저속형 터보가 되고, 큰 경우는 고속형 터보가 된다(**그림 7-6**).

그림 7-6에서와 같이 터빈유량이 작은 터보를 사용하여 저속 때의 운전성이나 토크 특성을 개선하면 조기에 웨스트게이트 밸브가 열려서 배기가스를 바이패스하게 된다. 이 때문에 중속역 이상에서는 배기가스의 에너지를 터보의 과급일에 충분히 활용할 수 없게 되고 또한 역으로 큰 터보를 사용하면 저속 특성에는 다소 희생이 따르나 고속 때의 토크나 응답성은 개선된다.

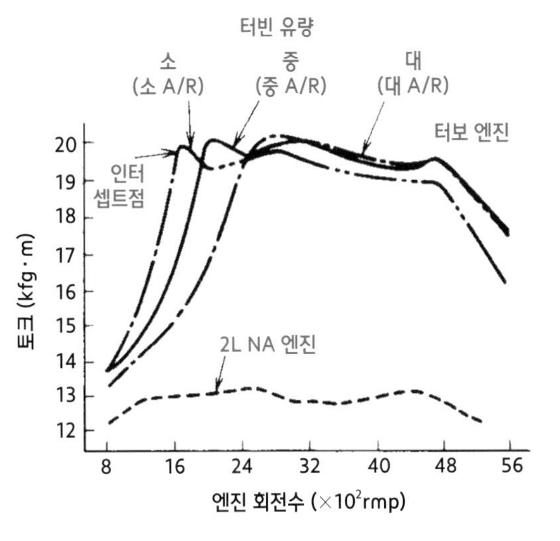

그림 7-06 **터빈유량이 엔진특성에 미치는 영향**

따라서 엔진의 넓은 범위의 회전속도에 걸쳐서 과급특성을 개선하는 하나의 기술로서 **그림 7-7**에서와 같이 터보의 노즐부에 **플랩 베인**flap vane을 설치하여 A/R을 변화시키는 방법을 취하고 있다.

저속 때 즉 저배기 유량때 플랩 베인을 닫아서 노즐부의 면적(A)을 작게 하고, 고속 때에는 이것을 크게 한다. 이것과 같은 가변 용량형 터보로서 제트 터보차저가 있다.

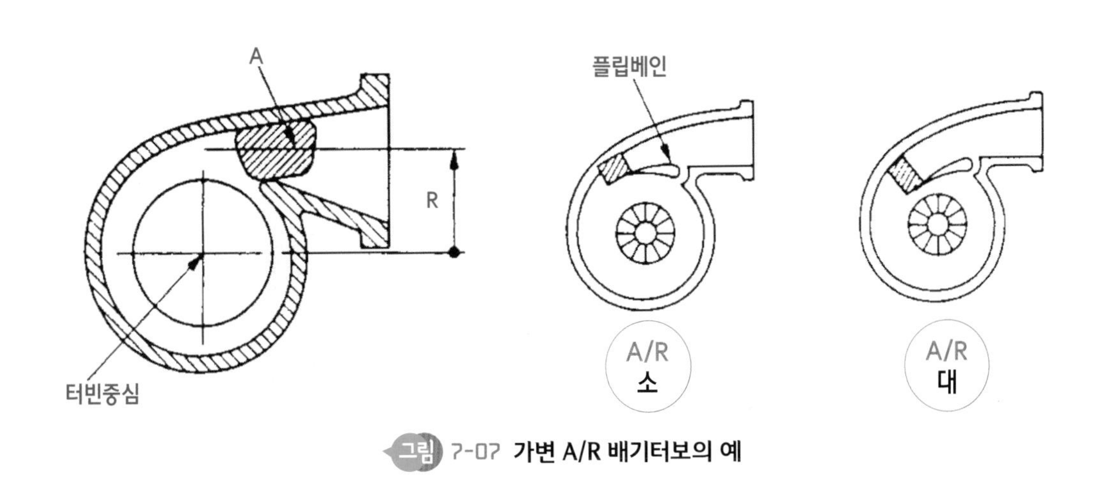

그림 7-07 **가변 A/R 배기터보의 예**

6 터보차저의 종류

차량의 가속성능 개선(터보 랙 개선)을 위해 현재 적용되고 있는 터보차저 기구의 예(특히 터빈 측에 특징이 있는 것)를 나누면 **그림 7-8**과 같다.

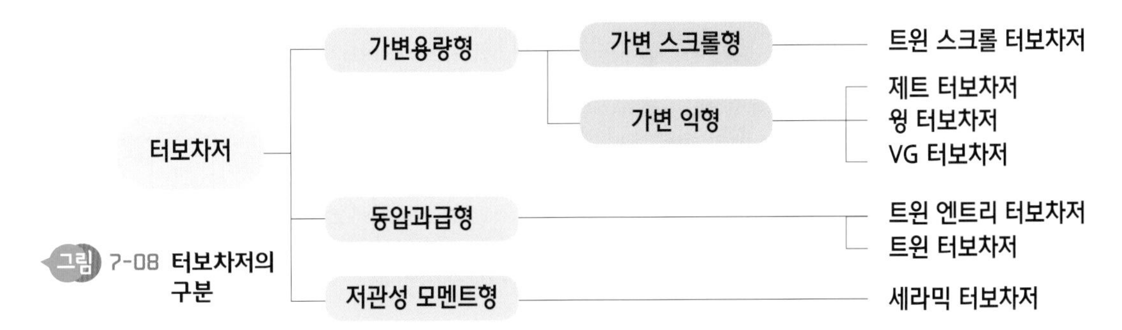

그림 7-08 **터보차저의 구분**

(1) 트윈 스크롤 터보차저

터빈 하우징은 중간 벽에 의해 완전히 독립된 2개의 스크롤을 갖추고 배기매니폴드(다기관)에 내장된 컨트롤 밸브가 엔진 저 회전 영역과 고 회전 영역에서 각각의 스크롤로 향하는 배기가스의 흐름을 제어하는 방식이다(**그림 7-9**). 여기서 **스크롤**scroll이란 터빈에서 배기가스의 통로가 되는 **와류** 부분을 나타낸 것이다. 이 부분이 겹치는 형태로 두 개가 설치되어 있는 것이 트윈 스크롤 터보차저다.

저 회전 영역에서는 배기가스를 전량 PPrimary 스크롤로 유도하여 터빈 유입부의 배기가스 유속을 증가시킴으로써 터빈 회전력을 상승시켜 가속 응답성을 향상시킨다. 고 회전 영역에서는 SSecondary 스크롤로 배기가스를 유도하여 엔진 배압을 낮춤과 동시에 펌핑 손실의 저감 과 충전효율의 향상으로 출력 증대가 가능하다.

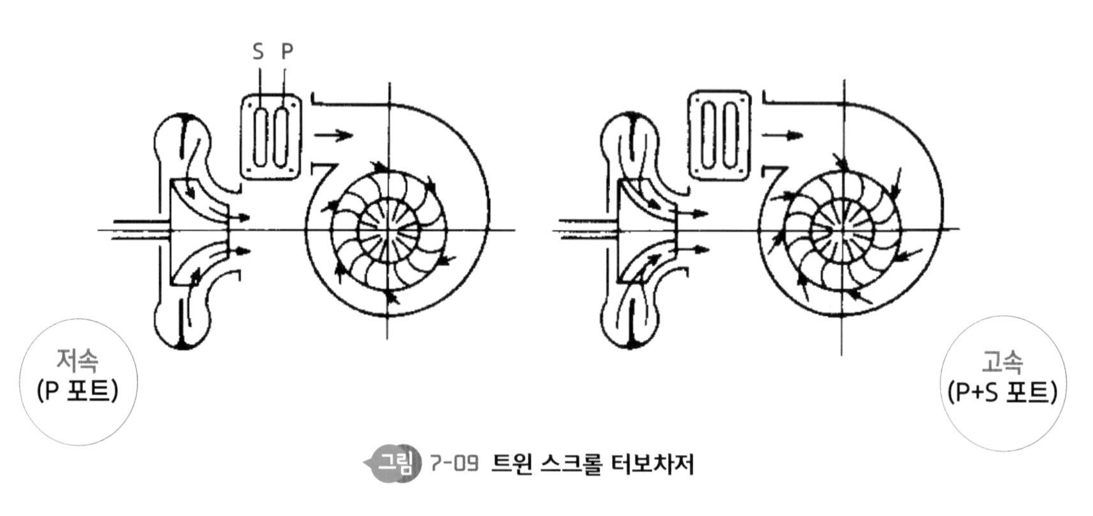

그림 7-09 트윈 스크롤 터보차저

미쯔비시 트윈 스크롤 터보

그림 7-10 트윈 스크롤 터보차저 실 예

(2) 제트 터보차저

터빈 하우징 내의 터빈 유압부 부근에 플랩 베인(날개)을 설치해 엔진 저 회전 영역에서 고 회전 영역까지 A/R을 변화시켜 대응가능한 방식이다(그림 7-11). 플랩 베인의 개폐에 따라 노즐 면적이 변하고, A/R은 보통 0.21~0.77까지 변화한다. 고 회전 영역에서 과급압은 플랩 베인의 열림 작동과 웨스트게이트 밸브에 의해 제어된다.

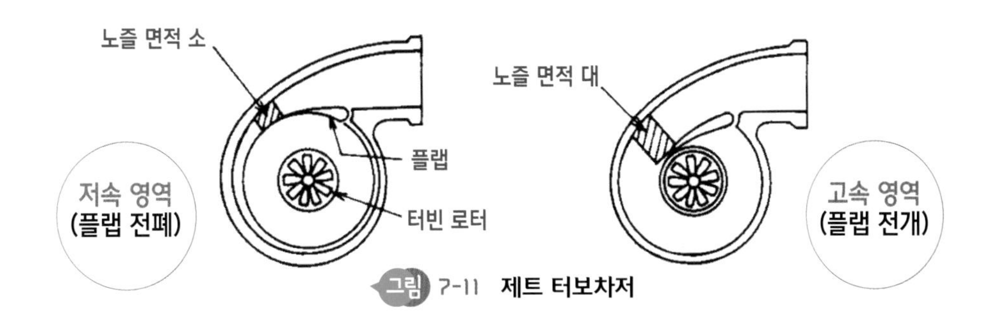

그림 7-11 **제트 터보차저**

(3) 윙 터보차저

터빈 하우징 내에 4개의 고정 날개와 4개의 가동 날개를 터빈 휠의 원주방향으로 배치하고, 엔진의 사용 영역에 대응해서 가능 날개의 개도를 제어하는 방식이다(**그림 7-12**). 가속 시 가동날개가 완전히 닫히게 되고, 가속 중에는 가동 날개가 서서히 열려 설정 과급 압으로 제어하게 된다. 아이들과 정속주행(크루즈모드) 시에는 엔진 펌핑 손실을 저감하기 위해 날개는 거의 전개로 된다.

그림 7-12 **윙 터보차저**

(4) VG Variable Geometric 터보차저

터빈 하우징 내에 가변노즐 기구를 설치하여 터빈으로의 배기가스 유입각도와 통로면적을 엔진의 운전 영역에 따라 가변적으로 제어하는 방식으로, 모든 운전영역에서 배기에너지를 최적으로 이용할 수 있도록 **베인**Vane의 위치를 조절하여 과급압력을 목표값으로 피드백 제어한다(**그림 7-13, 14**). 저속 영역에서는 베인 사이의 간격을 좁게 하여 배기통로 축소시켜 속도에너지를 최대화함으로써 아이들 **과급**Idle Boost 확보와 **터보 랙**Turbo-lag을 제거할 수 있다. 고속영역에서는 베인 사이의 간격을 최대로 하여 배기통로를 확대시켜 배기유량을 최대화함으로써 배압감소로 전부하의 과급압력을 제어하게 된다.

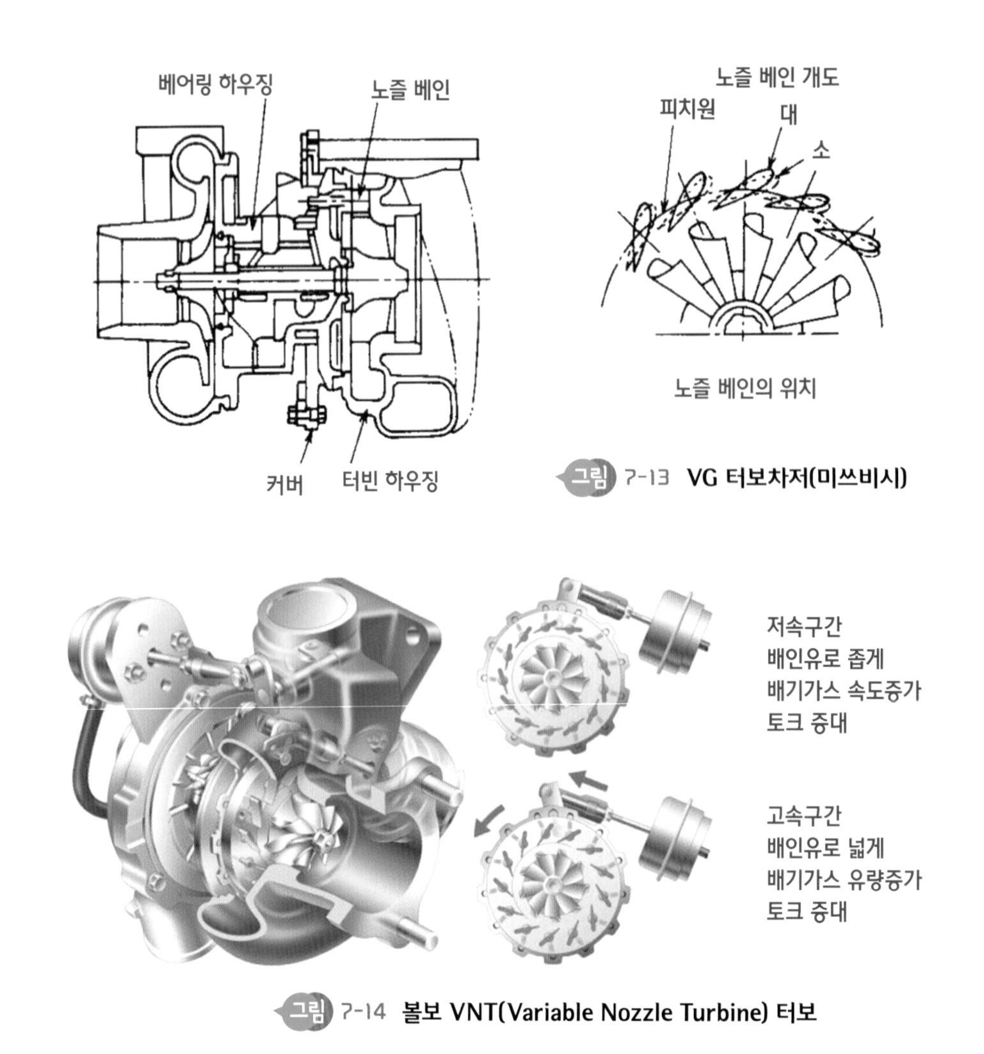

그림 7-13 VG 터보차저(미쓰비시)

그림 7-14 볼보 VNT(Variable Nozzle Turbine) 터보

배기가스가 갖는 운동에너지는 엔진이 2회전하면 증가하게 되는데, 무게(관성 모멘트)가 있는 터빈 회전속도는 바로 상승하지 않기 때문에 과급압력(회전속도의 제곱으로 정해짐)도 늦게 상승하게 된다. 이렇게 과급압력 상승에 대한 시간적 지연을 **터보 랙**Turbo-lag이라고 한다.

터보 랙의 해소를 위한 핵심은 터빈/임펠러 휠과 그것을 연결하는 축을 경량화 하여 관성 모멘트를 줄여 반응성을 향상시키는 것이다. 터빈 날개의 형상을 개선해 비교적 낮은 배기가스 유량부터 반응시키는 연구도 계속되고 있다. 그러나 어떤 쪽도 한계가 있다. 필요한 것은 터빈의 회전속도를 높이는데 필요한 에너지다. 이 에너지가 있으면 배기가스 유량이 적어도 압력이나 유속을 높여 줌으로써 터보 랙을 줄일 수가 있다. 그런 구조의 하나가 가변 용량형(VG) 터보차저이다.

저속형 터보차저는 응답성은 뛰어나지만 고속회전에서 배기가스의 흐름이 너무 강해져 **초킹**choking[1] 현상이 발생한다. 고속형 터보차저는 저속회전에서 배기가스의 유속이 빠르지 않아 터보 랙이 발생하기 쉽다. 따라서 터빈 주변의 크기를 결정하는 요소를 가변적으로 함으로써 이들의 상반되는 요소를 양립시켜 고속회전 영역에서 출력을 희생시키지 않으면서 저속회전 영역에서의 터보 랙을 저감시키고자 하는 것이 VGT의 목적이라고 할 수 있다.

(5) 트윈 엔트리 터보차저

터빈 하우징은 앞서 기술한 트윈 스크롤 터보차저와 같은 모양의 2개의 스크롤을 가지고 있지만, 그 목적은 배기 매니폴드(다기관) 간 배기간섭을 일으키지 않는 듀얼 구성으로 되어있다(그림 7-15). 배기 유량이 적은 저회전 영역에서의 배기 간섭을 억제시킴으로서 실린더 내의 가스 소기효율 향상과 동시에 동압과급의 적극적 이용으로 터빈 입력 에너지를 증대시켜 터빈 회전속도를 향상시킬 수가 있다.

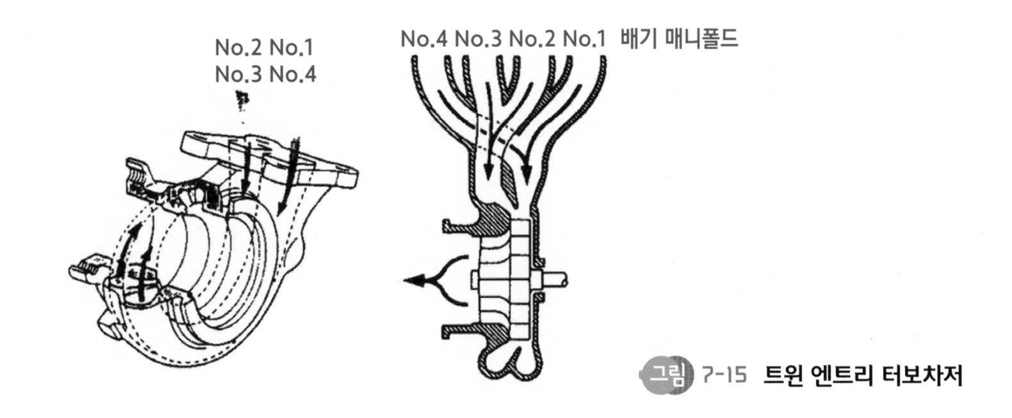

그림 7-15 **트윈 엔트리 터보차저**

(6) 트윈 터보차저(병렬 트윈 터보)

트윈 터보차저는 다기통 엔진의 최적인 해법으로 주로 6기통 이상의 배기량이 큰 엔진에서 주류가 되고 있는 시스템의 구성이다. 목적은 앞서 기술한 트윈 엔트리 터보차저와 같다. 즉 필요한 풍량을 2개의 터빈에 분담시킴으로써 관성 모멘트(회전 질량)을 억제할 수 있다. 6기통 엔진의 경우 1, 2, 3기통과 4, 5, 6기통을 3개씩 통합하여 각각에 독립된 포트에 같은 용량의 소형 터보차저를 배치한 것이다(**그림 7-16**).

1 가스체에 압력차가 있으면 흐름이 생긴다. 그러나 압력비를 증가시키면 유로(流路)의 최소 단면에서의 유속(流速)은 증가하되, 그 속도가 음속(音速)에 달하면 그 이상 증가하지 않는데 이 현상을 말한다.

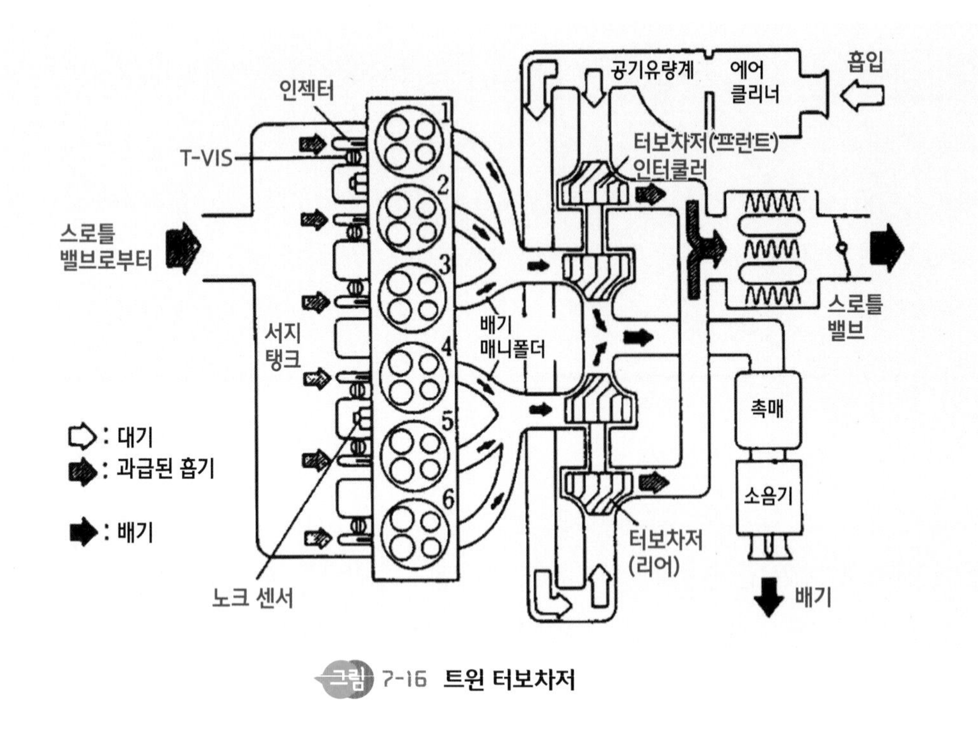

그림 7-16 **트윈 터보차저**

통합된 배기 매니폴드(다기관) 한개 당 장착하는 터빈이 소형화되므로 터보 랙을 최소한으로 억제하면서, 2개의 압축기로부터 풍량이 합쳐져 대용량을 확보할 수 있게 된다. 그리고 기통수의 증가에 비례해서 배기관의 수가 늘어나 복잡하게 되기 쉬운 배기 매니폴드(다기관)의 레이아웃을 간략화 할 수 있다는 장점도 있다.

(7) 세라믹 터보차저

터보차저에는 회전체의 관성 모멘트에 의한 회전 가속 시간의 지연이 발생하는데 이것을 일반적으로 **터보 랙**turbo-lag이라고 한다. 이러한 터보 랙의 저감을 위해 세라믹 휠을 일부의 엔진에 채용하고 있다. 세라믹과 메탈의 비중은 각각 3.4와 8.2로 관성 모멘트를 반감할 수 있으며, 가속 성능을 비약적으로 향상시킬 수 있다(**그림 7-17**).

하지만 세라믹 휠은 내열성은 우수하지만 미세 결함이 발생할 경우 강도가 현저히 저하한다. 또한 세라믹과 터빈 하우징과는 열팽창률이 크게 다르기 때문에 휠과 하우징 내벽과의 **간격**clearance을 작게 할 경우 휠과 부딪혀 휠이 파손될 가능성이 있다. 이러한 이유로 간격을 크게 할 경우 효율이 떨어지는 경우도 있다. 따라서 세라믹 휠의 사용상 과제로서 강도 분포 및 취성 재료의 특성을 베인 설계 및 튜닝 시 고려할 필요가 있다.

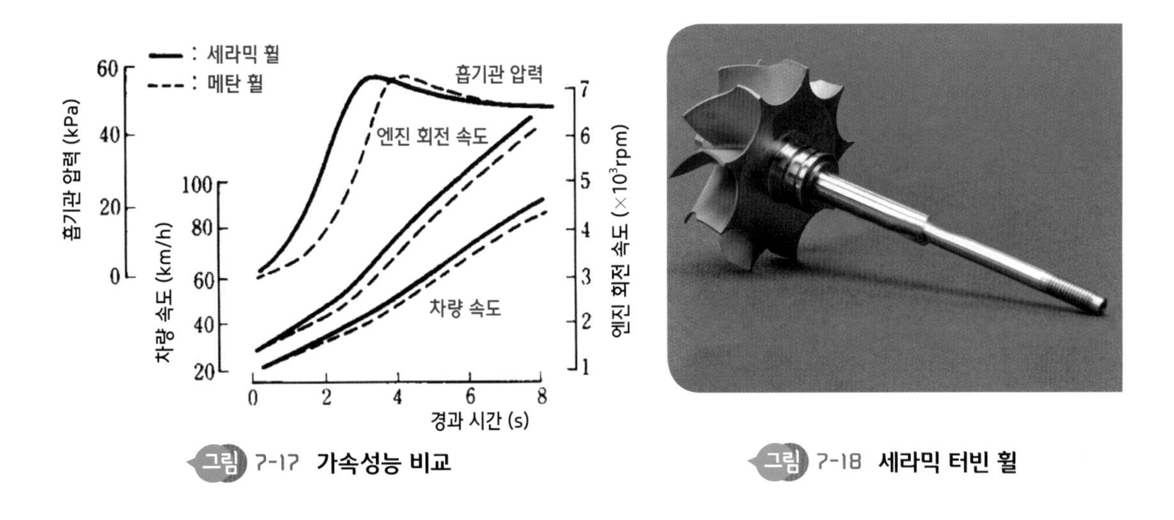

그림 7-17 가속성능 비교

그림 7-18 세라믹 터빈 휠

7 복합 과급 시스템

터보과급 엔진의 저 회전 영역에서의 가속성능 향상과 수퍼차저 엔진의 고속회전 영역에서의 출력향상이라는 두 가지 목적을 모두 만족시키기 위해 사용되는 시스템이 복합 과급 시스템으로 아래와 같이 분류할 수 있다.

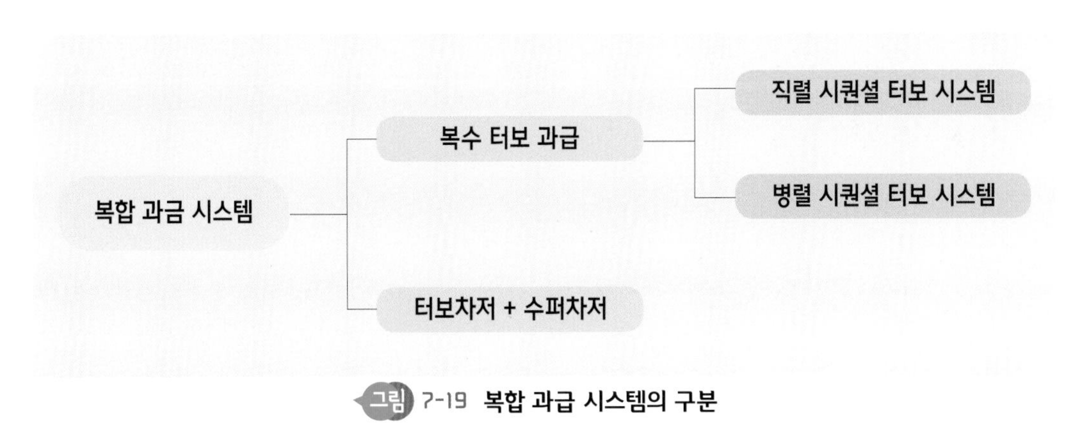

그림 7-19 복합 과급 시스템의 구분

(1) 직렬 시퀀셜sequential 터보 시스템

엔진의 저 회전 영역에서는 소(小) 유량용 터빈에 배기를 전량 흐르게 하고, 중고회전 영역에서는 배기 전환 밸브를 열어 대(大) 유량용 터빈으로 배기를 흐르게 한다(**그림 7-20**).

이 시스템에서는 소 유량에서 대 유량 터빈으로 전환시킬 때 토크의 단차를 저감시키기 위한 제어가 중요하다.

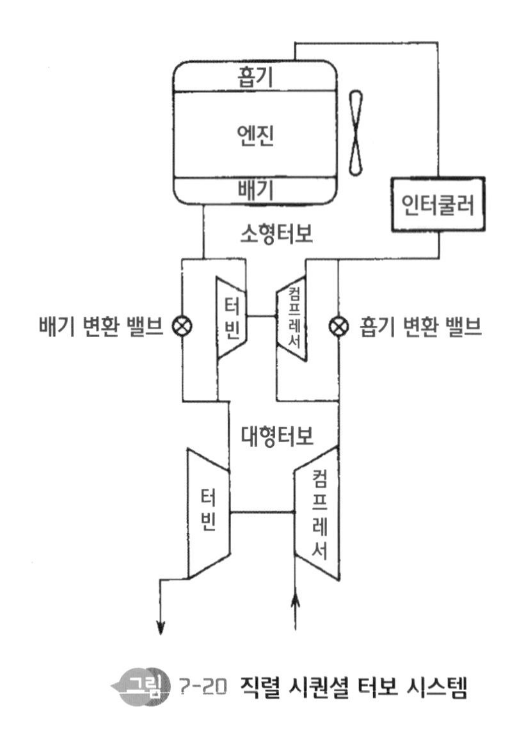

그림 7-20 직렬 시퀀셜 터보 시스템

(2) 병렬 시퀀셜sequential 터보 시스템

시퀀셜 터보 시스템은 엔진의 저속 구간에서 **주**Primary 터보차저 하나만을 사용하여 터보 랙을 더욱 감소하고, 고속 구간에서는 **보조**Secondary 터보자저 혹은 두 터보차저를 모두 사용하여 최대 출력을 극대화 하는 방식이다.

엔진의 저속에서 중속 구간에서는 사용 가능한 배기 에너지가 매우 한정되어 있으므로, 주 터보차저 하나만을 사용하여 작은 터보차저의 장점을 이용하고, 엔진속도가 증가하면 보조 터보차저도 함께 사용하여 전체 시스템의 **유동영역**Flow Range을 증가 시키고 엔진 출력을 극대화 한다.

그림 7-21에는 1992-2002년식 Mazda RX-7에 사용된 시퀀셜 터보 시스템의 작동원리를 나타내었다. **기본 흐름도**Primary Flow Diagram를 보면, 엔진의 중·저속 구간에서 보조 터보차저에 배기가스를 공급하는 밸브는 닫아 배기가스가 주 터보차저로만 공급되도록 해서 터보 랙을 줄이고 저속에서 엔진 출력을 향상시킬 수 있다.

엔진 속도가 3,500rpm이 되면 **전환단계**Intermediate Stage가 된다. 그림에서 보는 바와 같이 보조 터빈으로 **배기가스를 공급하는 밸브**Exhaust Gas Supply Control Valve가 열리기 시작하여 보조 터보차저가 완전히 기능을 발휘하기 시작하는 4000rpm이 되기 전에 미리 필요한 속도까지 가속시킨다. 이런 과정을 **프리 스풀**Pre-spool이라 부른다.

이때 흡기조절 밸브는 닫혀 있어 보조 압축기는 아직 압축을 하지 않으며, 이로 인해 보조 터보차저의 가속이 보다 빨리 이루어진다. 또한 보조 압축기를 거쳐 압축된 공기는 **압력경감 밸브**Pressure Relief Valve를 통해 배출되어 압축기 **서지**Surge를 방지한다.

이런 과정을 거쳐 미리 보조 터보차저를 가속시키는 이유는 곧바로 밸브를 완전히 개방할 경우 일시적으로 **부스트**Boost 압력이 급격히 저하되는 것을 방지해 엔진 운전을 부드럽게 하기 위함이다.

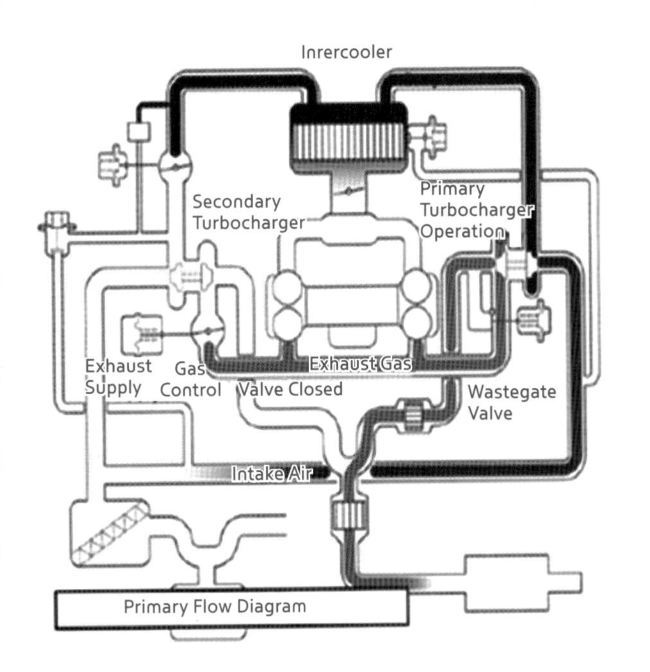

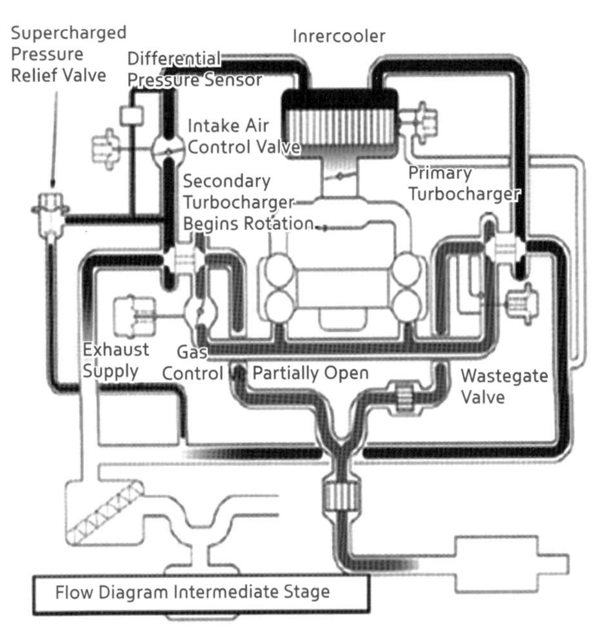

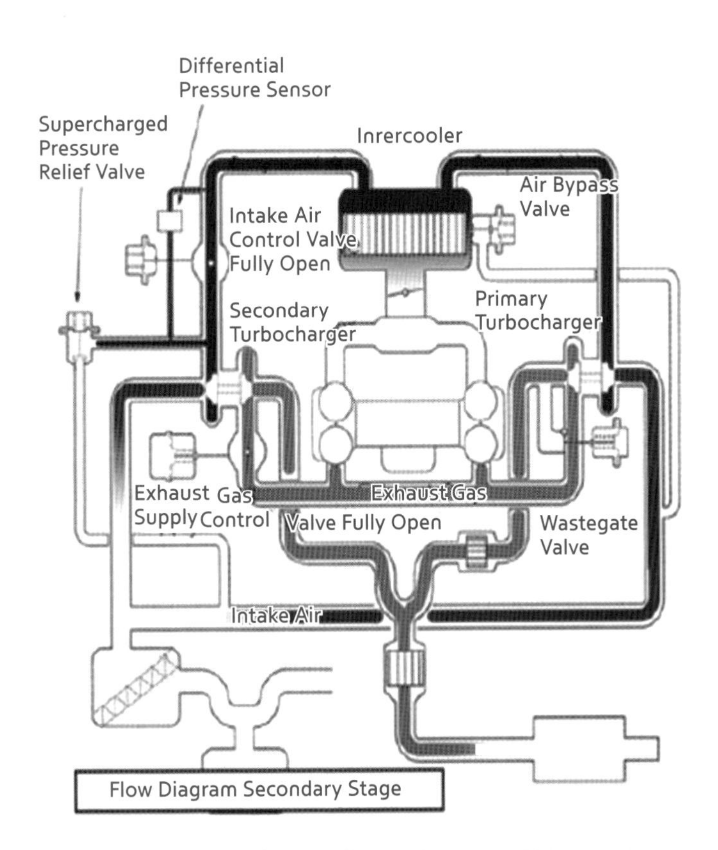

 7-21 병렬 시퀀셜 터보 시스템(Mazda RX-7에 적용)

최종적으로 엔진 속도가 4,000rpm이 되면 밸브가 모두 열리고, 주 터보차저와 보조 터보차저가 동시에 엔진에 압축공기를 공급해서 엔진 출력을 높여준다. 그 결과 이전 모델에 사용했던 일반 터보차저와 비교해서 최고 부스트 압력에 도달하는 시간은 30% 단축되고, 엔진 최고 출력은 25% 증가하는 효과를 나타내었다.

그러나 시퀀셜 과급이 트윈 터보차징에 비해서 터보 랙을 감소시키고, 또 최고 출력 또한 그대로 유지할 수 있는 장점에도 불구하고, 그림에서 보는 바와 같이 배관과 컨트롤이 매우 복잡하고, 다른 시스템에 비해서 비용이 많이 드는 단점이 있다.

(3) 터보차저 + 수퍼차저 과급

엔진의 저회전 영역에서는 수퍼차저를 작동시켜 저속 토크 및 가속 성능을 향상시킨다. 고 회전 영역에서는 수퍼차저의 구동손실을 감소시키기 위해 전자 클러치에 의해 수퍼차저를 정지 시키고, 흡기 바이패스 컨트롤 밸브를 열어 흡기를 수퍼차저에 경유시키지 않고 터보차저로 직접 보낸다(**그림 7-22**). 이 과급기술을 **트윈 차저**Twin charger 라고도 한다.

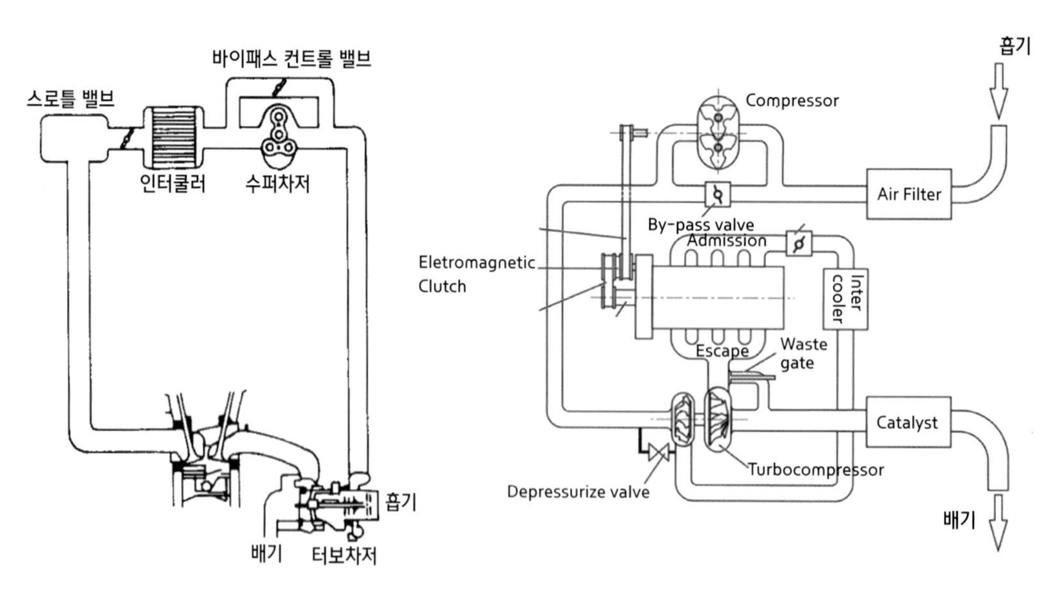

그림 7-22 **터보차저 + 수퍼차저 과급 시스템**

02 수퍼차저

수퍼차저supercharger는 과급기 방식 중의 하나이다. 엔진의 출력축으로부터 벨트 등을 통해 동력을 공급받아 압축기(컴프레셔)를 구동하여 공기를 압축 엔진에 공급하는 방식이다. 배기 터빈식의 과급기(터보차저)와 비교하면 스로틀에 대한 반응이 뛰어나며, 저회전 상태에서 과급 효과가 높다.

하지만 항상 압축기를 구동하고 있기 때문에 엔진의 효율이 떨어지며, 동력 차단 기구가 없는 방식의 슈퍼차저는 아이들링 상태에서도 항상 과급압이 걸려 있으므로 연비가 매우 나빠지며, 고회전에서 출력손실이 발생한다. 그리고 부품 수나 기계 가공이 많이 필요하여 비용이 높아지며, 중량·부피도 큰 단점이 있다.

그림 7-23 수퍼차저(Eaton MP62)

1 과급일

수퍼차저의 구동일은 공기의 압축일과 기계손실로 분류된다(**그림 7-24**). 수퍼차저는 과급을 위해 엔진 크랭크샤프트의 구동마력을 소비한다. 따라서 실제 향상되는 축출력은 과급에 의해 발생한 출력에서 구동마력을 뺀 값이 된다. 이 구동 마력은 수퍼차저의 전효율 η_{sc}에 의해 크게 영향을 받으며 다음 수식과 같이 나타낸다.

$$\text{구동마력} = \frac{\frac{J}{75} \cdot C_p \cdot G_a \cdot \Delta T_1}{\eta_{sc}} (PS)$$

η_{sc} : 수퍼차저의 전효율
J : 열당량(kcal/kg·m)
$\triangle T_1$: 단열압축에 의한 온도상승(℃)
C_p : 정압비열(kcal/kg℃)
G_a : 흡입공기량(kg/s)

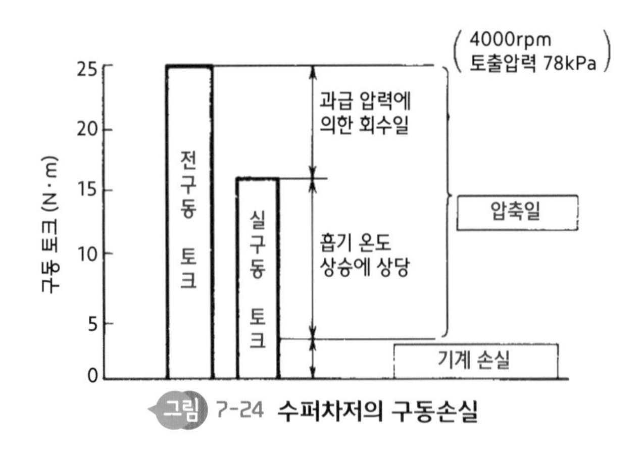

그림 7-24 **수퍼차저의 구동손실**

수퍼차저에서 공기의 압축일은 피할 수 없는 손실이다. 전 효율을 높이는 방법은 내부 압축을 동반하는 수퍼차저의 선정이나 수퍼차저 내부에서의 누설 유량을 줄이는 것이다. 그리고 과급을 필요로 하지 않는 경·중 부하에서는 전자 클러치를 사용하여 수퍼차저를 구동시키지 않도록 하여 불필요한 구동손실을 줄일 수 있다.

2 수퍼차저의 종류와 구조

수퍼차저에는 공기를 압축하지 않고 송출하는 비압축형과 공기를 압축하여 송출하는 압축형으로 나눌 수 있다.

(1) 루츠타입roots type (비압축형)

케이싱 내에 2개의 누에고치 모양 로터를 설치하고 샤프트에 부착한 기어에 의해 반전시킴으로써 공기를 송출한다(**그림 7-25, 26**). 로터가 축 대칭형으로 고회전화가 가능하다. 토출측으로 부터의 역류를 동반하기 때문에 소음대책이 필요하다.

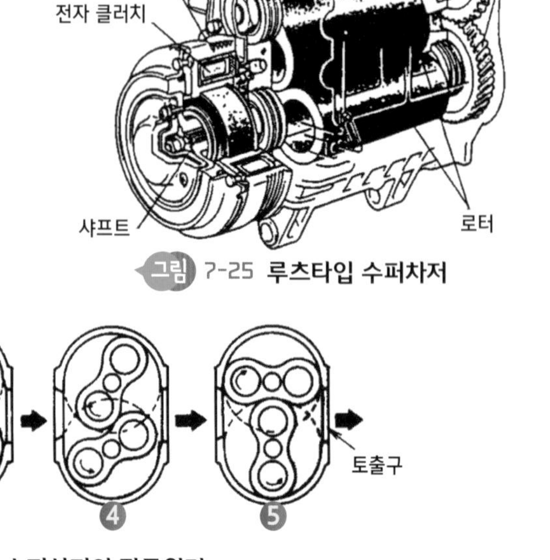

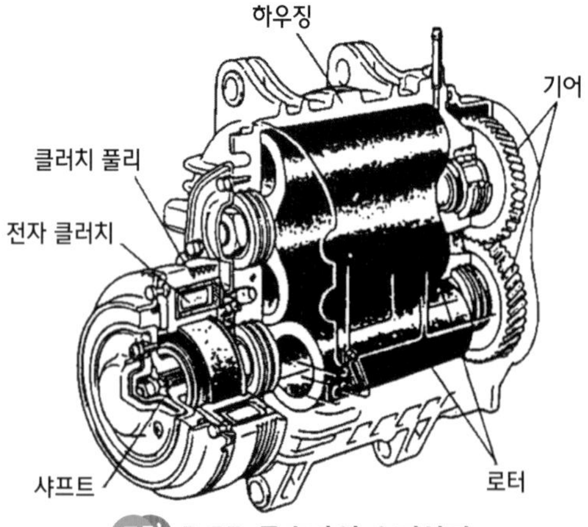

그림 7-25 **루츠타입 수퍼차저**

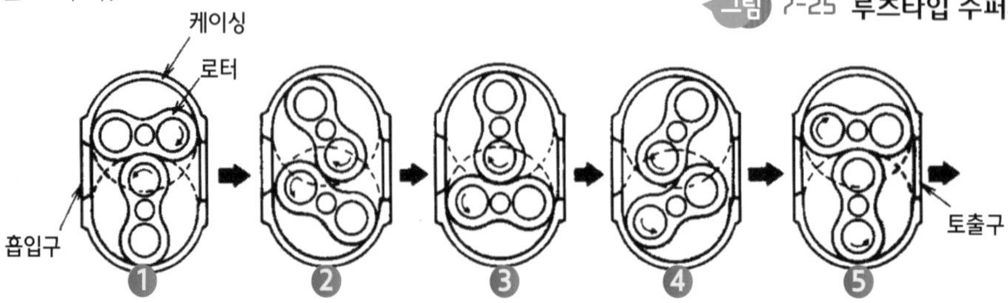

케이싱
로터
흡입구
토출구
1 2 3 4 5

그림 7-26 **루츠타입 수퍼차저의 작동원리**

(2) 베인 타입vane type (압축형)

원통형의 케이싱 안에 로터를 설치하고 그 사이를 베인으로 칸을 막은 구조다. 베인은 로터와 함께 움직이기 때문에 케이싱 내벽과 접촉을 하면서 미끄러질 뿐만 아니라 로터에 대해서도 접동된다. 이 때문에 베인의 내구성이 문제가 된다.

그림 7-27 베인타입 수퍼차저

(3) 스크롤 타입scroll type (압축형)

드라이브샤프트에 부착된 **디스프레이서**Displacer를 편심 운동시키는데 따라 공기를 압송시키는 방식이다(**그림 7-28**). 2개의 스크롤 중 1개의 스크롤은 고정(고정스크롤)시키고 다른 1개의 스크롤(무빙 스크롤)이 움직인다. 이때 무빙 스크롤의 중심은 고정 스크롤과 편심 시키고 무빙 스크롤을 회전시켜 공기를 압축하는 방식이다. 아래 그림에서 보는 바와 같이 무빙 스크롤이 시계방향으로 회전하면서 고정스크롤과 무빙스크롤 사이 공간(압축실)의 체적이 점점 작아지면서 흡입된 공기가 압축된다.

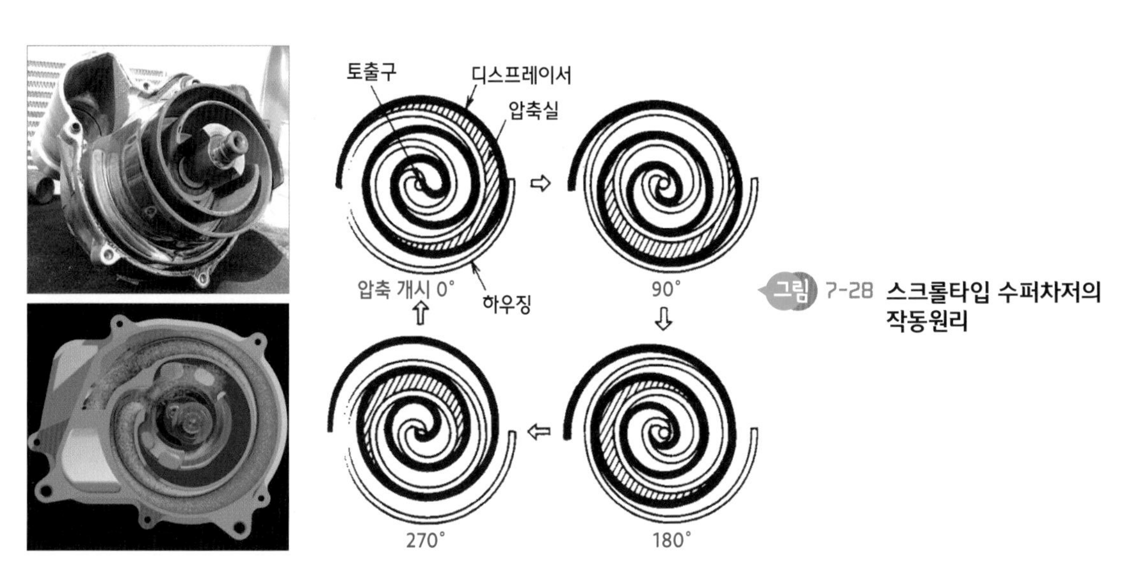

그림 7-28 스크롤타입 수퍼차저의 작동원리

(4) 스크루 타입screw type (압축형)

스크루 형상을 한 볼록형 로터와 오목형 로터를 조합시켜 공기를 축 방향으로 압송시키는 방식이다(**그림 7-29**). 이 타입은 체적당 토출량이 작기 때문에 사용 회전수를 높게 설정할 필요가 있다.

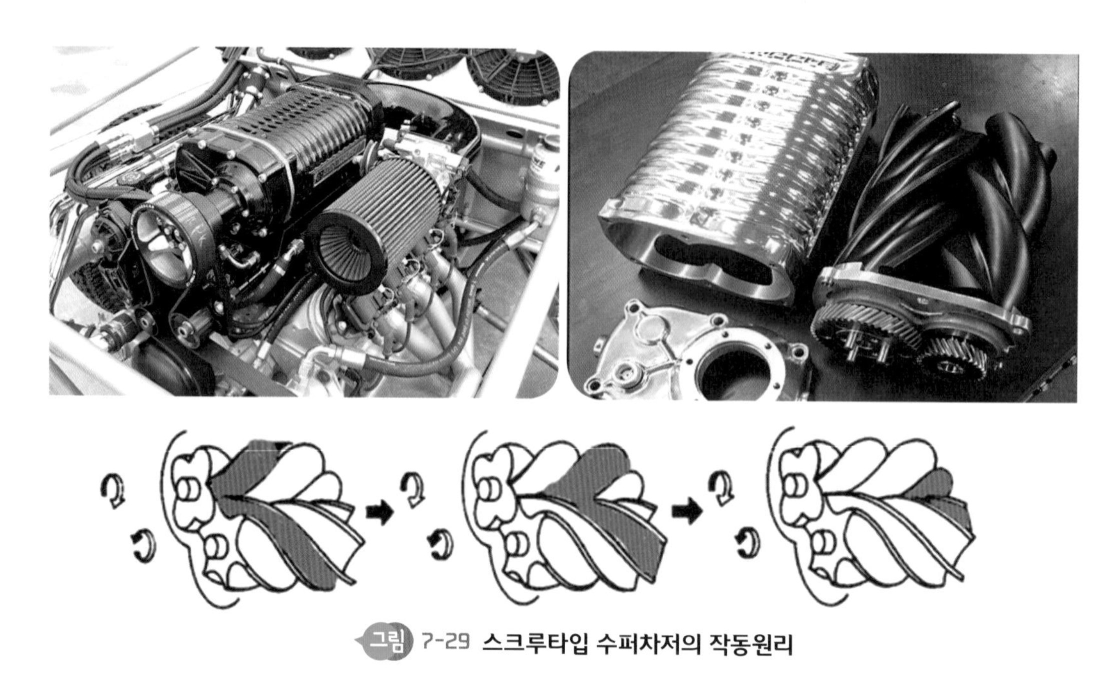

그림 7-29 **스크루타입 수퍼차저의 작동원리**

(5) 로터리 타입rotary type (압축형)

누에고치형의 안쪽 로터가 3개소에 개구부를 가지는 원통형의 바깥 로터의 안에 수납되어 있다. 2개 로터의 축심 위치는 서로 어긋나 있어 동일 방향으로 회전함에 따라 공기를 압송한다(**그림 7-30**).

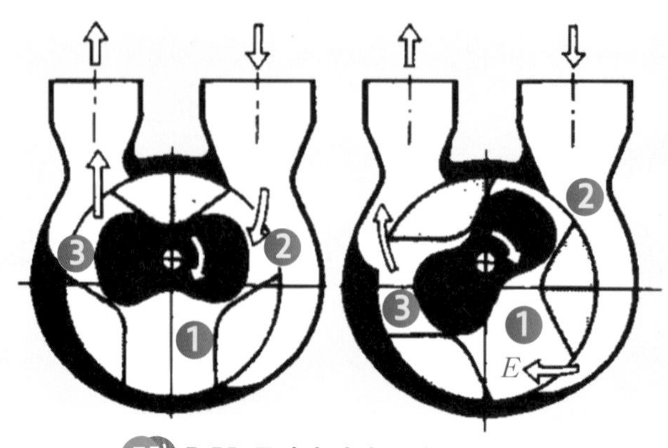

그림 7-30 **로터리 타입 수퍼차저의 작동원리**

(6) e-boost 터보차저

e–boost 터보차저는 전기모터 구동방식의 압축기로 배기압력이나 엔진의 동력을 이용하지 않고 전기모터로 구동하여 공기를 압축한다. 터보차저에 비해 과급압력은 약하지만 자연흡기(N/A)엔진에 장착할 경우 완전연소에 의한 출력향상 효과가 높고 인터쿨러가 필요하지 않다. 하지만 부피가 크고 배터리의 소모가 많은 것이 단점이다.

e–boost의 장점은 다음과 같다.

① **향상된 과도 부스트 응답성 :** 목표 출력 변화에 다른 목표 과급 공기량을 신속하게 유입시켜 터보 랙을 획기적으로 줄임

② 자유로운 각도의 공기통로 제어로 배출가스 저감

③ 저속토크 및 연비 향상

- "아우디 SQ7"에 적용된 e–boost의 경우 약 250ms 이내에 목표유량 전달 가능하며, 압축기 휠은 70,000rpm까지 회전함

그림 7–32, 그림 7–33은 "BorgWarner"사의 e–booster이다.

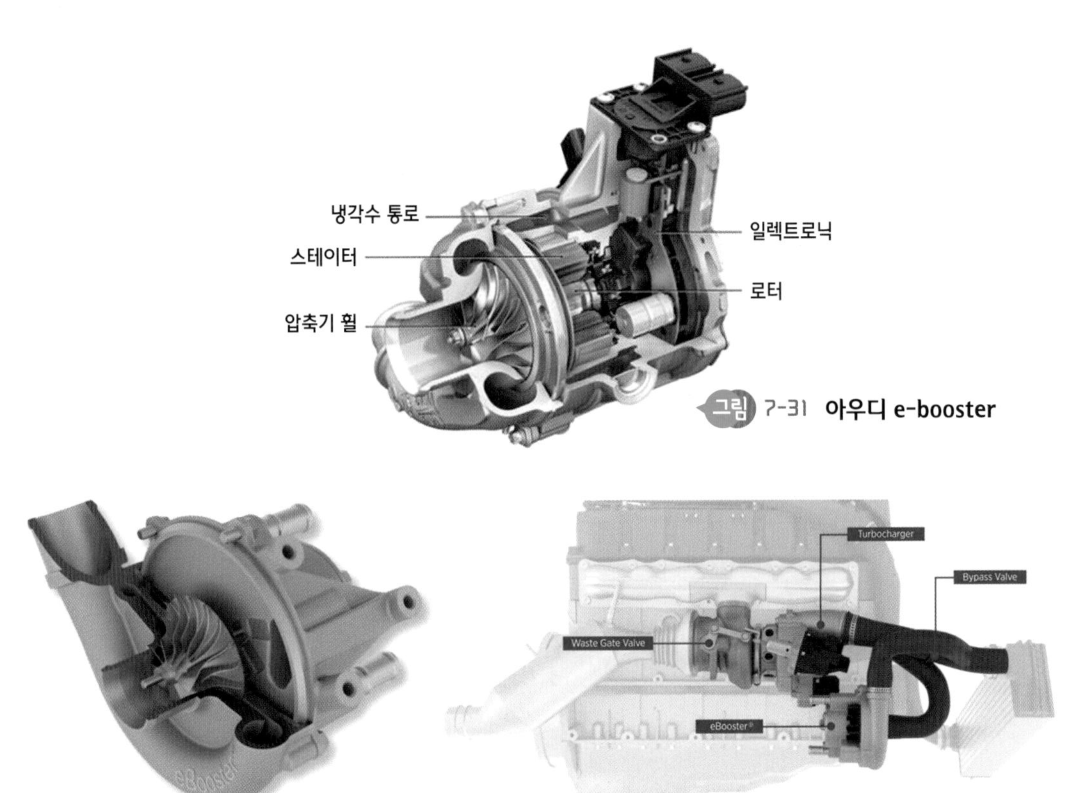

그림 7-31 아우디 e-booster

그림 7-32 e-booster(BorgWarner co.)

자동차 및 엔진이 저부하와 일정속도로 작동중일 때에는 e-Booster가 비활성화됨

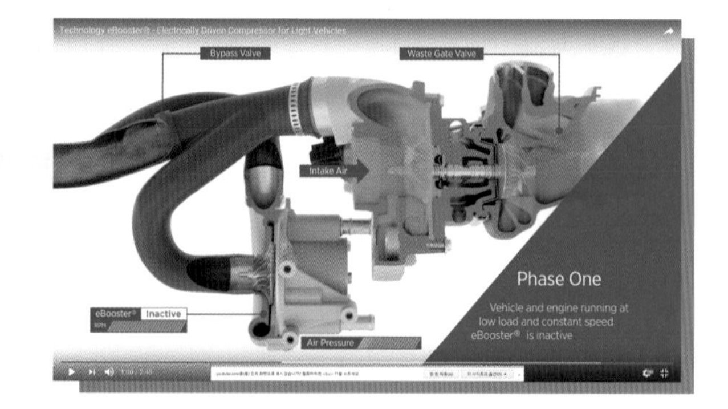

2 단계

운전자가 가속 페달을 밟으면 즉시 반응하여 부스트 압력을 제공함

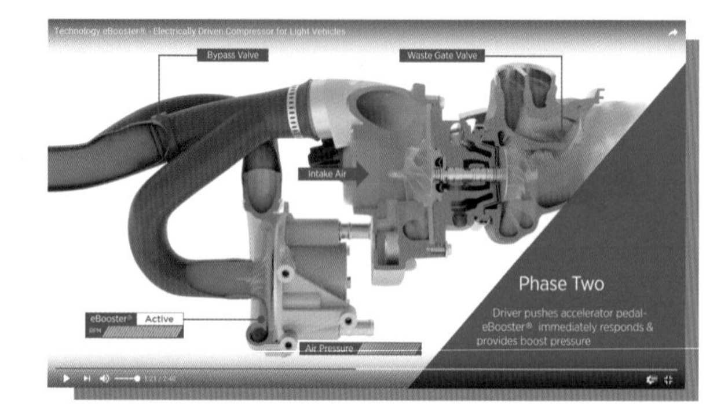

3 단계

터보차저가 e-Booster보다 높은 부스터 압력을 제공할 경우 e-Booster는 작동하지 않음

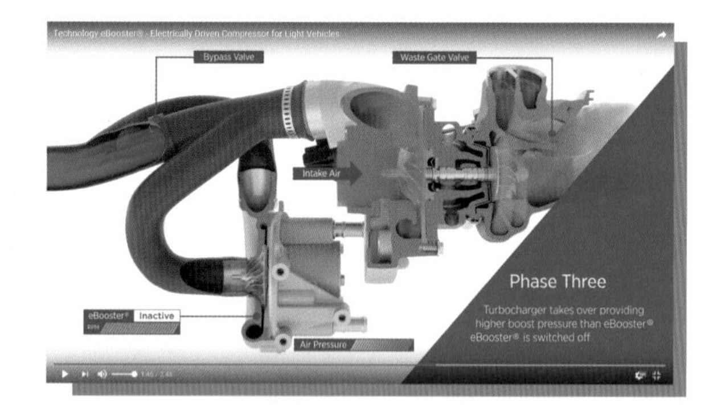

4 단계

e-Booster의 작동 영역 그래프

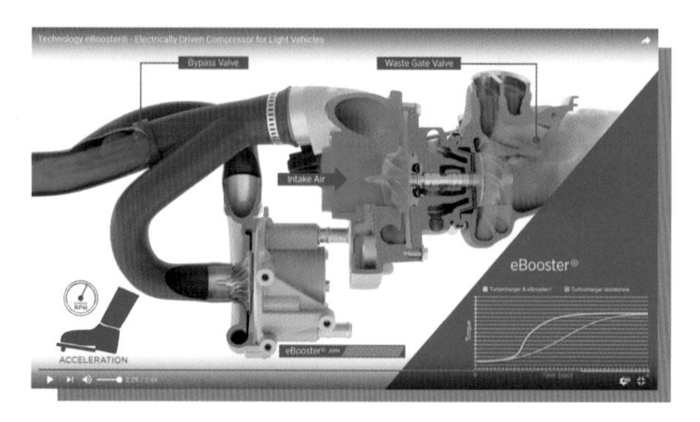

그림 7-33 "BorgWarner"사의 e-booster 작동원리

03 터보차저 튜닝

1 터보차저 튜닝 시 고려사항

부스트 업boost up을 하게 되면 공기량이 증가하게 되므로 연료의 증량이 필요하게 되고 엔진 실제 압축비의 증가, 연소 과정의 변동이 수반하므로 점화시기의 변경 역시 필요하게 된다. 또한 양산 터보 엔진들은 정밀한 공기량 측정을 위해 **직접 검출식**mass flow type **공기량 센서(AFS**Air Flow Sensor)를 사용한다. 만약 부스트 업을 하여 최대 측정 유량 범위를 벗어나게 되면 그 이후의 공기량 값은 계측할 수 없게 된다.

공기량 센서와 마찬가지로 **과급압 센서(BPS**Boost Pressure Sensor) 역시 기존 측정 범위를 벗어나게 되면 한계 과급압 이후의 센서 출력 전압이 일정하게 되어 측정 한계 이상의 과급압 측정은 불가능하다. 따라서 공기량 센서 이외에 과급압 센서의 용량을 확인해야 한다. 공기량 센서와 압력 센서들을 측정 범위가 큰 것을 사용하게 되면 같은 출력 전압에서의 공기량과 압력이 다르게 되므로 전자 제어 측의 변경 또는 보정이 필요하다.

인젝터의 경우 증량된 공기량만큼 분사량이 충분한지 확인해야 한다. 대용량 공기량 센서로 교환 후 공연비 미터를 장착해 특정 부하에서 인젝터 개도율을 살펴보면 증가된 공기량, 예상 출력, 터보의 특성 등을 근사식이지만 예측할 수 있다. 이는 엔진의 체적 효율, 캠 프로파일, 하드웨어 등에 따라 변수가 많아서이다. 출력전압과 인젝터 개도율로 터보 용량과 특성의 예측이 가능한 터보의 용량이 크다면 동일한 부스트 압에서도 어느 일정한 부하에서 같은 공연비 값에 상응하는 공기량 센서의 출력값은 커질 것이다. 또한 다른 부하에서의 공기량 센서 출력 전압과 인젝터 개도율을 살피면 대략 그 터보의 용량과 특성을 예측할 수 있을 것이다.

터보의 특성을 파악하여 컴프레서 효율이 좋은 압력비를 설정할 수 있다. 컴프레서 효율과 압력비가 10% 정도만 변동해도 터보 용량에 따라 흡기 온도가 20℃ 전후로 변화할 수 있다.

부스트 업 이전에 흡기 측 체적 효율을 높이기 위해 실린더 헤드 튜닝이나 하이 캠과 같은 엔진 튜닝이 되어 있다면 컴프레서 효율 상승효과를 충분히 얻을 수 있을 뿐만 아니라 흡기 밀도를 높일 수 있어 부스트 업의 효과는 더욱 커지게 된다.

상대적으로 터보의 용량이 작다면 고회전 영역의 토크 상승효과는 떨어지지만 이때는 흡기, 측 캠 타이밍 지각 측의 변경으로 조금이나마 효과를 볼 수 있다. 그러나 초반 토크의 희생이 따를 수 있으며, 폭 넓은 토크 영역을 얻게끔 조정하는 것이 관건이다. 통상 소 용량 터보의 경우에는 하이 캠을 적용해서도 중속 영역대의 토크는 얻기 쉬워도 고회전 토크를 얻기는 쉽지 않다.

터보 엔진의 토크 성격은 고 유량 튜닝이 된 자연 흡기 엔진의 토크 특성과 다르다. 자연 흡기 엔진은 고회전에서 높은 유량을 얻을 수 있기에 운전 편의성, 내구성, 기계 효율 면에서는 떨어지겠지만 평탄한 토크 곡선을 얻을 수 있다는 점에서 드라이빙을 즐길 수 있는 운전자라면 컨트롤하기 쉽고 고회전에서의 박력 있는 엔진 속도를 여유롭게 즐길 수 있는 토크 특성을 가져다 줄 수 있다. 이런 맥락에서 부스트 업 설정에서 운전자의 취향에 맞는, 그 엔진과 터보의 특성에 적합한 부스트 설정이 필요한 것이다.

터보 엔진의 과급압 조절은 터보 **내부**에 **배기가스 방출 밸브**internal waste gate valve type가 장착된 타입과 별도로 **외부**에 **방출 밸브**external waste gate valve를 장착하는 방식을 주로 사용한다.

부스트 업에서는 목표 부스트 압력에 가까운 액추에이터가 필요하다. 그러나 기존 터보의 액추에이터 작동 과급압이 0.6bar 정도라면 부스트 업 +0.4bar 정도는 경험적으로 고회전, 고부하에서 부스트 압력을 무난하게 유지하였다. 또는 그 이상의 부스트 업도 가능하지만 이 경우 터빈이나 엔진의 내구성이 떨어지게 된다.

터보차저의 성능을 최대한 발휘시키기 위해서는 **머플러**muffler, **인터쿨러**intercooler, **에어 클리너**air cleaner, **서지탱크**surge tank, 과급압 조정용 **액추에이터**actuator, **웨스트게이트 밸브**waste gate valve, **배기 매니폴드(다기관)**exhaust manifold 등과 같은 주변장치의 튜닝이 필요하다. 특히 높은 회전속도로 작동되는 터보차저를 일정한 성능으로 유지하기 위해서는 배기라인의 압력을 같게 해줌으로써 터보차저의 성능을 한층 더 향상시킬 수 있다.

과급압의 증대에 따른 연료 공급량 보정을 위해 연료펌프와 인젝터 용량을 크게 하거나 연료 공급 압력을 높여 인젝터 분사량을 증가시킬 필요가 있다. 일반적으로 점화시기가 10°진각 될 때마다 점화플러그의 온도는 약 70℃ ~ 100℃정도 상승하는 것으로 알려져 있다. 그러므로 터보튜닝 시 점화플러그의 열가를 한 단계 높은 **냉형 플러그**

cold type로 변경하거나 엔진 특성에 맞도록 적당한 열가의 점화플러그로 변경할 필요가 있다. 점화플러그의 전극 온도가 너무 높을 경우 전극이 녹거나, 노킹의 발생 원인이 되며, 반대로 너무 낮을 경우 **자기청정온도**self cleaning temperature 450℃~850℃를 유지하지 못하게 되므로 전극에 카본 퇴적물이나 그을음 발생으로 점화에너지의 방출을 방해하여 엔진성능을 저하시키기 때문이다.

또한 과급이 되면서 압축압력과 연소압력이 높아지게 되므로 이에 대응하기 위해 강성이 높은 피스톤으로의 튜닝과 출력상승에 맞도록 라디에이터나 인터쿨러의 용량을 크게 하는 등과 같은 냉각계통의 강화 그리고 튜닝 엔진의 사용 목적에 따른 최적 효율의 압축비 선정과 과급압 선정 등의 엔진 세팅이 필요하다.

2 터보차저 튜닝 사례

(1) 과급에 따른 연료 공급량 보정을 위한 연료계통의 튜닝

부스트압의 상승으로 인해 실린더 내에 많은 공기가 유입됨에 따라 그에 맞는 하드웨어적 연료량이 필요하다. 이에 대용량 인젝터, 연료펌프, 연료리턴 등 연료시스템을 보완해야 될 필요성이 있는데 적절한 연료량의 조절로 고출력, 내구성과 안정성을 꾀할 수 있다.

만일 연료량이 부족할 경우 연소실 온도 상승으로 실린더 내 노킹을 초래하거나 피스톤이 녹아 결국 엔진손상의 결과가 초래된다. 반대로 연료량이 많을 경우 시동성 불량, 인젝터 개폐 시 흐르는 연료를 조율하지 못해 엔진부조와 출력저하, 연비가 저하가 발생한다. 연료의 양을 증가하기 위해서는 해당엔진의 목표출력을 정하고 하드웨어를 이해함으로써 적절한 연료시스템을 선정해야 한다. 그 절차는 **인젝터 → 연료펌프 → 연료리턴(연료압력 레귤레이터)**의 순으로 결정하는 것이 좋다.

대부분의 경우 터빈을 교환하고 부스트압력을 상승시킬 때에는 연료량이 부족해 연료 공급량을 조절하는데 신경을 써야하며, 또한 점화시기를 조절해야만 엔진의 내구성을 확보할 수 있다.

부스트압력 1bar 이하에서의 0.1bar의 차이와 1.5bar이상에서의 0.1bar의 공기량은 상당한 차이가 난다. 이는 곧 출력과 내구성으로 직결되므로 잘 고려해서 작업함은 물론 안정성 있게 작업해야 한다.

구분 

- 제네시스쿠페2.0 순정 인젝터(약300~400cc)
- 순정160~180마력 또는 220~240마력정도의 출력을 낼 수 있음

- 630cc 대용량 인젝터
- 제네시스쿠페 2.0터보엔진의 경우 순정출력대비 약 350마력의 출력을 안정적으로 인스톨 할 수 있는 인젝터임

- 850cc 대용량 인젝터
- 제네시스쿠페 2.0터보엔진의 경우 순정출력대비 약 400마력의 출력을 안정적으로 인스톨 할 수 있는 인젝터임

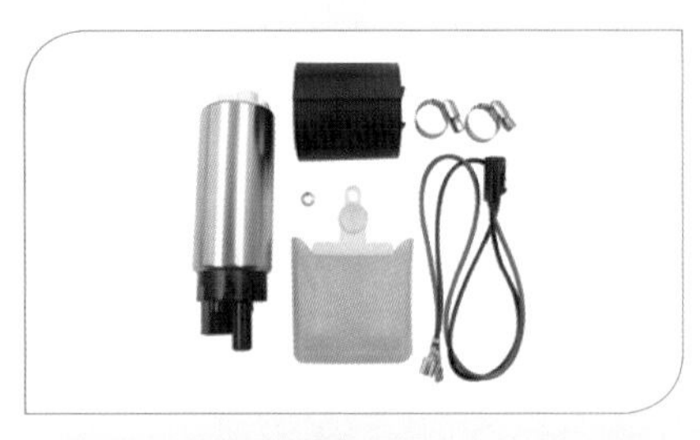

- 내장형 연료펌프
- 연료탱크 내에 설치하며 순정대비 약 1.3~1.5배의 토출량을 가짐

- 외장형 연료펌프
- 연료탱크 외부에 설치하며 주로 큰 출력의 인스톨 시 사용되며 600cc이상의 대용량 인젝터, 연료압력레귤레이터와 함께 연료리턴작업을 병행하여 사용됨
- 제네시스쿠페 2.0터보엔진의 경우 450마력이상의 고출력을 내고자 할 때 사용됨

- 연료압력레귤레이터
- 연료펌프에서 공급된 연료를 인젝터 딜리버리 파이프 내에 일정한 연료압력을 유지시켜줌
- 제네시스 쿠페 3.8 N/A를 터보 튜닝 시 압력 레귤레이터 사용
- 순정 딜리버리파이프 제어압력 2bar 이하로 제어
- 튜닝용은 3.5~4.0bar로 제어
- 과급시 충분한 연료분사량 보정
- 이때 연료펌프도 함께 교체

그림 7-34 연료계통 튜닝

(2) 터보차저 튜닝

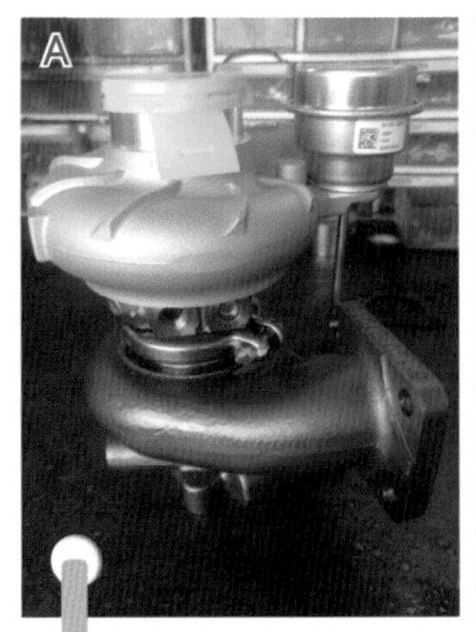

A 튜닝용 터보(XCARGOT XT-26) 순정 터보
200PS → 300PS
B 터보차저 압축기 휠 장착 모습
C 터보차져(WGT), 터보 매니폴드(다기관)
D 트윈터보 다운파이프 제작 모습

제네시스 쿠페 트윈터보
터빈 카트리지 업그레이드: TD05-14G → GTX 16G RX

아반떼 스포츠
엑스카르고 XT2, 터보매니폴더(다기관),
Tial MV-S 웨스트게이트 1.5bar 웨스트게이트 세팅

닛산 실비아 S15 엑스카르고 XT29/
TiAL wastegate 44MM
/메인텍 터보 매니폴더(다기관)/14G/350~400PS 튜닝

제네시스 쿠페 트윈터보 튜닝

그림 7-35 실 차량 터보차저 튜닝 모습

04 인터쿨러 튜닝

1 인터쿨러 튜닝 기초

인터쿨러intercooler는 엔진의 냉각수 온도를 조절하는 라디에이터와 마찬가지로 과급에 의해 고온 팽창된 공기를 냉각시키는 장치이다. 과급기에서 압축기(컴프레서)로 공기를 압축할 경우 물리적 법칙(단열압축)에 의해 엔진 흡입 공기의 온도가 상승하게 된다. 이 때문에 가솔엔진의 경우 충전효율이 저하함과 동시에 혼합기 온도가 상승하여 노킹의 발생이 쉽게 되므로 점화시기의 지각이 필요하다. 이것은 최적 토크를 낼 수 있는 점화시기로(MBT)부터 늦춰지기 때문에 토크 저하와 배기온도상승으로 터빈 입구 온도가 허용온도를 넘어서게 되어 터빈의 내구성이 저하된다.

이 대책으로 압축후의 흡기온도를 낮추고 과급압을 더욱 높여 출력을 증가시킬 목적으로 인터쿨러(중간 냉각기)를 부착하여 흡입공기 온도를 저하시킴으로써 인터쿨러에서 냉각되어 체적 당 공기(산소)의 밀도가 높아진 급기의 공급으로 충전효율 상승과 노킹 억제로 출력의 증대를 꾀할 수 있다(**그림 7-36**).

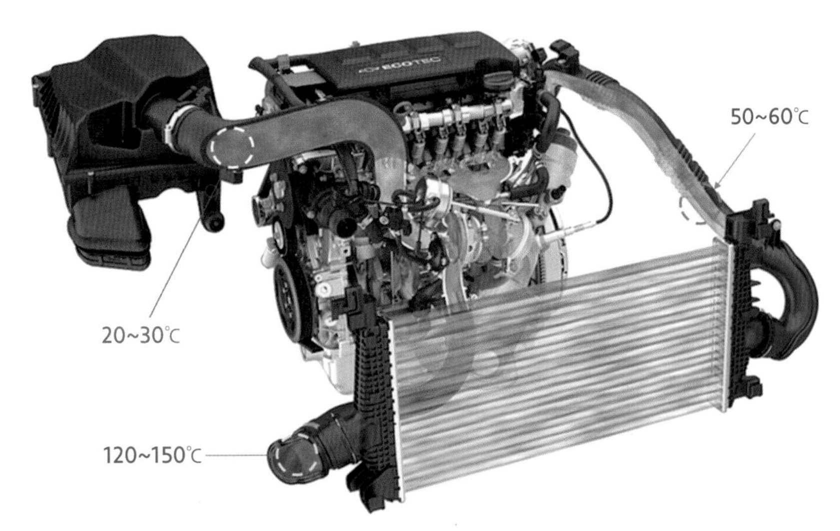

그림 7-36 GM's 1.4L 에코 텍(Eco-tec) 터보 공기흐름도

그리고 이러한 흡기의 냉각을 위한 중간냉각기인 인터쿨러에는 수랭식과 공랭식이 있다(**그림 7-37**).

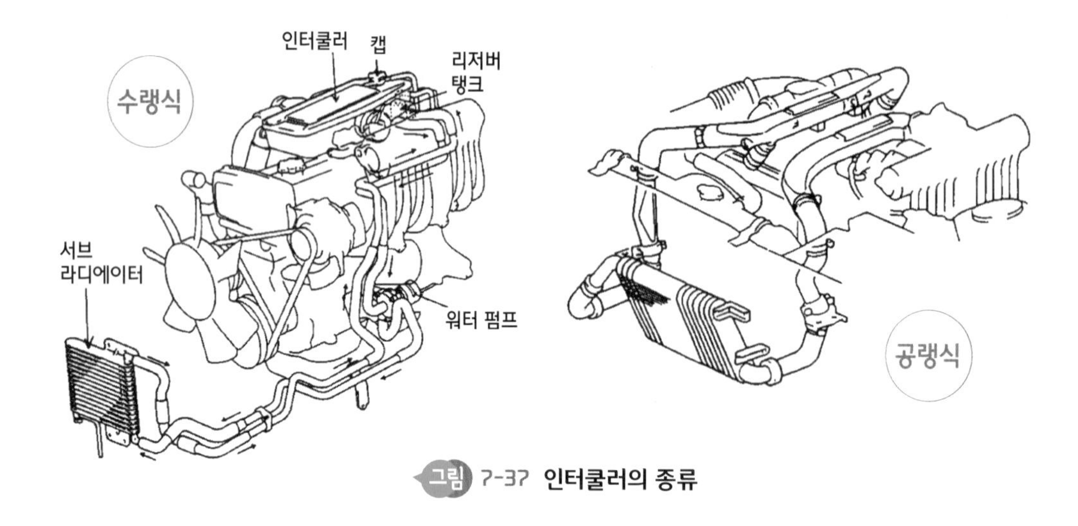

그림 7-37 인터쿨러의 종류

수랭식 인터쿨러는 냉각계통의 냉각수가 냉각작용을 하게 된다. 냉각수를 매체로 하기 때문에 인터쿨러 본체에 외기 공급이 필요 없고, 인터쿨러의 탑재 위치의 제약이 적다. 하지만 인터쿨러용 라디에이터, 냉각수 펌프 등을 필요로 한다.

공랭식 인터쿨러는 라디에이터와 비슷한 구조로 압축된 공기 주위에 외기를 공급함으로써 고온의 흡입 공기를 냉각하기 때문에 인터쿨러를 외기의 공급이 쉬운 위치에 설치해야 한다. 수랭식 인터쿨러에 비해 긴 흡기 배관이 필요하지만 구성 부품이 적고 구조가 간단하고 경량이어서 많이 채용되고 있다.

인터쿨러의 튜브는 흡기의 저항이 되어 터보차저의 압축기 출구 이후의 배관의 저항과 함께 압력 손실이 발생된다. 이것은 터보의 과급일의 증대나 공기온도의 상승을 초래하게 되므로 가능한 한 과급시스템이 작아지도록 설계해야한다.

냉각 능력과 마찬가지로 엔진 성능에 영향을 주는 요인으로 흡기계의 압력손실이 있다. 설정 과급압력(흡기 매니폴드(다기관) 내 압력)에 대해 과급기의 출구 압력을 인터쿨러 본체 및 배기계의 압력 손실을 고려하여 높게 설정할 필요가 있다. 이것은 과급기의 필요 일량의 증가와 흡입공기 온도의 상승을 초래하여 출력 저하의 원인이 된다. 인터쿨러 효율은 다음과 같이 나타낸다.

$$\phi_a H = \frac{T_a H_1 - T_a H_2}{T_a H_1 - T_a C_1}$$

T_aH_1 : 인터쿨러 입구측 엔진 흡입 공기온도 T_aH_2 : 인터쿨러 출구측 엔진 흡입 공기온도
T_aC_1 : 냉각풍 입구측 공기온도

2 인터쿨러의 구조

자동차용 인터쿨러는 일반적으로 알루미늄을 혼합한 구조의 적층타입과 튜브tube&핀fin타입이 주로 사용되고 있다. 적층타입은 동일한 표면적이라면 적층타입의 냉각효율이 좋지만 무거워지는 것이 단점이다. 튜브 & 핀 타입의 튜브는 알루미늄 압출 성형으로 제조되는 경우가 많고 내부에 핀을 붙이거나 다공관으로 방열량을 증가시킨 것도 있다.

공랭식의 경우 커다란 판 형상의 인터쿨러는 긴 파이프에 겹겹이 적층하여 긴 통로를 만든 구조로, 그 내부를 공기가 통과하는 사이에 냉각이 이루어진다. 그리고 파이프의 외측에는 얇은 핀들이 조밀하게 설치되어 표면적이 증가되어 냉각성능을 높이고 있다.

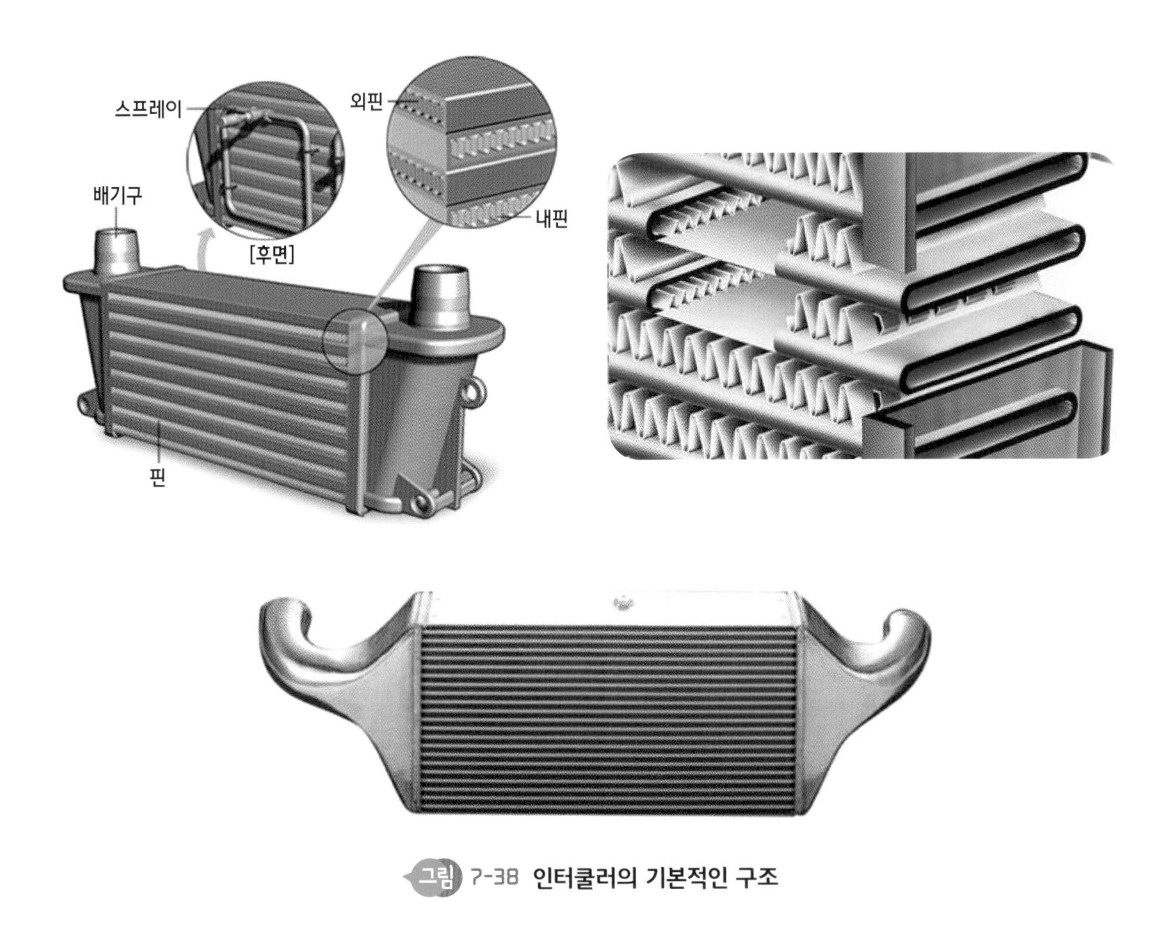

그림 7-38 인터쿨러의 기본적인 구조

인터쿨러의 재질에는 열전도율이 높은 금속이 사용된다. 현재는 소재의 조달이나 가공성을 고려해 알루미늄 합금제가 주로 사용된다. 그리고 좌우(또는 상하)로 설치되는 탱크(흡입관 호스의 연결부분)의 재료로 수지가 사용되는 경우도 많다.

내용

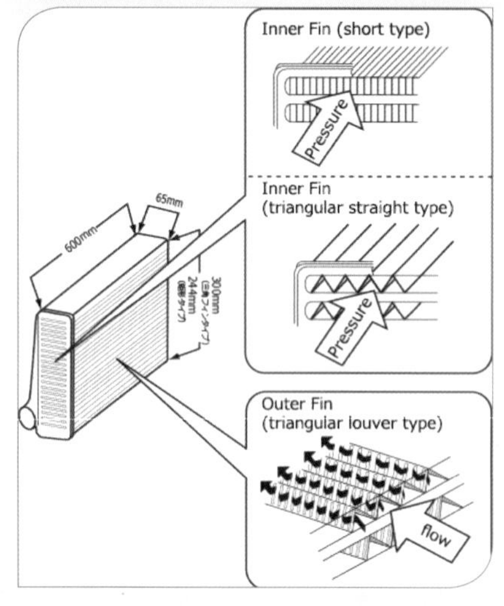

S 타입(Type) 인터쿨러

- S TYPE은 도로주행용으로 설계되었으며, 도로 주행과 중저속에서의 엔진 응답성이 좋음

(1) Inner Fin(short type)

1. 쇼트 타입(short type)
   - 냉각효율을 향상시키기 위해 피치가 작고 가벼운 핀 형상에 최적화되어 있음
2. 삼각 스트레이트 형(Triangular straight type)
   - 공기 흐름의 압력 손실을 줄이기 위한 방식

(2) Outer Fin(triangular louver type)

- 핀의 길이와 각도가 짧아 루버의 냉각효율 향상
- 루버(louver)의 넓은 표면은 냉각 시 더욱 효율적임

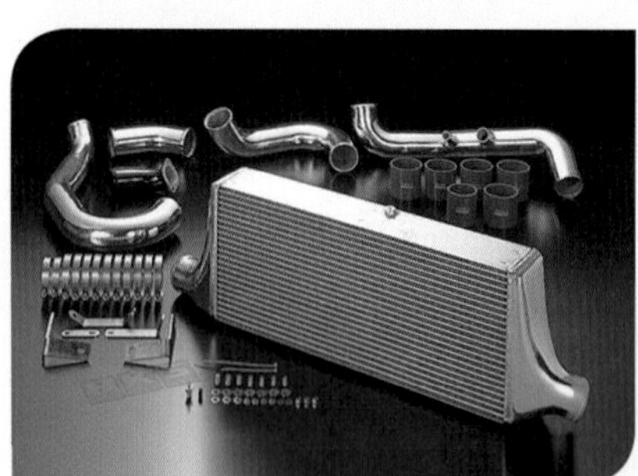

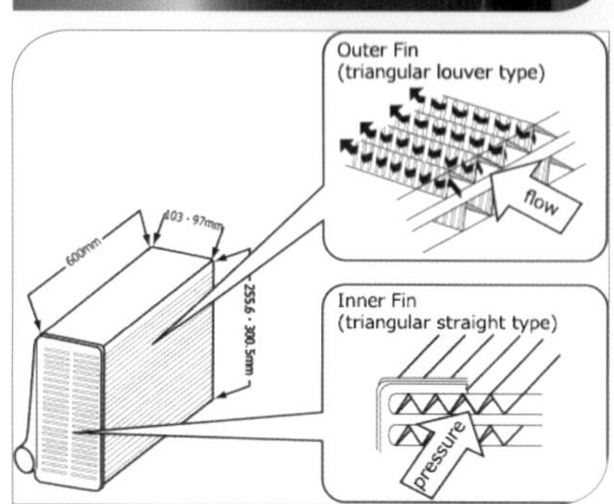

R 타입(Type) 인터쿨러

- R TYPE은 직선 주행 중 엔진 rpm과 코너링 후 가속도와 관계없이 보다나은 터빈성능 유도
- 기존 제품보다 무게가 약 25% 가벼움 (자사제품 비교)

(1) Inner Fin(Triangular straight type)

- 공기유동 압력 손실이 작음

(2) Outer Fin(triangular louver type)

- S Type과 같은 삼각형 루버 타입

그림 7-39 인터쿨러의 종류별 특징(HKS co.)

3 인터쿨러 튜닝 시 고려사항

인터쿨러 튜닝 시 냉각효율이 좋고 압력손실이 적은 타입의 인터쿨러를 선택해야 한다. 그리고 허용되는 범위 내에서 얇고 큰 구조의 인터쿨러를 자동차의 제일 전면에 배치하는 것이 이상적이다. 이때 자동차 전면부의 디자인이나 다른 부품들이 밀집해 있는 등 여러 가지 제약이 있을 경우 두개로 나누어 배치하는 등과 같은 장착방법이나 위치에 대해 검토하고, 좁은 엔진 룸 안에서 통기저항 없이 균일하게 냉각이 잘 되도록 설치해야 한다.

라디에이터나 에어컨 콘덴서에 비해 인터쿨러의 열 교환 온도범위가 낮기 때문에 각각의 통과되는 바람이 서로 영향을 주지 않도록 레이아웃을 고려할 필요가 있다. 그리고 배관이 길어지면 그만큼 압력을 높이는 공기의 용적도 커지므로 응답 지연이 발생할 수 있으므로 주의해야 한다. 또한 파이프의 길이와 표면적이 클수록 냉각성능은 높아지지만 사이즈가 확대되기 때문에 성능을 만족시키기 위한 크기의 선정이 요구된다. 그러나 냉각성능을 높이기 위해 인터쿨러의 사이즈를 불필요하게 키우게 되면 응답성이 늦고 특히 추운 겨울철에는 오히려 연소 측면에서 불리할 수 있으므로 사용목적에 따라 인터쿨러의 크기(용량)를 선택해야 좋은 결과를 기대할 수가 있다(**표 7-1**).

표 7-1 인터쿨러의 냉각효율과 압력손실과의 관계

구분	내 용
냉각 효율 향상 = 출력&토크 증가	• 인터쿨러의 냉각 효율은 코어의 정면 표면적, 냉각 핀 디자인 및 코어를 통과하는 공기 흐름을 포함한 많은 요소의 영향을 받음 • 냉각효율 향상으로 흡입 공기 온도의 감소를 최대화하여 공기밀도 증가 → 연료 공급 및 점화시기 설정 범위 확장으로 출력과 토크 증가
압력손실 감소 = 응답성 개선	• 압력 강하가 클 경우 스로틀 응답성과 토크가 감소하므로, 압력 손실을 줄이는 것이 냉각 효율성만큼 중요함 • 하지만 압력 강하를 줄임으로써 냉각 효율도 함께 저하되므로 압력 강하와 냉각 효율은 상충되는 특성을 가짐 • 압력 강하의 큰 원인은 공기가 흐르는 관의 단면적과 내부 핀 레이아웃 및 모양으로 압력손실이 적으면서 높은 냉각효율을 달성할 수 있도록 설계필요

4 인터쿨러 튜닝사례

(1) 인터쿨러 파이핑Piping

터보차저 장착으로 기존의 플라스틱 또는 고무 인터쿨러 파이프는 높은 부스트 수준에서 팽창하거나 균열 될 수 있으므로 높아진 과급 조건에서 내구성 향상 및 일관된 과급 압력 유지를 위한 파이프 튜닝이 필요하다.

유동저항과 압력 강하를 줄이기 위해 파이프는 굴곡 횟수를 줄이고 굴곡 반경을 늘려 압력 손실과 유동 저항을 최소화하도록 설계 할 필요가 있다(**그림 7-40**).

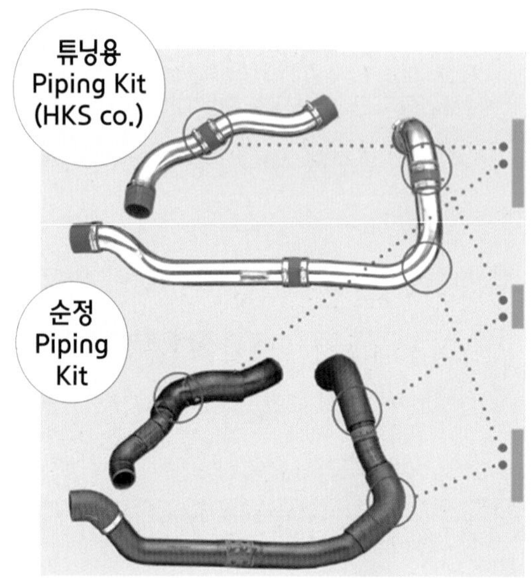

- 알루미늄 파이프는 높은 부스트 압력 하에서 흡입 공기의 팽창과 압축을 방지하고 엔진 반응을 향상
- 순정 호스에 비해 내구성과 안정성이 우수

- 직선형태의 레이아웃과 최적의 파이프 반경은 압력 손실을 최소화

- 파이프는 굴곡 횟수를 줄이고 반경을 늘려 압력 손실과 유동 저항을 최소화

그림 7-40 **튜닝용 파이프와 순정 파이프 비교**

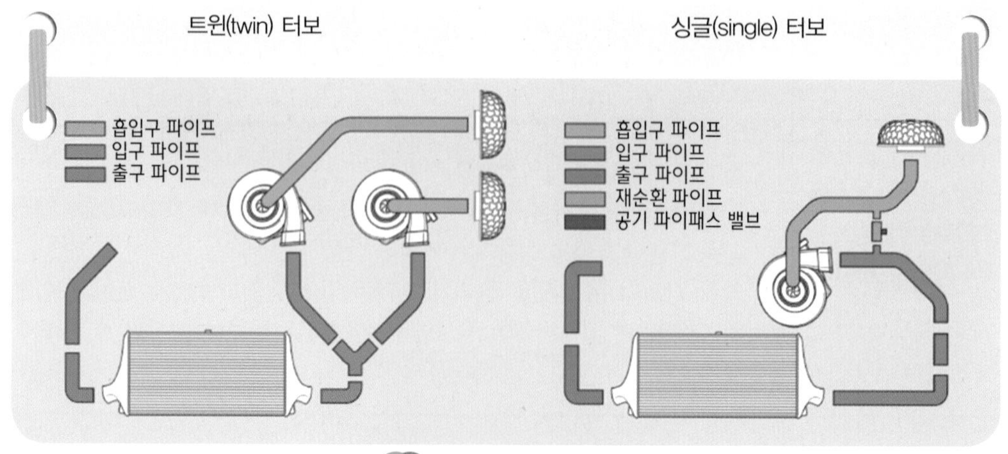

그림 7-41 **파이핑 레이아웃**

(2) 인터쿨러 튜닝

제네시스 G70 인터쿨러
튜닝 과정

인터쿨러 튜닝

그림 7-42 실 차량 인터쿨러 튜닝 모습

8 자동차기관 전자제어장치 튜닝

8 CHAPTER

자동차기관 전자제어장치튜닝

01 전자제어장치 튜닝 개요

기관의 본체 및 흡배기 시스템 튜닝 시, 이에 적합한 기관의 전자제어 부분에 대한 튜닝이 필수적이다. 기관전자제어 튜닝을 위해 사용자의 요청에 따라 기관전자제어 튜닝에 대한 선정을 협의하고, 기관 성능을 낼 수 있는 기관전자제어 시스템을 구상하고, 안전과 법규를 만족하는 기관전자제어 튜닝을 기획하는 것이 필수적이다.

1 기관전자제어 튜닝 개요

자동차의 기관전자제어 튜닝을 기획하기 위하여 기관전자제어시스템의 구성에 대하여 이해해야 한다. 자동차엔진 전자제어시스템은 일반적으로 EMSEngine Management System로 부르며 아래와 같이 입력input요소인 각종 센서와 ECUEletronic Control Unit 혹은 ECMEngine Control Module라고 하는 컨트롤러, 그리고 각종 액추에이터Actuator로 구성되어 있고 진단장비로 엔진의 고장진단 등을 수행할 수 있도록 진단커넥터가 있다.

INPUT		OUTPUT
Mass Air-flow Sensor Intake Air Temperature Sensor Acceleration Position Sensor Engine Coolant Temperature Sensor Throttle Position Sensor Camshaft Position Sensor Crankshaft Position Sensor Knock Sensor 등 각종 센서	→ ECM →	Inhector Ignition Coil Main Relay Purge Control Solenoid Valve Electronic Throttle Control Module Oil Control Valve(CVVT) Cooling Fan Fuel Pump

Diagnosis

(1) ECU

전자제어엔진 ECU는 초기에는 점화시기와 연료분사, 공회전, 한계값 설정 등 엔진의 핵심 기능을 정밀하게 제어하는 것을 목적으로 개발되었다. 그러나 현재는 차량과 컴퓨터 성능의 발전과 함께 자동변속기 제어를 비롯해 구동계통, 제동계통, 조향계통 등 차량의 모든 부분을 제어하는 역할까지 하고 있다.

엔진제어를 예로 들면, 엔진의 회전수와 흡입 공기량, 흡입 압력, 액셀러레이터 개방 정도 등에 맞추어 미리 정해 놓은 점화시기, 연료분사 등의 MAP 값을 조회하여 수온센서, 산소센서 등을 보정하고 인젝터의 열림 시간을 조정하고 점화시기를 결정한다.

그림 8-01 다양한 형태의 ECU

(2) ECU 튜닝

흔히 ECU의 튜닝을 간단하게 생각하는 경우가 많다. 예를 들어 양산 엔진에 ECU의 데이터만 바뀌면 기대 이상으로 엔진의 성능이 크게 향상될 수가 있다고 생각하지만 사실은 그렇지 않다.

기존 엔진에서 단순히 ECU의 데이터만 바꾼다고 해서 고출력으로 향상이 될 수 없으며, 그 결과는 아주 미미하다고 할 수 있다. 그 이유는 일반 양산 회사에서는 조금이라도 경제적인 엔진을 생산하기 위해서 꾸준히 연구하고 있으며, 어떻게 하면 안전하면서도 성능이 좋은 엔진을 만들 수 있을까에 대한 부단한 노력이 있기 때문이다.

다른 부분에서의 성능 향상을 위한 노력이 이루어지지 않고 단순하게 ECU의 데이터만 바꾸어 튜닝이 잘못된다면 결국은 엔진을 크게 손상시킬 수 있기 때문에 신중히 하여야 한다.

ECU의 튜닝은 주로 rpm, 연료 분사량, 점화시기, 터보 부스터 압력 등의 각종 데이터를 조율하지만 중요한 것은 기존의 기계공학을 이해하지 못하고 각종 데이터를 자신의 생각대로 바꾸게 된다면 엔진에 큰 손상이 발생 할 수가 있다.

ECU의 구조는 크게 **엔진제어프로그램**(ROM)과 **데이터**(ROM의 데이터 영역)로 구분된다. **ECU Calibration**은 이중에 데이터를 수정하는 것을 말하며 ECU Calibration

툴tool로는 엔진제어프로그램을 수정할 수 없다.

ECU Calibration은 엔진제어프로그램을 완벽히 이해한 상태에서 이루어져야 하며, Calibration을 할 때에는 전용 툴을 사용하여 편집한다.

자동차회사는 양산과정에서 **AP ECU**Application ECU를 사용하여 **캘리브레이션**Calibration을 실시하고 모든 Calibration이 완료되면 ECU를 데이터를 확정한다.

(3) 인젝터의 연료 증량보정

인젝터의 튜닝은 용량의 증가와 분사 패턴 변화로 인한 무화효율 증가, 이 2가지로 구분할 수 있다. 주로 튜닝에서 고려되는 것은 용량의 증가이며 패턴 변화로 인한 무화효율을 증가하는 것은 아주 정밀한 측정 장비가 있어야 하므로 레이스용 엔진을 개발하는 회사에서나 가능한 일이다. 연료량의 증가란 흡입 공기량 증가에 비해 기존 인젝터의 용량이 작기 때문에 대용량의 인젝터로 교환하는 것을 말한다. 인젝터 교환 시에는 반드시 연료압력과 연료 펌프의 용량도 같이 고려되어야 한다. ECU에서 연료 분사량을 결정하는 방법은 각 ECU별로 조금씩 다르긴 하지만 원론적으로 동일하다고 할 수 있다. 엔진으로 공급되는 공기량을 측정하여 각 조건별(RPM, LOAD등)로 원하는 만큼의 연료를 분사시키는 것으로 ECU의 종류에 따라 연료량 관련 **함수**FUNCTION들이 다르게 설정되어 있어서 시스템별로 차이가 나는 부분도 있지만 대체적으로 유사하다.

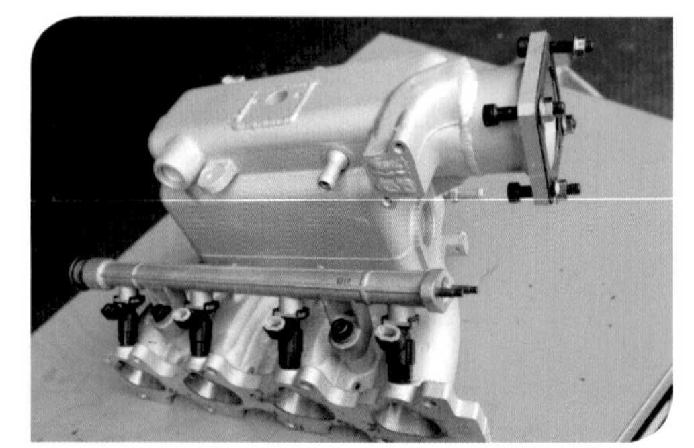

그림 8-02 인젝터 튜닝

(4) 점화시기 제어

점화시기를 위한 **드웰**Dwell 시간은 점화에너지를 축적하기 위한 점화코일의 충전시간을 말하며 이 시간을 계산할 때 크랭크각 센서 출력을 기준으로 한다.

(5) 터보차저 장착 시 고려사항

부스트 업을 하게 되면 공기량이 증가하게 되므로 연료의 증량이 필요하게 되고 엔진 실제 압축비의 증가, 연소 과정의 변동이 수반하므로 점화시기의 변경 역시 필요하게 된다. 보통 양산 터보 엔진들은 정밀한 공기량 측정을 위해 **직접 검출식**mass flow type **공기량 센서**air flow sensor를 사용한다.

그림 8-03 **터빈(좌측)과 임펠러(우측)**

만약 부스트 업을 하여 최대 측정 유량 범위를 벗어나게 되면 그 이후의 공기량 값은 계측할 수 없게 된다. 또한 공기량 센서 이외에 과급압 센서의 용량을 살펴야 한다. 공기량 센서와 마찬가지로 과급압 센서 역시 기존 측정 범위를 벗어나게 되면 한계 과급압 이후의 센서 출력 전압이 일정하게 되어 측정 한계 이상의 과급압 측정은 불가능하다.

공기량 센서와 압력 센서들을 측정 범위가 큰 것을 사용하게 되면 같은 출력 전압에서의 공기량과 압력이 다르게 되므로 전자 제어 측의 변경이 필요하게 된다. 인젝터의 경우 증량된 공기량만큼 분사 용량이 충분한지 살펴야 한다.

대용량 공기량 센서로 교환 후 공연비 미터를 장착해 특정 부하에서 인젝터 개도율을 살펴보면 증가된 공기량, 예상 출력, 터보의 특성 등을 근사식이지만 예측할 수 있다. 이는 엔진의 체적 효율, 캠 프로파일, 하드웨어 등에 따라 변수가 많아서이다. 출력전압과 인젝터 개도율로 터보 용량과 특성의 예측이 가능한 터보의 용량이 크다면 같은 부스트 압에서도 어느 일정한 부하에서 같은 공연비 값에 상응하는 공기량 센서의 출력값은 커질 것이다. 또한 다른 부하에서의 공기량 센서 출력 전압과 인젝터 개도율을 살피면 대략 그 터보의 용량과 특성을 예측할 수 있을 것이다.

그림 8-04 **터보차져 시스템**

터보의 특성을 살펴 컴프레서 효율이 좋은 압력비를 설정할 수 있다. 컴프레서 효율과 압력비가 10% 정도만 변동해도 터보 용량에 따라 흡기 온도가 20도 전후로 변화할 수 있다. 부스트 업을 하기 전에 흡기 측 체적 효율의 향상을 위한 실린더 헤드 튜닝이나 하이캠과 같은 엔진 튜닝이 되어 있다면 컴프레서 효율 상승 효과를 얻을 수 있고 흡기 밀도를 높일 수 있어 부스트 업의 효과는 더욱 커진다.

상대적으로 터보의 용량이 작다면 고회전 영역의 토크 상승효과는 떨어지지만 이때는 흡기, 측 캠 타이밍 지각 측의 변경으로 조금이나마 효과를 볼 수 있다. 그러나 초반 토크의 희생이 따를 수 있으며, 폭 넓은 토크 영역을 얻게끔 조정하는 것이 관건이다. 통상 소용량 터보의 경우에는 하이캠을 적용해서도 중속 영역대의 토크는 얻기 쉬워도 고회전 토크를 얻기란 쉽지 않다.

터보 엔진의 토크 성격은 고유량 튜닝이 된 자연 흡기 엔진의 토크 특성과 다르다. 자연 흡기 엔진은 고회전에서 높은 유량을 얻을 수 있기에 운전 편의성, 내구성, 기계 효율 면에서는 떨어지겠지만 평탄한 토크 곡선을 얻을 수 있다는 점에서 드라이빙을 즐길 수 있는 오너라면 컨트롤하기 쉽고 고회전에서의 박력 있는 엔진 속도를 여유롭게 즐길 수 있는 토크 특성을 가져다 줄 수 있다. 이런 맥락에서 부스트 업 설정에서 운전자의 취향에 맞는, 그 엔진과 터보의 특성에 적합한 부스트 설정이 필요한 것이다.

터보 엔진의 과급압 조절은 터보 내부에 **배기가스 방출 밸브**internal waste gate valve type)가 장착된 타입과 별도로 **외부에 방출 밸브**external waste gate valve를 장착하는 방식을 주로 사용한다. 부스트 업에서는 목표 부스트 압력에 가까운 액추에이터가 필요하다. 그러나 기존 터보의 액추에이터 작동 과급압이 0.6bar 정도라면 부스트 업 +0.4bar 정도는 경험적으로 고회전, 고부하에서 부스트 압력을 무난하게 유지하는 것을 볼 수 있었다. 또는 그 이상의 부스트 업도 가능하지만 이 경우 터빈이나 엔진의 내구성이 떨어지게 된다.

(6) 터보차저 장착 시 고려사항

① 섀시동력계에서 배출가스 측정

② 최대토크 성능시험

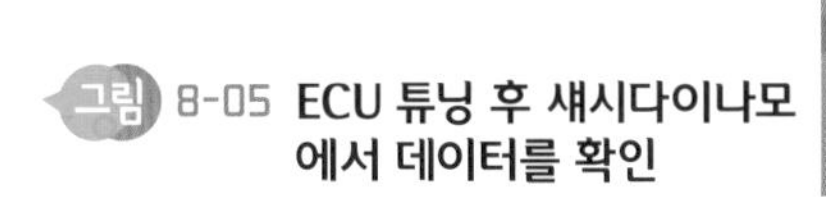

그림 8-05 ECU 튜닝 후 섀시다이나모에서 데이터를 확인

02 전자제어장치 튜닝 사양 및 주요변수

1 기관전자제어 장치의 튜닝사양

(1) 기관전자제어 튜닝을 통한 기관의 성능향상

기관전자제어 튜닝을 통하여 기관의 출력, 토크성능, 배출가스 성능, 가속성능 등에 대한 성능향상 사양을 결정한다.

(2) ECU의 입출력 요소를 검토

EMS는 ECU와 센서 및 액추에이터로 구성된다. 이 중 센서는 입력, 액추에이터는 출력장치이며 이것을 통합하는 것이 ECU이다. 이러한 ECU의 입출력 요소를 검토하여 ECU제작사의 튜닝인자를 고려하여 튜닝의 범위를 검토한다. 참고로 자동차 제작사가 사용하는 ECU 매핑항목은 **표8-1**와 같다.

표 8-01 ECU제작사에 따른 튜닝인자

항목/제작사	SIEMENS (쎄타)	BOSCH (감마)	BOSCH (알파)	DELPHI
RPM	N	nmot	nmot	VRPM
냉각수온	TCO	tmot	tmot	VCOOLTMP
흡기온	TIA	tans	tans	VIAT
차속	VS	vfzg	vfzg	VKPH
목표 RPM	N_SP_IS	nsol	nsol	IRPMDES
점화시기	IGA_AV_MV	zwout	zwout	SPARKAVG
Knock 점화시기 보정	IGA_MV_ADJ_KNK	dzwgru	dzwgru	ESCRETDF
공기량	MAF	ml (rl)	ml (rl)	AIRFLOW
TPS	TPS (PV_AV)	wdkba	wdkba	ETPSIND
O2 Sensor 보정 연료량	FAC_LAM_OUT	fr	fr	CLINTM1,2
COP 작동	LV_COP	b_lambts	b_lambts	CONVOTMP
Full Load 작동	LV_FL	b_vl	b_vl	PE
COP 연료량	LAMB_COP_1	lambts	lambts	AIRFUEL
Full Load 연료량	LAMB_FL	lamfa	lamfa	AIRFUEL

2 기관전자제어 튜닝 시스템의 법규 기준 검토 및 튜닝 맵핑항목

① 자동차관리법 상의 기관전자제어 튜닝의 범위를 검토한다.

② 자동차관리법 상의 튜닝 범위를 검토하여 법규의 범위 내에서 튜닝 사양을 결정한다.

③ 자동차 튜닝에 관한 규정을 참고한다. [시행 2016.4.18] [국토교통부고시 제2016-209호, 2016.4.18. 일부개정]

표 8-02 튜닝 맵핑 항목

항 목(예)	Mapping 내용(사례)
MAF Correction	MAF signal을 실제 공기량과 같도록 수정 매핑
VGIS (Variable Geometric Intake System)	측정 공기량을 기준으로 작동영역 매핑
PSE (Pneumatic State Estimator)	공기량, 압력 등을 예측하도록 매핑
TSE (Thermal State Estimator)	각 지점에서의 온도를 예측하도록 매핑
EBP (Exhaust Back Pressure)	Ex-Mani에서의 배압 예측하도록 매핑
Volumetric Efficiency	Cam Phasing에 따른 체적 효율 매핑
Cam Phasing	연비, 성능 등을 고려하여 최적의 Cam Phasing 매핑
Spark	MBT, DBL 등을 고려하여 Spark Timing 매핑
Fuel	Power Enrichment, 배기온도 등을 고려하여 A/F 매핑
COP (Catalyst Overtemperature Protection)	Spark Retard 등에 의한 촉매 보호를 위해 매핑
Torque Control	ETC를 사용한 Torque Control 매핑

03 전자제어장치 튜닝 작업

자동차기관 전자제어장치 튜닝 장착 작업에는 ECU 데이터와 관련되는 경우가 많아 상당한 전문적인 취급방법이 요구된다. 다음 **그림 8-6**은 흡입공기량센서(MAP), 크랭크각 센서, 캠각 센서 등과 같은 전자제어장치의 센서와 PCSV, OCV, ETS 등의 액추에이터를 나타내며 이러한 엔진 센서 및 액추에이터와 연동하여 자동차기관 전자제어장치(ECU)의 캘리브레이션을 수행한다. 그러한 작업 중에는 점화시기, 연료분사량 등의 변수 캘리브레이션 작업이 포함된다.

ETS(전자제어스로틀 장치)

MAP(맵) 센서

CAS(크랭크 각 센서)

캠각(CMP) 센서

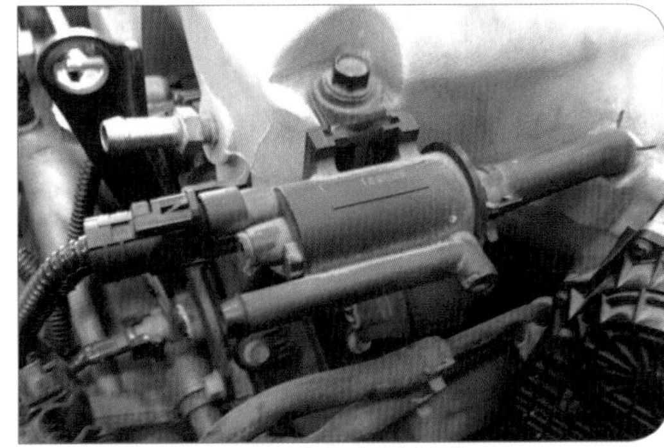
PCSV(퍼지 컨트롤)

WTS(수온센서)

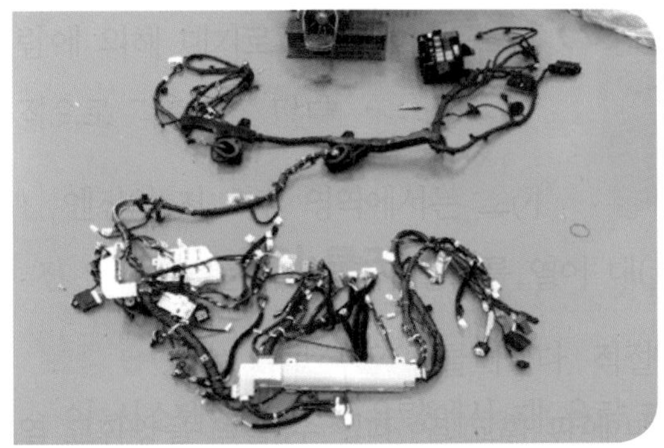
엔진 배선 세트

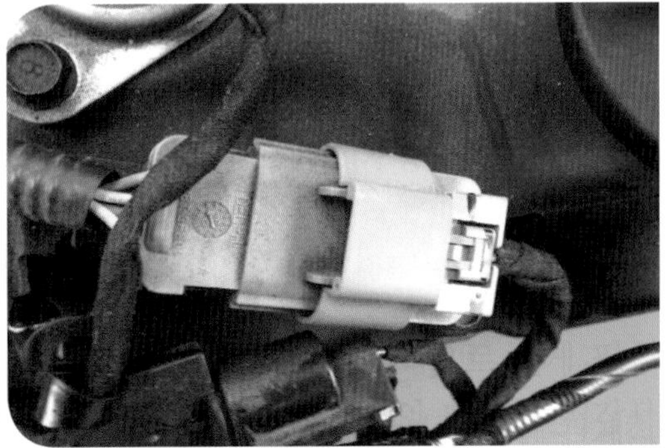
OCV

그림 8-06 자동차기관 전자제어장치

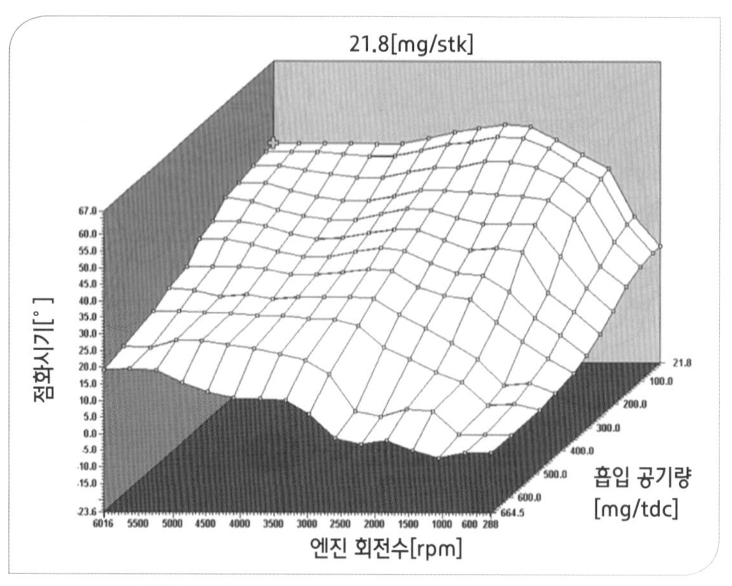

그림 8-07 점화시기 맵핑
(엔진회전수와 흡입공기량에 따른 맵핑)

04 전자제어장치 튜닝 성능시험

기관전자제어 튜닝은 기관의 성능을 크게 좌우할 수 있으므로 대단히 주의해야 한다. 따라서 여기서는 범위를 넘기 때문에 구체적인 내용을 생략하지만 일반적으로 튜닝을 마치면 섀시다이나모에서 출력과 토크 및 연비를 측정해야 한다. 이 때 차량의 성능시험을 할 때는 시가지 주행을 모사한 FTP-75모드와, 최근 국내 디젤차량 모드로 채택된 WLTP 모드 등을 사용하여 배출가스와 연비를 시험한다.

그림 8-08 ECU튜닝 후 섀시동력계에 의한 차량 시험

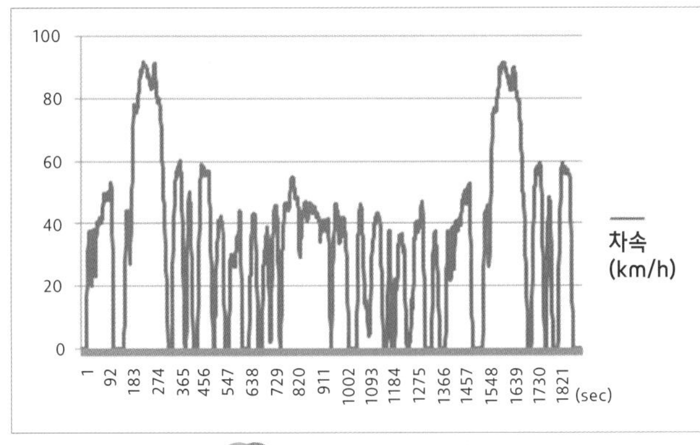

그림 8-09 FTP 75 모드

그림 8-10 배출가스 측정 장비

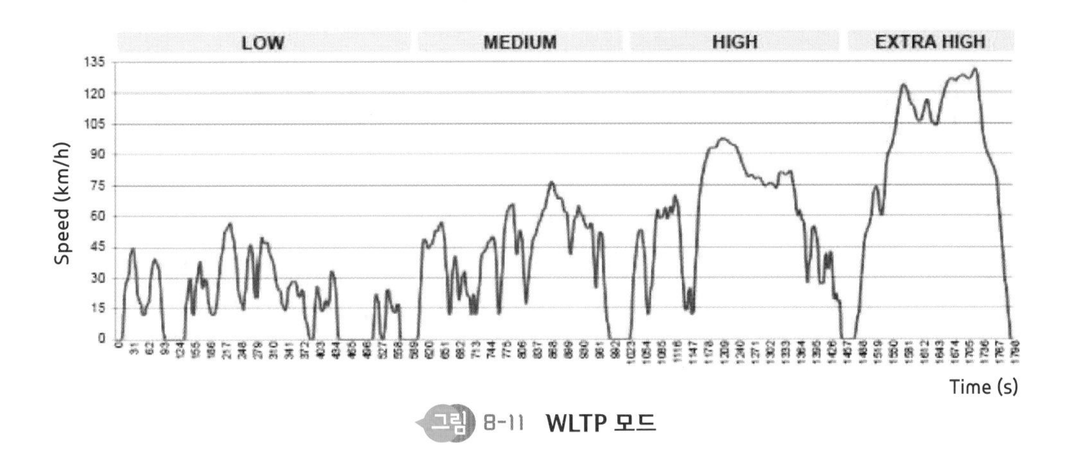

그림 8-11 WLTP 모드

최근에는 PEMSPortable Emission Measurement System 장비에 의하여 차량 운행 중 배출가스를 측정하는 실주행테스트(RDEReal Driving Emission)방식을 도입하여 운영 중이다.

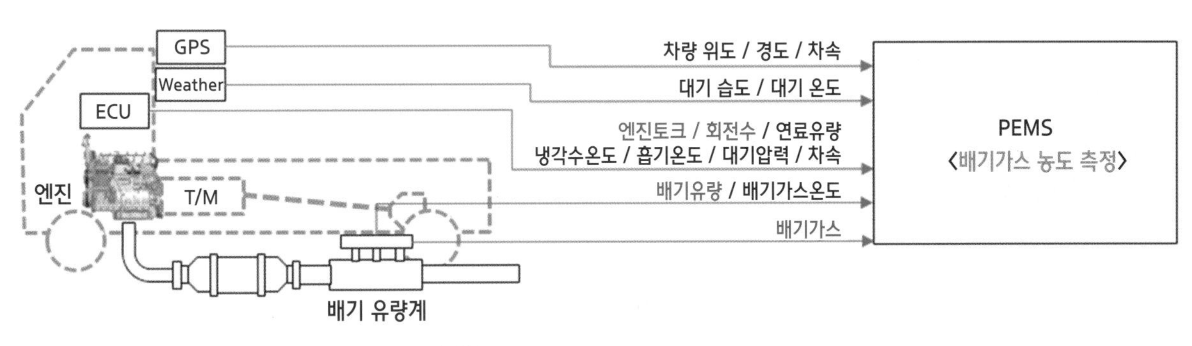

그림 8-12 PEMS 장비에 의한 배출가스 측정

참고문헌

r·e·f·e·r·e·n·c·e

01. 알기 쉬운 자동차 튜닝 매뉴얼, 교통안전공단

02. 자동차기술핸드북 1 기초 이론편, (사)한국자동차공학회

03. 자동차기술핸드북 2 설계편, (사)한국자동차공학회

04. 내연기관공학(가솔린엔진편), 학연사

05. 내연기관공학, 동명사

06. 튜닝박사(엔진편), 도서출판 골든벨

07. 자동차튜닝사(튜닝개론), 도서출판 골든벨

08. 자동차튜닝사(튜닝실무), 도서출판 골든벨

09. https://cafe.naver.com/leopardmotors

10. https://cafe.naver.com/teamfinal

11. https://www.hks-power.co.jp

12. http://www.turbo.borgwarner.com

13. https://www.youtube.com/watch?v=iEGisoOnewg

부록

1. (사)한국자동차튜닝산업협회
2. 자동차튜닝업
3. 자동차튜닝엔지니어
4. 자동차정비업과 자동차튜닝업의 작업구분 비교

사단법인

한국자동차튜닝 산업협회

Korea Auto Tuning Industry Association

(사)한국자동차튜닝산업협회는 전문가 인증을 위한 튜닝자격 검정시험 시행 및 자격증 발급, 튜닝전문 인력양성을 위한 특성화고 및 특성화대학교 지정, 튜닝사업자를 위한 사업장 실사 및 튜닝 사업등록증 발급, 대외 경쟁력 강화와 시장확대를 위한 우수 튜닝부품 수출지원, 우수 튜닝부품의 시장 진출을 위한 시험 · 평가 및 품질보증제 시행, 튜닝의 활성화 및 사업장의 안정적인 사업영위를 위한 튜닝클러스터조성, 튜닝문화의 저변확대를 위한 전시회 및 숙련기술 장려를 위한 기능대회 개최, 드래그 레이스, 드리프트, 짐카나 등 모터스포츠를 위한 상설경기장 건립 및 경기대회 개최, 자유로운 튜닝과 자동차산업의 부흥을 위한 네거티브 형태의 자동차 튜닝산업 진흥법안 추진등을 진행하고 있습니다.

김 필 수

사단법인 한국자동차튜닝산업협회 회장
(現) 대림대학교 자동차학과 교수

우리나라는 자동차생산국 순위 5위를 기록할 정도로 세계 자동차산업발전에 일익을 담당하고 있습니다. 그러나 성능보다 생산에 치우치는 국내 자동차산업의 한계로 더 이상 순위 상승을 힘들게 하고 있는 실정입니다. 이제 비로소 국내 자동차튜닝산업도 기지개를 펼 수 있게 되었습니다. 자동차튜닝은 산업의 질적 향상을 위해 키워내야 하는 성장 동력입니다. 우리 협회는 국내외 자동차산업 연구 및 정책연구 등 다양한 개선방안을 마련해 나가면서 소비자권익을 보호하는 등 튜닝분야와 더불어 자동차산업을 발전시켜 나가도록 더욱 노력하겠습니다.

협회연혁

2019. 05
- 자동차튜닝산업 활성화를 위한 토론회 및 전시회 개최
  한국건설생활환경시험연구원(KCL)과의 업무협약(MOU)체결

2019. 03
- 자동차튜닝사 2급 국가공인 심의 신청
  자동차튜닝산업법안 입법발의

2019. 02
- 직업훈련학교 MOU 체결 8개 기관
  제5회 자동차튜닝사 2급 자격검정시험 시행

2018. 12
- 에스에이치컴퍼니(포천레이스웨이),"레이싱페스티벌"개최 협약 체결

2018. 10
- 제4회 자동차튜닝사 2급 자격검정시험 시행

2018. 07
- 서울 오토살롱 개최
  중국 영성시와 튜닝산업활성화 MOU 체결
  제3회 자동차튜닝사 2급 자격검정시험 시행

2018. 01
- 고용노동부 대한민국명장 직종으로 자동차튜닝 고시, 시행
  한국표준직업분류(KSCO) 자동차튜닝원 시행
  협회 운영이사회, 전국지부.지회 (72개지역) 및 분과위원회 제3기 구성
  제2회 자동차튜닝사 2급 자격검정시험 시행

2017. 12
- 미국 튜닝부품 수출지원 1차기업 선정 및 품질보증 Q마크인증 시험기관 평가시행
  미국 SEMA 전시회 참관 및 SEMA(튜닝협회)의 한국멤버십 파트너사 가입등록

2017. 11
- 협회, 홍익대, 창원문성대학교간의 융복합 R&D사업을 위한 산학협력 체결

2017. 10
- 이베이, 아마존 공동 자동차튜닝부품 미국수출을 위한 사업설명회 개최

2017. 08
- 8월 제1회 자동차튜닝사 2급 자격검정시행
  전국 16개 대학과의 자격연계 자동차튜닝 인력양성을 위한 협약체결

2017. 07
- 자동차튜닝전문 인력 양성을 위한 전국대학 사업설명회 개최
  한국표준사업분류(KSIC) 자동차튜닝업 시행 및 한국표준분류(KSCO) 자동차튜닝원 고시

2017. 05
- 경기대학교 자동차튜닝공학과 신설을 위한 기초 연구 용역

2017. 02
- 산업통상자원부 튜닝산업 실태 조사를 위한 기초연구 용역

2017. 01
- 충북제천시 자동차튜닝클러스터 구축을 위한 로드맵 연구 용역
  한국표준산업분류 자동차튜닝업 고시

2016. 12
- 자동차튜닝 교수협의회 구성 산.학.관 워크샵 개최
  인천 송도 자동차 A&T 센터 자동차튜닝부분 제안사업 참여

2016. 09
- 영종도 오성산테마파크 자동차경기장 건립추진

2016. 08
- 자동차산업인적자원개발위원회(ISC) 우선협상기관 최종선정

2016. 07
- 산업부 & 국토부 주최 2016 서울오토살롱 주관

2016. 06
- 자동차튜닝사외 2개부분 민간자격 등록

2016. 04
- NCS기반 자동차튜닝외 5개분야 학습모듈 개발사업 수행

2016. 03	• 자동차전분야 NCS 및 신직업자격 보완사업 수행
2016. 01	• 협회 운영이사회 및 분과위원회 제2기 구성
2015. 12	• 국가직무능력표준(NCS) 자동차부분 개발사업 수행
2015. 08	• 한 · 독 자동차 메카트로닉스 자동차부분 전문기관 단독 참여
2015. 07	• 산업부 & 국토부 주최, 2015 서울오토살롱주관 협회부설 한국자동차튜닝연구소 개소(아주자동차대학)
2015. 05	• 한국표준산업분류 자동차튜닝업 & 자동차튜닝원 신설추진
2015. 04	• 강원도 인제 자동차 튜닝클러스터 조성 연구용역 수행
2015. 01	• 자동차정비 · 관리분야 국가역량체계(NQF)구축 시범사업 수행
2014. 12	• NCS 기반 자동차부분 자격종목재설계 개발사업 수행
2014. 11	• 국가직무능력(NCS) 자동차부분 개발사업 수행
2014. 10	• 산업통상자원부장관배 튜닝카 레이싱대회 주관
2014. 07	• 산업부 및 국토부 주최, 2014 서울오토살롱 주관
2014. 06	• 강원도 인제 튜닝산업 육성을 위한 기본구상 연구 용역
2014. 03	• 자동차튜닝업계현황 및 저변 활성화 방안 연구 용역
2014. 01	• 협회 운영이사회 및 분과위원회 구성
2013. 09	• 산업통상자원부산하 (사)한국자동차튜닝산업협회 인가

주요사업

전문인력 양성

- 원격훈련기관 업무 : 스마트–온라인교육
- 자동차튜닝 교육 · 훈련 프로그램 운영 : 학습교재 및 프로그램 개발
- 튜닝전문 교육 · 훈련 시행 : (특성화지정) 대학기관 및 고등학교 연계
- 모터스포츠 전문가 양성프로그램 운영 : 드라이버, 미케닉, 오피셜 등
- 자격검정시험 시행 : 자동차튜닝사(1급, 2급), 자동차튜닝평가사, 자동차튜닝장 등
- 자동차튜닝 대한민국명장 기능대회 시행 : 지역, 전국, 국제 기능올림픽대회

유통 및 홍보

- 수출지원 프로그램 운영 : 수출대행, 자금지원, 시장개척 등
- 자동차튜닝 전문전시회 주관 : 서울오토살롱 및 국제 전시회
- 튜닝정보이력정보 시스템 운영 : QR코드 및 전산화 지원
  튜닝부품사, 튜닝센터 및 튜닝업체 분야별, 등급별 인증 업무 수행
- 튜닝부품 및 튜닝업무 방송프로그램 홍보 지원
- 자동차튜닝 방송프로그램 제작

제도 및 품질보증

- 튜닝부품 품질보증 기관 업무 수행
- 튜닝부품 품질보증 Q마크인증 시행
- 튜닝부품 및 튜닝업무 하자보증제 시행
- 자동차튜닝산업 진흥법 입법추진

튜닝업체 지원

- 튜닝업등록증 발행 업무
- 자동차제작자 지원 : 다목적형
- 자동차제작사 튜닝부품 A–OEM 지원
- 전기자동차 및 자율주행차 튜닝프로그램 지원
- B2B 튜닝부품 쇼핑몰 운영
- 클린사업장 조성 및 오폐수처리 지원

모터스포츠 & 튜닝클러스터 조성

- 테스트베드기반 클러스터 : 지자체별 (상설경기장 포함)
- 자동차경주대회 개최 : 드래그, 드리프트, 짐카나, 오프로드 등
- 튜닝클러스터 입주기업 구성 : 입주사 자금지원, 네트워크 구축,
  자동차경주대회 개최

조직도(16개지부, 16개 분과, 440여개 회원사로 구성)

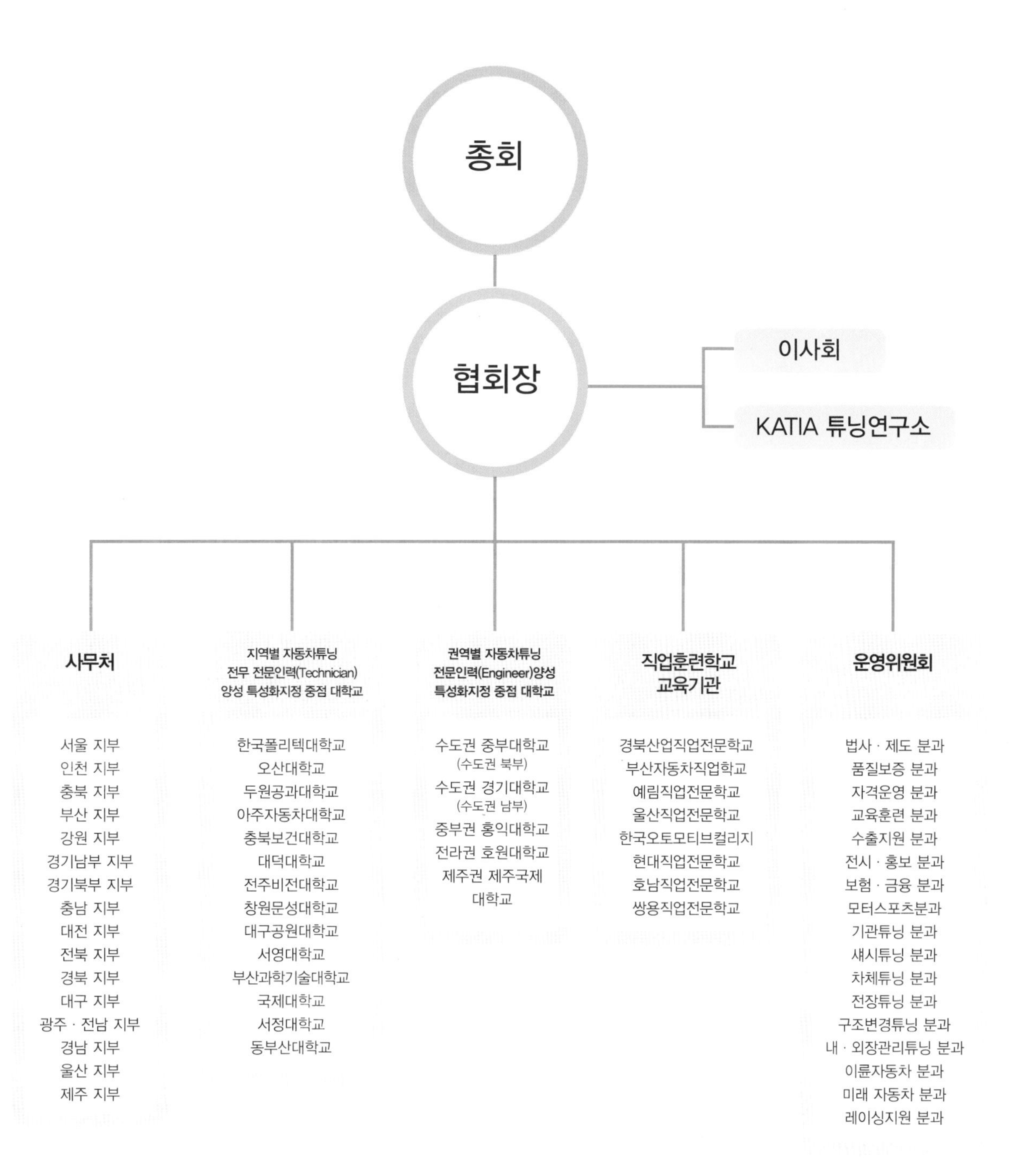

협회 사업 성과

2019

- 자동차튜닝산업법안 입법발의
- 자동차튜닝산업 활성화를 위한 국회 토론회 및 전시회 주관
- 자동차튜닝산업 입법을 위한 간담회 주관 시행

2018

- 고용노동부, 『숙련기술장려법』 시행령에 따라 "자동차튜닝", 〈대한민국명장 직종〉 선정 완료
- 우수 자동차튜닝부품, ebay, Amazon 미국 국내 최초 온라인수출 시행
- 자동차튜닝부품, 공인시험기관을 통해 국내최초 품질보증 Q마크인증 시행
- 자동차튜닝업자의 자질향상과 권익보호를 위한 자동차튜닝업등록증 발급업무 시행

2017

- 자동차튜닝엔지니어 육성방안으로 발표한 자동차튜닝사 자격검정시험 시행
- "자동차튜닝기사" 제4차 산업혁명 등 미래유망분야 국가기술자격 신설추진
  → 산업부&국토부 요청
- 자동차튜닝 전문인력 양성을 위한 전국 19개대학 협약체결
  → 특성화대학지정 및 튜닝학과목 신설추진

2016

- 한국직업능력개발원, 국가직무능력표준(NCS) "자동차튜닝" 학습모듈개발 수행
- 한국산업인력공단, 산업별 ISC공모 〈자동차산업 인적자원개발위원회〉 우선협상 단체로 선정
- 제13차 사회관계장관회의, 〈정부 육성 · 지원 신직업〉 "자동차튜닝엔지니어" 선정 완료

2015

- 통계청, 한국표준산업분류(KSIC) "자동차튜닝업(30202)" 신설추진
  → 2017년 7월 1일 시행 완료
- 통계청, 한국표준직업분류(KSCO) "자동차튜닝원(75107)" 신설추진
  → 2018년 1월 1일 시행 완료
- 강원도 인제 자동차튜닝클러스터 조성 연구용역 수행
  → 2016년 12월 산업부 예산집행 완료

2014

- 자동차튜닝전시회 서울오토살롱, 산업통상자원부 주최, 협회 주관 시행
  → 공식전시회인정 획득

자격제도와 교육과정

▶ 자동차튜닝사 (1급, 2급)

자격종목	등급	검정기준
자동차 튜닝사	1급	전문가로써 뛰어난 자동차튜닝 능력을 가지고 있으며 자동차 기관튜닝 차체튜닝, 섀시튜닝, 전장튜닝, 구조변경튜닝 등 활용수준이 상급단계에 도달하여 한정된 범위 내에서 자동차튜닝교육자, 자동차튜닝센터 사무를 수행 할 기본능력을 갖춘 상급 수준
	2급	자동차 튜닝분야의 기술을 보유하고 있으며, 업무수행과 관련 하여 상급자의 일반적인 지시 및 감독 하에 튜닝작업을 수행 할 기본능력을 갖춘 중급 수준

▶ 자동차튜닝장

자격종목	등급	검정기준
자동차 튜닝장	단일 등급	자동차 튜닝분야의 전문지식과 기술보유로 특정한 문제의 해결을 제시할 수 있고, 현장의 튜닝설비와 인력을 고려한 튜닝작업 설계와 타인에게 컨설팅을 할 수 있는 전문능력을 갖춘 자로 자동차튜닝업장에서 업무를 주도 할 수 있는 자율책임을 갖춘 전문가 수준

▶ 자동차튜닝평가사

자격종목	등급	검정기준
자동차튜닝 평가사	단일 등급	자동차 튜닝분야에 대한 포괄적인 진단지식과 튜닝상태를 진단하고 분석 · 평가할 수 있는 능력과 자동차튜닝과 관련된 신기술의 습득으로 새로운 장비의 운용이 가능하고, 자동차튜닝상태에 따라 가격 및 시세 평가가 가능하며, 튜닝작업이 적법하게 이뤄지는지를 평가 할 수 있어야 하고, 품질보증과 자동차성능검사와 시험평가 분에서 뛰어난 전문가 수준

▶ 자동차튜닝 교육센터 교육과정 소개

스테이지1 – 튜닝

튜닝 메이커의 대량 생산 과정에서 생산단가와 가공시간 및 공정에서 오는 결함을 해결하는 정도의 튜닝을 말하며 메이커 설계 상의 성능을 목표로 한다.

1. 자동차 공학
2. 내연기관
3. 자동차섀시
4. 기계공작법
5. 자동차전기
6. 용접기초
7. 자동차튜닝 개론

▶

스테이지2 – 튜닝

컨셉에 따라 운전자가 보유 자동차의 불만부분을 해소 하는 단계로 설계상의 성능보다 향상된 성능을 목표로 한다.

8. 진동학
9. 열역학
10. 재료역학
11. 기구학
12. 제도(2D/3D CAD)
13. 자동차요소 설계
14. 용접응용
15. 자동차튜닝 기초

▶

스테이지3 – 튜닝

처음 출고된 자동차의 성능에 관계없이 고출력 고성능의 주행 성능을 목표로 하는 튜닝을 말한다.

16. 동력학
17. 기계설계
18. 제도 (Catia)
19. 도면해석
20. 유체역학
21. 기계공작법
22. 자동차튜닝 응용

(社)한국자동차튜닝산업협회 **사업목표**

▶ 입법 : 청년 일자리창출과 튜닝산업 활성화를 위한 "네거티브형태의 튜닝산업 진흥법" 입법 추진 중

▶ 자격 : 전문가 인증과 양성을 위해 시행 중인 "자동차튜닝사"〈국가공인〉 자격 획득 추진 중 (2019년)

▶ 등록 : 자동차튜닝업 사업등록증 발급에 따른 국세청연계 사업자등록 신청 및 추가등록 시행

면적기준

가. 부대시설 면적이란, 작업장을 제외한 사무실, 검차장, 부품창고, 휴게실 등을 포함한 사업장 운영공간

나. 사업장 면적이 500㎡이상일 경우 건축법에 따라 산업지역에 위치해야 하고, 500㎡ 미만일 경우 제2종 근린생활 지역에 사업장 위치

시설기준

가. 시설기준은 법정 구비 장비와 법정 사용계약 장비로 나뉘며 자동차튜닝 분야에 따라 장비기준이 달라짐

인력기준

가. 전문인력은 상시 근무하는 기능 · 기술인력을 말하며, 「자격기본법」, 「국가기술자격법」이나 그 밖의 법령에 따라 기능 · 기술자격 정지 및 업무정지 처분을 받은 사람은 제외

※ 이 경우 기능 · 기술인력이 등록기준에 미달되는 경우에는 1개월 내로 보완

▶ 교육 : 전문인력 양성을 위한 원격훈련센터 지정 및 전국 30개 대학교 특성화대학 지정

▶ 경기 : 드라이빙과 튜닝기술 향상을 위한 경연장인 "자동차경주대회"개최

※드래그레이스, 드리프트, 오프로드, 짐카나, 오토크로스 등

▶ 대회 : 대한민국명장 및 우수 숙련기술자 장려를 위한 '자동차 튜닝 기능올림픽대회' 시행

고용노동부고시 제 2017 - 94호

「숙련기술장려법」 제11조제1항제1호 및 같은 법 시행령 제10조에 따라 대한민국명장 직종을 다음과 같이 고시합니다.

2017년 12월 28일

고 용 노 동 부 장 관

대한민국명장의 직종 고시

대한민국명장의 직종은 별표와 같다.

부칙

이 고시는 2018년 1월 1일부터 시행한다.

대한민국명장의 직종

분 야	직 종
1.기계설계	기계설계
2.기계가공	정밀측정, 절삭가공
3.기계조립 · 관리정비	기계조립, 기계생산관리, 기계정비, 냉동공조설비
4.금형	금형
5.차량철도	자동차정비, 자동차튜닝, 철도시설유지 · 보수, 철도신호제어, 철도차량 설계제작
6.선박 · 항공	선박설계, 선박건조, 선박정비, 선박검수검량, 항공기 정비 및 제작
7.금속재료	재료시험, 금속재료제조, 주조, 소성가공, 열처리, 표면처리, 판금 · 제관, 용접
8.소재개발	세라믹제조, 신소재, 나노기술
9. 화학물 및 화학공정관리	화공, 화약류 제조
10.전기	전기
11.전자	전자기기, 컴퓨터시스템, 반도체개발, 의료장비제조, 디스플레이개발, 로봇개발
12.정보기술	정보처리, 정보통신, 가상현실기술, 증강현실기술, 인공지능, 감성인식기술, 정보보안, 빅데이터분석
13.통신기술	유선통신구축, 무선통신구축
14.방송기술	방송기술
15.광학	광학
16.토목	토목설계, 측량 및 지리정보 개발
17.건축	보일러, 배관시공, 건축설비, 건축시공, 건축목공시공, 창호시공, 건축설계, 실내건축
18.섬유제조	섬유가공, 텍스타일디자인
19.패션	패션디자인, 한복생산, 신발개발 · 생산
20.에너지 · 자원	에너지
21.해양자원	잠수
22.농업	농업
23.축산	축산
24.임업	임업, 임산물생산가공
25.수산	수산양식
26.식품가공	식품가공
27.디자인	제품디자인, 시각디자인
28.문화콘텐츠	애니메이션, 영상편집
29.공예	도자공예, 석공예, 목칠공예, 자수공예, 인장공예, 보석및금속공예, 화훼장식
30.인쇄 · 출판	인쇄 · 출판
31.이 · 미용	미용, 이용
32.조리	요리
33.제과 · 제빵	제과 · 제빵
34.산업환경	환경관리
35.산업안전	산업안전관리, 위험물안전관리, 산업보건관리, 가스, 비파괴검사
36.소방 · 방재	소방설비
37.품질관리	품질관리

▲ 고용노동부고시 제 2017-94호 대한민국 명장직종

▶ 제조 : 튜닝부품 수출 및 전시회 지원 및 국내 신차 제작사 튜닝옵션 A-OEM 사업

A-OEM이란?

애프터마켓 OEM이라고 하며, 신차 생산라인에 투입되는 OEM단계가 아닌 출고 후, 고객의 필요에 맞게 외부업체 에서 추가장착 후 신규차량등록을 하는 방식.

미국 등 선진국에서는 보편화된 사업으로 일정대수를 정해놓고 진행함으로써 한정판으로 운영

1차대상 부분 : 에어로파츠, 제동장치, 현가장치, 배기장치, 휠, 내외장재, 인스톨

튜닝활성화 시행 사업

● 자동차경주 Festival

▶ 진행계획

· 협회공인 경주페스티벌 개최, 전국 4개 지역 (전남, 강원, 경기, 경북 등)

· 상 · 하반기 순위를 합산하여 서울오토살롱기간 내 분야별 시상 (경기우승, 프로모터, 감독, 미케닉, 오피셜 등)

· 시즌별(상 · 하반기) 종목별 입상자에 한해 시상 및 국제대회(한 · 중 · 일) 출전자격 부여 (드래그, 짐카나, 드리프트, 오프로드, 오토크로스 등)

· 드래그레이스 연 6회 (상 · 하반기 각 3회) 짐카나, 드리프트 연 8회 (상 · 하반기 각 4회) 오프로드, 오토크로스 연 4회 (상 · 하반기 각 2회) 등

· 서킷택시 운영

· 시뮬레이션 자동차 경주대회

● 자동차튜닝 기능올림픽대회

▶ 진행계획

· 참가자격 : 자동차튜닝사 자격소지자

· 자동차튜닝 지방기능올림픽대회 전국 9개 지역 (경기, 부산, 인천, 대구, 대전, 광주, 전북, 충남, 강원)

· 지방기능올림픽대회 입상자는 자동차튜닝사 1급 자격부여

· 지방기능올림픽대회 입상자(1,2,3위)로 전국기능올림픽대회 최종 개최

· 기능올림픽대회의 1위 입상자를 숙련기술자로 추대 (우수숙련기술자는 추후 대한민국명장 후보)

자동차튜닝업

◆ 한국표준산업분류(KSIC) 2017, 01. 13 고시, 2017. 07. 01 시행

◆ 산업분류명 자동차 구조 및 장치변경(튜닝) 산업분류코드 30202

"자동차튜닝업(30202)"

▶ 업종에 대한 해설

각종 자동차의 성능 향상을 위한 구조변경과 적재, 승차장치 구조를 변경하는 산업활동으로 엔진출력 향상은 연소실 압축비 변경, 라디에이터, 오일펌프 등 관련 부품 또는 장치를 변경하는 작업을 포함한다.

그 외 제동장치, 현가장치, 냉각장치, 섀시, 차량 중량 등 기본 설계기준을 재설계 하여 주행성능, 제동성능, 조정안전성 등을 향상시키거나 구조, 장치 및 부품 소재(티타늄, 카본파이버, 우레탄 등) 까지 변경작업이 가능하고, 자동차 전.후 축의 중량 및 길이. 너비. 높이 등을 변경하는 작업도 포함된다.

◆ 사업자등록 안내

업 태 : 제조
업 종 : 자동차 구조 및 장치변경 (튜닝)

◆ 사업장입주조건

500㎡ 이하 건축법에 의한 용도별 건축물의 종류상 제2종 근린생활시설 입주가능

제2종 근린생활시설

제조업소, 수리점 등 물품의 제조, 가공, 수리 등을 위한 시설로서 같은 건축물에 해당 용도로 쓰는 바닥면적의 합계가 500제곱미터 미만이고 다음 요건 중 어느 하나에 해당하는 것

1)"대기환경보전법","수질 및 수생태계 보전에 관한 법률"또는"소음.진동관리법"에 따른 배출시설의 설치허가 또는 신고의 대상이 아닌 것

2)"대기환경보전법","수질 및 수생태계 보전에 관한 법률"또는"소음.진동관리법"에 따른 배출시설의 설치 허가 또는 신고의 대상 시설이나 귀금속, 장신구 및 관련 제품 제조시설로 발생되는 폐수를 전량 위탁 처리하는 것

500㎡ 이상 건축법에 의한 용도별 건축물의 종류상 공업지역

자동차튜닝엔지니어

자동차 소유자의 취향과 감성을 반영하는 자동차튜닝엔지니어

연예인 노홍철은 예능프로그램 '무한도전'에 출연 당시 호피무늬로 도색한 자신의 자동차를 보여주며 개성을 드러냈습니다. 도로에서 흔히 볼 수 있는 경차는 호피무늬의 옷을 입은 후 '홍카'라고 불리며 많은 관심을 받았죠. 또 다른 예능프로그램 '나 혼자 산다'에서는 웹툰작가 기안84가 자신의 자동차를 빨간색, 파란색 등의 페인트로 칠한 후 보닛 위에 이니셜까지 새겨 넣는 장면이 방송되었는데요. 다소 난해해보일 수 있는 컬러와 디자인이었지만 인터넷에서는 평소 자유분방한 성격의 기안84에게 어울리는 자동차 튜닝이라는 긍정적인 평가가 이어졌습니다.

자동차 튜닝은 개성 넘치는 연예인이나 일부 자동차 마니아들만 한다는 인식이 존재합니다. 너무 튀거나 위협적이라며 자동차 튜닝을 부정적으로 보는 시선도 있죠. 그러나 개성을 중시하는 젊은 운전자가 증가하고 개인 감성을 충족시키려는 욕구가 증대되면서 자동차 튜닝수요는 꾸준히 늘고 있습니다. 자동차 제조사가 공급하는 획일적인 디자인과 성능을 거부하고 자신의 취향에 맞춘 디자인과 성능의 자동차를 갖고 싶어 하는 것이죠.
이미 일본, 미국, 독일 등에서 자동차 튜닝은 낯선 일이 아닙니다. 자동차 대국인 일본에서는 매년 커스텀카(튜닝카) 이벤트인 '도쿄 오토살롱'을 개최하고 있으며, 2015년에서는 참가인원만 30만 명을 기록했습니다. 자동차 강국인 독일은 이미 1980년대부터 자동차 튜닝을 정부 차원에서 육성하기도 했습니다.
국내에서도 자동차 튜닝시장은 빠르게 성장하고 있습니다. 현재 많은 이들이 온라인상에서 자동차 튜닝에 대한 다양한 정보를 공유하고 있으며, 직접 자동차 튜닝에 나서기도 합니다. 그러나 고가의 자동차를 변형하는 일인 만큼 튜닝기술과 센스를 겸비한 전문 인력에 대한 수요도 확대되고 있는데요. 자동차 디자인과 성능을 자동차 소유자의 요구에 맞게 튜닝하는 '자동차튜닝엔지니어'에 대해 알아보겠습니다.

수행직무

차의 성능과 기능을 향상시키기 위하여 자동차의 구조 및 장치를 변경하거나 외관을 꾸미는 것이 튜닝이다. 자동차튜닝엔지니어는 자동차의 기능을 향상하거나 형태를 변화하기 위해 합법적 범위 내에서 자동차를 개조하는 사람으로, 자동차튜너로도 불린다.

튜닝은 자동차 적재장치 및 승차장치의 구조를 변경하는 빌드업튜닝(Buildup tuning), 각종 장치의 성능을 향상시키는 튠업튜닝(tune-up tuning), 취향에 맞게 외관을 변경, 색칠하거나 부착물 등을 추가하는 드레스업튜닝(dress-up tuning)으로 구분된다.

자동차튜닝엔지니어는 자동차를 변형(튜닝)하려는 목적을 파악하여 자동차 개조계획을 수립한 후, 튜닝을 위한 견적을 산출한다. 이때 경주용 튜닝의 경우 경기규칙을 검토하고 규정되어 있는 튜닝 범위를 확인해야 한다. 튜닝을 위하여 자동차의 엔진, 타이어, 휠, 오디오, 핸들, 범퍼 등의 부품을 교체, 부착 및 변형한다. 튜닝작업이 완료되면 시험운전을 통해 자동차에 이상이 없는지 확인한다.

해외현황

[미국]

미국에서는 자동차튜닝엔지니어가 자동차정비원(Automotive Service Technicians and Mechanics)의 세부직업으로 소개

되고 있다. 자동차정비원은 냉동공조분야(Automotive air-conditioning repairs), 브레이크 분야(Brake repairs), 프런트-리어 분야(Front-end mechanics), 트렌스미션 분야(Transmission technicians and rebuilders), 주행성 분야(Drivability technicians) 등에서 활동한다고 제시되어 있다. 자동차튜닝엔지니어는 자동차 엔진이 효율적으로 작동하는 데 문제가 되는 원인을 종합적으로 분석·진단·정비하는 주행성 분야 정비원으로 볼 수 있다.

주로 자동차 관련 학과나 훈련과정이 개설되어 있으며 자동차정비 관련 자격이 있다. 자동차 튜닝과 관련해서는 직업학교를 중심으로 다양한 교육기관이 마련되어 있다. 특히 엔진, 변속기 등 파워트레인의 고성능 튜닝을 비롯하여 모터스포츠학과가 많다.

미국직업전망(OOH)에 따르면, 자동차튜닝엔지니어의 임금자료는 없으며 자동차정비원은 2014년 기준 37,120달러(전체 직업 평균 35,540달러)를 받는다.

[영국]

세계 최대 모터산업 종주국인 영국은 세계 최고의 모터스포츠(튜닝)학교 및 학과가 많다. 이런 문화적 배경 아래 F1팀의 본사 대부분이 영국에 있다. 영국은 모터스포츠 팀을 중심으로 산학연 프로그램이 짜임새 있게 구축되어 있다.

영국에서 자동차튜닝엔지니어는 Car tuning specialist, Performance car tuning specialist, Auto tuner, Imported car tuner, Motor sports engineer 등으로 불린다. 이들은 주로 전문튜닝회사, 일반 자동차정비소 등에서 도제식으로 업무를 배운다. 도제기간은 통상 3년 정도다.

대규모 튜닝회사에 근무하는 경우 자동차정비원(mechanic)의 임금을 상회하는데, 일반적으로 4년 정도 경험이 있는 정비원이 25,000파운드 정도를 받는다.

[독일]

독일의 튜닝시장은 23조 정도로 상당히 큰 규모다. 자동차튜닝엔지니어는 Auto(mobil) tuner, Auto Tuning Spezialist, (Kraft) Fahrzeug Tuning Spezialist 등 다양한 명칭으로 불린다.

관련된 별도의(법이 정한) 직업교육은 없으며, 주로 자동차 정비, 자동차 메카트로닉 또는 도장(Paintwork) 관련 직업교육 이수자가 튜닝업체 또는 자동차 정비소에 관련 지식 및 기술을 습득하는 방식으로 훈련이 이루어진다.

마이스터 자격 취득 후 정비소가 튜닝업체 개업이 가능하다. 자동차 튜닝 관련하여 자동차튜너협회(VDAT, Vervand der Automobil Tuner)가 있으나 인력양성보다는 주로 자동차 제조사와의 협업, 튜닝제품 품질검사, 관련법, 홍보 등을 담당한다. 자동차튜너(자동차메카트로니커)의 평균 월급은 약 2,460유로(세전 약 327만 원,2014)다.

[일본]

일본에서는 카튜너, 또는 커스텀매커닉으로 불리는데 '커스터마이징정비사', '주문제작정비사' 라고 할 수 있다. 한국에서 자동차 커스터마이징은 주로 '튜닝'이라는 말로 통용되고 있으므로, '튜닝 정비사'라고 할 수 있을 것이다. 이들은 주로 자동차튜닝업체 등에서 활동하며 디자인이나 차체 구조를 개조해 개성 있는 차량을 완성하는 업무를 수행한다. 고등학교를 졸업하거나 대학(기계과 등을 전공하면 유리), 전문대학, 전문학교 등에서 자동차정비 관련 전공을 한 뒤 자동차튜닝업체에서 경험을 축적하면 커스텀메커닉이 될 수 있다. 국가자격인 자동차정비사와 달리 반드시 필수적인 자격증을 취득해야 하는 것은 아니며 자격증보다는 개인의 자질과 능력이 더 중시된다. 일본은 영국과 함께 세계 최고 수준의 전문 모터스포츠 학과 및 튜너 양성 학과를 운영하고 있는데 자동차 제작사는 전문적인 튜너를 양성하는 전문튜닝학교(혼다인터내셔널 테크니컬, 도요타동경정비전문학교, 닛산정비학교 등)를 설립해 인력을 양성한다.

국내현황

국내 자동차 튜닝시장은 미국, 독일, 일본에 비해 아직 열세이며 자동차 생산량이 세계적인 수준임을 감안하면 이제 걸음마 수준이라고 할 수 있다. 이는 튜닝대상 항목에 대한 규제, 소비자 보호장치 및 제작자 튜닝 지원제도 부재, 튜닝에 대한 인식 부재 등이 원인으로 꼽힌다.

정부가 2014년 '자동차 튜닝산업 진흥대책'에 따라 자동차 튜닝기준을 마련하고 제도적 틀 안에서 튜닝시장을 건전하게 키우겠다는 계획을 세웠다. 주요 내용은 튜닝 허용 확대, 튜닝 부품인증제, 튜닝시장 확대, 튜닝산업분류 신설 등이다. 이후 소형화물차 포장탑, 화물차 바람막이, 연료 절감 장치 등은 허가 없이 장착가능하며, 벤형 화물차 적재함의 투명유리 교체도 허가 없이 가능해졌다. 또한 모범 튜닝 업체에는 선정·인증마크를 수여하고 튜닝특화 고교 및 대학을 선정하여 기능·고급인력을 양성 지원하고자 한다.

현재 국내 튜닝업체에서는 자동차튜닝엔지니어 채용 시 자동차정비기능사 이상의 자격을 요구하는 것이 일반적이다. 아직 국가자격은 없으나 한국자동차튜닝산업협회, 한국자동차튜닝협회 등에서 민간자격(자동차튜닝사)을 운영하고 있기는 하다.

자동차튜닝엔지니어에 대한 공식적인 통계는 없으나 대략 국내 튜닝 관련 업체가 500~2,000개에 달하는 것으로 업계에서는 추정하며 자동차튜닝만을 전문으로 하는 업장도 있으나 대부분 자동차 정비업을 겸하고 있다.

필요 역량 및 교육

기본적으로 자동차에 대한 애정과 관심이 있는 자에게 적합한 직업이며, 독창적인 아이디어를 구현할 수 있어야 하므로 미캐닉에 대한 센스뿐 아니라 디자인 감각을 갈고 닦아야 능력을 인정받을 수 있다, 차종 및 해당 차종에 대한 적합한 부품에 대한 폭넓은 지식을 갖춰야 하며 용접, 판금, 기계가공, 도장, 부품이나 차량 사양에 관한 트렌드를 파악하는 것도 중요하다. 다양한 고민과 요구사항을 제시하는 고객을 상대로 자신의 지식과 기술을 총동원해 상담에 응하고 적절한 조언을 해줄 수 있어야 하는 만큼 커뮤니케이션 능력과 서비스 정신이 요구된다, 또한 튜닝 범위가 법적으로 제한되는 만큼 허용되는 범위 내에서 창의성과 서비스 정신을 발휘할 수 있는 직업윤리가 요구 된다.

자동차튜닝엔지니어로 종사하기 위해서는 자

동차수리업체나 자동차튜닝 전문점 등에서 경험을 쌓는 것이 유리하다.

최근 전문대학을 중심으로 튜닝엔지니어를 양성하기 위한 학과들이 꾸준히 개설되고 있는 추세이며, 4년제인 경기대학교가 자동차튜닝공학과를 신설하여 2018년부터 운영한다.

향후 자동차튜닝엔지니어는 정부의 전문 인력 양성 추진계획에 따라 기술인력(Engineer)과 기능인력(Technician)으로 나누어 양성될 예정이다. 대학뿐만 아니라 자동차관련 학과가 설치된 고등학교도 10개 이상이다. 이들 과에서는 자동차디자인, 자동차 IT, 자동차정비 등을 배운다. 한편 직접적인 관련은 낮지만 직업훈련기관이나 직업학교 등의 자동차 정비 관련 훈련과정도 튜닝엔지니어 인력 양성에 긍정적인 역할을 할 것으로 보인다. 현재 튜닝업체에서 일하는 인력의 경우 자동차정비를 담당하던 인력이 기술과 경험을 쌓아 튜닝분야로 진입하는 경우가 간혹 있다.

향후 전망

그동안 자동차튜닝은 산업분류와 직업분류도 없이 정비업에 혼재되어 있거나 도소매업 등으로 합법과 불법의 경계선으로 이뤄져 왔다. 그러나 정부 차원에서 자동차튜닝산업 활성화를 위해 자동차튜닝업 및 자동차튜닝원 신설이 추진되어 2017년 1월 한국표준산업분류(KSIC) 개정·고시를 통해 자동차튜닝업이 신설되었다. 자동차튜닝업 신설로 인해 정비업과 분류되어 독립된 산업군으로 사업을 영위하게 되면 좀 더 안정적인 튜닝산업의 기틀이 마련될 것으로 보인다.

또한 제4차 산업혁명 시대를 대비하여 정부가 자동차튜닝업을 신성장산업으로 지정하였고 자동차튜닝엔지니어를 국가기간·전략산업직종으로 선정한 바 있다. 향후 자동차튜닝업이 제조업의 한 분야로 신설됨에 따라 그동안 영세 시장으로 평가받았던 자동차튜닝업체데 대한 인식을 새롭게 하여 체계적인 지원을 이끌어 낼 계기로 작용할 전망이다, 지자체에서도 튜닝클러스터 조성에 적극 나서고 있어 추후 중소·중견으로의 성장이 가능할 것으로 보인다.

자동차정비업과 자동차튜닝업의 작업구분 비교

사례

정비범위	자동차전문정비업	자동차튜닝업
원동기	· 에어클리너엘리먼트의 교환 · 오일펌프를 제외한 윤활장치의 점검 · 정비 · 디젤분사펌프 및 가스용기를 제외한 연료장치의 점검 · 정비 · 냉각장치의 점검 · 정비 · 머플러의 교환 · 실린더헤드 및 타이밍벨트의 점검 · 정비 (원동기의 종류에 따라 매연측정기 · 일산화탄소측정기 또는 탄화수소측정기를 갖춘 경우에 한한다) · 윤활장치의 점검 · 정비 · 디젤분사펌프 및 가스용기를 제외한 연료장치의 점검 · 정비 · 배기장치의 점검 · 정비 · 플라이휠(flywheel) 및 센터베어링(centerbearing)의 점검 · 정비	· 엔진 및 밋션 오일클러 장착 (자동차튜닝사 2급) · 냉각수브리더 탱크제작, 장착 (자동차튜닝사 2급) · 인터클러 및 인터쿨러 라인 제작, 장착 (자동차튜닝사 2급) · 경량풀리 제작, 장착 (자동차튜닝사 2급) · 인테이크 제작, 장착 (자동차튜닝사 2급) · ECU 켈리브레이션 튜닝 (자동차튜닝사 1급) · 대용량 터빈 인젝터 튜닝 (자동차튜닝사 1급) · 엔진 클리어런스 및 보링, 터보 과급기 장착 (자동차튜닝사 1급) · 배기머플러 제작, 장착 (자동차튜닝사 2급) · 듀얼머플러 구조변경 (자동차튜닝사 2급) · 커스텀 배기라인 제작 (자동차튜닝사 2급) · 가변배기 제작, 장착 (자동차튜닝사 2급) · 엔진 압축압력 변경, 캠샤프트와 밸브스프링 등 셋팅(자동차튜닝사 1급) · 흡기포팅, 배기포팅, 배기단열 (자동차튜닝사 1급) · 하이캠–실린더헤드, 단조피스톤, 단조컨로드, 스트로크킷 제작 및 장착 (자동차튜닝사 1급) · 실린더보어업, 강화슬리브, 경량단조 크랭크 제작, 장착(자동차튜닝사 1급) · 대용량 오일팬, 드라이섬프, 고속냉각팬, 대용량 인젝터, 대용량 인젝터, 연료압 레귤레이터 장착 (자동차튜닝사 1급) · 엔진 스왑(업그레이드) (자동차튜닝사 1급) · 전기모터 스왑 (자동차튜닝사 1급) · 액티브 사운드 제작, 장착 (자동차튜닝사 2급)
동력 전달장치	· 오일의 보충 및 교환 · 액셀레이터케이블의 교환 · 클러치케이블의 교환 · 클러치의 점검 · 정비 · 변속기의 점검 · 정비 · 차축 및 추진축의 점검 · 정비 · 변속기와 일체형으로 된 차동기어의 교환 · 점검 · 정비	· 튜닝용 클러치 장착 (자동차튜닝사 2급) · L.S.D 장착 (자동차튜닝사 2급) · 변속레버 퀵시프트 (자동차튜닝사 2급) · 튜닝용 변속기 교체 (자동차튜닝사 1급) · 경량 플라이휠 작업 (자동차튜닝사 2급) · 릴리스베어링 간극조정 및 제작 (자동차튜닝사 1급) · 트윈플레이트 클러치 셋팅 (자동차튜닝사 1급) · 구동축 변경 (자동차튜닝사 2급) · 기어비(종감속) 작업 (자동차튜닝사 1급) · 미션 스왑(업그레이드) (자동차튜닝사 1급)

제동장치	· 오일의 보충 및 교환 · 브레이크 호스 · 페달 및 레버의 점검 · 정비 · 브레이크라이닝의 교환 · 브레이크 파이프 · 호스 · 페달 및 레버와 공기탱크의 점검 · 정비 · 브레이크라이닝 및 케이블의 점검 · 정비	· 대용량 캘리퍼 2P, 4P, 6P, 8P 브레이크 장착 (자동차튜닝사 2급) · 강화브레이크 호스 장착 (자동차튜닝사 2급) · 경량 디스크로터 장착 (자동차튜닝사 2급) · 튜닝용 브레이크 켈리퍼, 패드, 디스크 장착 (자동차튜닝사 2급) · 브레이크 배분, 압력 등 조율 셋팅 작업 (자동차튜닝사 1급) · 브레이크 브라켓제작 (자동차튜닝사 2급) · 브레이크 타입(슈→디스크)변경 (자동차튜닝사 1급) · 유압사이드브레이크 장착 (자동차튜닝사 1급) · 전자파킹 사이드브레이크에 추가 캘리퍼 장착 (자동차튜닝사 2급)
조향장치	· 조향핸들의 점검 · 정비	· 드리프트용 와이드 타각 킷 (자동차튜닝사 1급) · 웜기어 교환 및 작업 (자동차튜닝사 1급) · 스티어링휠 조향 셋팅 (자동차튜닝사 2급) · 튜닝용 스티어링휠 장착 (자동차튜닝사 2급)
주행장치	· 허브베어링을 제외한 주행장치의 점검 · 정비 · 허브베어링의 점검 · 정비 · 차륜(허브베어링을 포함한다)의 점검 · 정비 (차륜정렬은 부품의 탈거등을 제외한 단순조정에 한한다)	· 튜닝용 얼라이먼트 조정 (자동차튜닝사 2급) · 허브스페이서 (자동차튜닝사 2급) · 휠/타이어 튜닝 및 인치업 튜닝 (자동차튜닝사 2급) · 일체식 허브베어링 작업 (자동차튜닝사 1급)
완충장치	· 다른 장치와 분리되어 설치된 쇽업쇼바의 교환 · 쇽업쇼바의 점검 · 정비 · 코일스프링(쇽업쇼바의 선행작업)의 점검 · 정비	· 일체형 쇽업쇼바 차고조정, 장착 (자동차튜닝사 2급) · 코일오버 쇼크압쇼바 장착 (자동차튜닝사 2급) · 로워링 스프링 장착 (자동차튜닝사 2급) · 필로우볼 장착 (자동차튜닝사 2급) · 에어쇼바 장착 (자동차튜닝사 2급) · 로어암 교체작업 (자동차튜닝사 2급) · 차체완충 부싱작업 (자동차튜닝사 2급)
전기장치	· 전조등 및 속도표시등을 제외한 전기장치의 점검 · 정비 · 전조등 및 속도표시등을 제외한 전기 · 전자장치의 점검 · 정비	· 전조등 오토헤드램프 장착, 전조등 탈,부착 (자동차튜닝사 2급) · LED간접조명 설치(내부) (자동차튜닝사 2급)
기타	· 안전벨트를 제외한 차내설비의 점검 · 정비 · 판금 · 도장 및 용접을 제외한 차체의 점검 · 정비 · 세차 및 섀시 각부의 급유 · 판금 또는 용접을 제외한 차체의 점검 · 정비 · 부분도장 · 차내설비의 점검 · 정비 · 세차 및 섀시 각부의 급유	· 아크 + 알곤 용접 (자동차튜닝사 2급) · 바디킷(에어로파츠 장착) 제작, 장착 (자동차튜닝사 2급) · 스테빌라이저, 언더브레이스, 스트럿바 장착 (자동차튜닝사 2급) · 안전 · 편의장치(버킷시트, 썬루프 등) 추가 장착 (자동차튜닝사 2급) · 자동차 방음, 방진, 노이즈제거 (자동차튜닝사 2급) · 적재함 롤바, 커버, 하드탑 장착 (자동차튜닝사 2급) · 전기차 개조 작업 (자동차튜닝사 1급) · 다목적차량 개조 작업 (자동차튜닝사 1급)

● 교재 집필진

전광수 한국폴리텍대학 교수
조승완 부산과학기술대학 교수
이동원 아주자동차대학 교수
전택종 머피아 연구소장
윤재곤 서영대학교 교수
박희석 한국카케어전문학원 대표
이영율 (주)율앤카 대표
조일영 두원공과대 교수
이상문 동부산대학 교수
이흥식 중부대학교 교수
한성철 국제대학교 교수

● 교재 심의위원

유승학 중부대학교 교수
유충준 경기대학교 교수
조수호 하이큐모터스 대표
고경태 피드백오토샵 대표
변창균 녹턴(Nocturne) 대표
우명철 덱스크루 청주점 대표
이홍준 (주)덱스크루 대표
이창형 AR 튜닝 대표

자동차튜닝 학습서 I [기관 튜닝]

초판 인쇄 | 2019년 6월 10일
초판 발행 | 2019년 6월 17일

엮 은 이 | (사)한국자동차튜닝산업협회 편찬위원회
발 행 인 | 김길현
발 행 처 | (주)골든벨
등 록 | 제 1987-000018 호 ⓒ 2019 Golden Bell
I S B N | 979-11-5806-387-0
가 격 | 28,000원

이 책을 만든 사람들

편 집 | 이상호
본 문 디 자 인 | 안명철
웹 매 니 지 먼 트 | 안재명, 최레베카, 김경희
공 급 관 리 | 오민석, 김정숙, 김봉식
디 자 인 | 조경미, 김한일, 김주휘
제 작 진 행 | 최병석
오 프 마 케 팅 | 우병춘, 강승구, 이강연
회 계 관 리 | 이승희, 김경아

㊋ 04316 서울특별시 용산구 원효로 245(원효로1가 53-1) 골든벨빌딩 5~6F
• TEL : 도서 주문 및 발송 02-713-4135 / 회계 경리 02-713-4137
내용 관련 문의 02-713-7452 / 해외 오퍼 및 광고 02-713-7453
• FAX : 02-718-5510 • http : // www.gbbook.co.kr • E-mail : 7134135@ naver.com

www.gbbook.co.kr